香港流行音樂專輯 101

第三部

1990—1999

MUZIKLAND 著

非凡出版

推薦序

（排名依姓名筆畫順序）

認識 Muzikland 雖然只有幾年時間，但每次見面都好像有說不完的話題，
他就好像是音樂界的字典，無論哪一個年代的歌手、歌曲、特質，都能詳盡及細緻道來，
令我好像從沒離開過樂壇一樣，獲益良多！祝願繼續對音樂保持熱誠及熱愛，加油！

——文佩玲

關於香港七八十年代流行音樂歷史的文獻實在乏善可陳，Muzikland 以求真的態度，
經年累月的探求，會晤了不少當年曾在本地參與製作及推廣華語音樂的從業人員，
尋根究底，以正視聽，他筆下的相信是最接近真實的記載。

——何重立

他是我的補給，
他是我的支柱，
他是我的人肉音樂字典。
恭喜 Muzikland 實體音樂字典推出。

——余宜發

音樂是最佳良伴，
亦是最有效的國際語言，
它能使生命更奇妙、生活更豐盛！
美麗的曲和詞伴着人生路，往往給予我萬般靈感及樂趣。
知音難求，幸會能認識樂評人 Muzikland。
感謝您的欣賞、讚美及鼓勵。
祝願 Muzikland 一切安好、美妙樂韻人生！

—— 吳夏萍

香港的流行音樂，或是更正確地說，香港的粵語流行音樂，
也曾經歷一段光輝燦爛的歷史，但感覺這種優勢漸漸地消失了。
非常感謝 Muzikland 的專業和努力，出書撰文，力證那個輝煌的年代，
給後世精確的回憶及反省；說不定，粵語流行音樂會重返以往的光輝歲月！
在此再一次感謝 Muzikland，你的心思，你的努力一定會得到認同的！

—— 李龍基

A writer of great insight driven by a passion for music.

——周功成

十三年磨一劍，Muzikland 終於出書。
相片、資料、故事俱全，記錄了音樂歷史，留下了我們的文化真相。誰是原唱的爭議，可稍休吧。
我在播放舊歌時，往往能有豐富資料作支撐，Muzikland 功不可沒。我代表聽眾們，在此謝謝你了。

——周錦瑤

將來有幾多人會買這本書，不是作者可預期；歷史已經由他記錄下來，對不想知道的人而言，或許不是他們的損失；但對想知道的人來說，這裏就是他們的寶庫！

——夏韶聲

我很欣賞 Muzikland 的認真態度，被他訪問時，肯定他做過很多的資料搜集！也會感覺到他熱愛音樂的初心！

——泰迪羅賓

要在浩瀚的唱片名單中挑選 101 張經典專輯，實不容易，難得 Muziklland 並不僅僅限於介紹專輯，還會談及歌手背景、唱片公司的變化和策略，以至尋訪相關創作人甚至歌手本身。其一絲不苟的態度，令本書內容顯得更全面和詳實，而絕非僅僅一家之言。

——區瑞強

你的努力便是出版社多年來不放棄地邀請你出書的理由，至於是否熱賣就讓那些聰明的商人去承擔吧！你對音樂的熱情和有系統的分析、推介，在香港流行樂壇和音樂教育方面已作出很大的貢獻了。我陳永良身為音樂人也應説聲謝謝！Muziklland，繼續加油！

——陳永良

熱情是達成目標的動力。

與 Muziklland 談話，閱讀他的文字，深深感受到他追求及分享音樂的熱情。

有幸當年與一群優秀並充滿熱情的音樂工作者，同心合力創造了劉美君首張專輯，並成為經典。

希望這本書與該專輯一樣滿載熱情，並將香港流行音樂的熱情傳承下去。

——陳慧中

音樂歷程是變化萬千的，但亦正正需要從其變化萬千的痕跡中，去勾畫出一個有系統的檔案，才能去實踐如作者所言：推動香港音樂的夢想，堅持香港音樂的傳承。本人深信《香港流行音樂專輯101》作者所面對的挑戰，可能有「百分百兼加零一」的難度；但相對上，這份對整個香港樂壇音樂人的尊重及敬意，則非任何文字、數字可以形容！Muzikland，加油！

—— 陳潔靈

我相信人間確確實實有「真心」，因為我看過和聽過。現在知道 Muzikland 從心出發，集成了香港唱片歷史的源流，用真心去細寫成篇，令人動容，令人尊敬！

原來「真心」也可以透過閱讀感受到的。

—— 麥潔文

1974-1999 is probably the most vibrant time for HK pop music. I am very honoured to be a part of that vibrant scene. To systematically review the music recordings for over 2 decades takes someone with a lot of passion, knowledge and patience. I am so looking forward for Muzikland to share his expertise.

—— 曾路得

很高興認識 Blogger Muzikland。這五年來間中會與他電郵來往，很欣賞他對流行音樂的一份熱情，他對廣東歌的知識十分豐富，可以說得上是無所不知，我在 EMI 十七年來出過每一張專輯，他都十分清楚，可以説比我更清楚。

很開心知道他將會推出《香港流行音樂專輯 101》一書，我期待在這本書中讀到一些我已忘記了或我不知道的音樂歷史，相信這會是一個很有趣的記錄，為我們帶來很多快樂的集體回憶。

——葉麗儀

由訪問開始認識了 Muzikland，雖然第一次見面，但好像已是認識很久的老朋友一樣，談到音樂滔滔不絕；很欣賞及認同他對音樂的觸覺，中肯而感性。《香港流行音樂專輯 101》，一本令人期待的作品。

——雷安娜

讀 Muzikland 的文字，是一種享受，因他是真心愛着自己所寫的題材！本人是做音樂雜誌的，很少見作者有他這麼強的求知欲，做這麼多的資料搜集，對自己的要求是這麼嚴格……唱片公司出版許多「101」，我保證沒有任何一套，像這書讓你得益這麼多。

——劉志剛

從黑膠唱片的年代走到今天，那段提着唱片箱去電台上班的日子彷彿是昨天的事，轉眼間卻原來早已踏進另一新時代了！今天黑膠唱片也漸漸消失，年青的朋友甚至從未擁有過，就算家中有父輩留下來的唱盤，也未必懂得如何操作，哈哈！那些黑膠，我們看作是舊唱片，他們可能反倒覺得是有趣新穎的事物，如果想知道當年曾出版過的唱片資料，得要自己去搜尋一番。確實每張唱片都有一個不同的主題和故事，亦可能有歌曲不是主打而被忽略，成為漏網之魚。所以，當我知道 Muzikland 準備推出這本有關黑膠唱片資料的書，實在擊節讚賞！他真的很有心和很用心去寫作和搜集資料，當中確實花了大量精神和時間。這本書對我們熟悉那年代的人來說，絕對可以讓我們找到某些已封存了甚至已遺忘的記憶；而對新一代的朋友，此書就如黑膠唱片字典庫一樣，因內裏正藏着豐富多采的分享和介紹，在此也多謝 Muzikland 為這些黑膠唱片愛好者帶來一份珍貴的禮物。本書絕對值得推介，請繼續努力，衷心期待下一冊的來臨！

我是誰？在下正是當年其中一位播音人。

—— 魏綺清

自序

歷經四年，《香港流行音樂專輯 101》終於來到第三部最終章了。可能有人會疑問，寫了四年？有那麼誇張嗎？當然，如果一日一篇，其實不足四個月就可完成了，正如這兩年出版社經理常半誘半騙的引導我前進一樣：「你之前已交了四篇，還有二十多篇，很快就可完成的啦！」如果人生是可以先完成一件事，然後再開始另一件，這是很對的；但生活由許多方塊整合而成，光是工作及照料家人，就可以讓自己忙到不足為外人道，身邊許多朋友對於我的繁忙程度，其實只是一知半解。

《香港流行音樂專輯 101》原本計劃只有一冊，因內容過多，時間也趕不及，致使一分為二，然後去年又是時間問題重蹈覆轍，再把第二部分拆，於是剩下第三部便定在今年書展前完成。到底是否能完成任務呢？若果這本書現在就在你手裏，這個疑問已經不再重要了。

努力地回憶，從起初答應出版社的邀請出書，這個 101 內容就商議好了，會以我的個人意向挑選相關唱片。我記得第一部出版時，曾有些人跟我反映意見，對於我的選擇並不完全認同。事實上，對一向在音樂上很堅持及執着的 Muzikland 來說，意見聽過就算了；不過，後來又有朋友反映，說第二部中多張專輯，我用上了好些重複文字表達「這是很 Muzikland 的 101」。讀者們不明白嘛，唯有多囉嗦幾句嘍！這 101 張唱片名單，其實早在第一冊動筆前訂下來，一直沒有怎麼改動過。當初是不想太多計算，所以用第一個記憶感覺，草擬了名單，然後再篩選而成。好些經典唱片理應被列入介紹，但奈何篇幅所限！在樂壇百花齊放的八九十年代，每年要選十大金曲都不容易，更何況在二十五年內選 101 張唱片呢？ 101 其實只是一個主題，讓我借題發揮講故事，談談我的想法而已啦。

用四年時間去完成一部書，實在很漫長，也很需要耐性，尤其對出版社而言。感謝他們付出莫大的耐性，對我忍讓。當出版社經理提醒我要有新的序時，我笑說幾個字就可以了：「終於完了！」這樣簡短的序，不是很酷嗎？沒啦，讓我還是碎碎唸的寫了這一篇。

若讀者細心留意本書，七十年代的唱片資料及歌詞紙都很簡單，隨唱片附一張特大海報，樂迷已開心到不得了。由大碟衍生的細碟，也不是每一位歌手都有。進入八十年代，歌手講求形象，唱片封套也需要名家設計，及至中期受 Disco 及外國 Remix 影響，唱片公司加推十二吋重新混音或加長版 Single；又或是從大碟延伸的十二吋 Remix Single 加入新曲，務求在下一張大碟出版前，替歌手保持人氣。來到九十年代，一切講求數碼及收藏方便，黑膠大碟被 CD 取代，十二吋 Remix Single 變身為五吋 Maxi CD Single，容量可讓監製一首歌玩多幾個 Remix，創意無限！唱片公司開始注重音樂人、講求文案，甚至把所有參與的幕後英雄一一列出。然而，因着 CD 包裝面積太少，不同種類的包裝或特別版應運而生。歌手們衝出香港，在內地、台灣甚至東南亞推出當地的專屬版，鐵粉也忙於搜集收藏。然後經歷二十多年，唱片業又由 CD 回歸到黑膠，於是許多當年只推出 CD 的專輯，一下子又再以黑膠、圖案膠、顏色膠重新面世。

本書不厭其煩把這些不同版本、文案資料都一一收錄，就是希望成為喜愛研究音樂的工具書。不要笑！許多人人皆知的事，經過若干年後，常會引起爭論，就如遠至上世紀三十年代的〈何日君再來〉，竟然有人爭論到底是周璇還是李香蘭原唱，如果有人認為是鄧麗君，那就更不用說下去了。較近代的，葉振棠翻唱了許多電視劇歌曲，便有網民爭論該些歌曲到底是他還是關正傑原唱。Muzikland 認為一碟在手（原版唱片或 CD），翻翻文案及出版年份，就一目了然啦！但隨着網絡發達，你抄我、他抄你，於是混亂就來了，看那些資料被抄得多，佈滿網絡，假資料也可變成是贏家了。我得說，本書包含的資料太多了，雖然許多資料都經過細心考證，但偶然大意下的Typo、來來回回的排版及校對，必然還有些小錯誤。所以《香港流行音樂專輯101》另一用意，是拋磚引玉，期望大家在研究音樂時，竭力搜尋實體首版唱片來參考；歌曲也須一一聽過，而不是隨便在網路抓MP3聽聽就算。起初Muzikland在Blogging及製作唱片時，堅持為作曲人、填詞人的筆名附加原名。古早年代，創作人尤愛用十個八個筆名，此舉確實為較年輕從事音樂的人增添方便，但網絡上開始有人效法，連一些官方處理版稅的音樂機構也跟隨。再來，便是改編歌的原曲資料，也一一記錄。期望我對本書的一些堅持做法，也同樣影響後世！

我得說：三部書合起來的101篇，許多地方猶有不足，光是林子祥只有在第一部出現過兩篇，心裏就有點愧疚，對許冠傑、葉振棠、葉麗儀、達明一派，甚至汪明荃……亦然。所以我決定在附錄，簡單地多列些我喜歡的唱片。此外，我又在這101張專輯裏頭，各挑選一首引動我列入101名單的歌曲。我相信，這名單會比101張專輯更Muzikland、更個人化，希望大家喜歡！

在此我再整合三部，衷心感謝每一位為我這本書出力及支持的朋友，名單非常非常長，所以我以筆劃序，排名不分先後，希望大家不要介意，因為在我心深處，每一位都那麼重要！

文佩玲、何重立、余宜發、吳夏萍、李龍基、周功成、周錦瑤、林子祥、威利（馮偉林）、倫永亮、夏韶聲、徐婉儀、泰迪羅賓、區瑞強、張立基、陳永良、陳美玲、陳慧中、陳潔靈、麥潔文、曾路得、葉振棠、葉麗儀、達明一派、雷安娜、劉志剛、劉雅麗、嶔、鄭建萍（盧國沾太太）、鄭國江、盧冠廷、魏綺清、Danny Chu、Danny Lee、Derek Lam、Gary Chen、

Josephine Lau、Kark Woo、Stephen Li 和 USM 各人！

特別感謝中華書局（香港）有限公司、非凡出版，以及出版社前任高級經理梁卓倫先生給我機會，每年遞增的忍耐與包容，尚有設計師霍明志、劉婉婷，以及為這本書出力的人，還有今年踏入了我出版陷阱的非凡副經理柯穎霖小姐。最後多謝每一位願意購買此書，用行動支持音樂的你。《香港流行音樂專輯 101》計劃，終於完成（結）了！

MUZIKLAND

2020 年

目錄

Frontcover

77

album

張立基

When The Wine Is Over

Backcover

Info

出版商：EMI (Hong Kong) Ltd
出版年份：1990
監製：王醒陶、張立基
唱片編號：FH10174-1

Photography: Ringo Tang
Art Direction: Tommy Li
Design & A/W: Ringo Wong/ Shirley Wong
Make Up: Emmy Leung
Hair Dressing: Carrste Campus Ltd

1990

大碟

SIDE A

01 **異性相吸**（女獨白：黎明詩）
[曲／詞：Oliver Leiber 中文詞：周禮茂
編：林鑛培] 3:43
OT: Opposites Attract
(Paula Abdul/1989/Virgin)

02 **共醉這一宵**
[曲／詞：Arthur Zamora/ Michael Carpenter/
Eric Strickland 中文詞：潘偉源
編：林鑛培] 4:28
OT: Can U Read My Lips ?
(Z'Lookek/1988/Orpheus)

03 **不知今晚這麼熱**
[曲／詞：Babyface/ L. A. Reid
中文詞：潘偉源 編：Alex Dela Cruz] 4:56
OT: Rock Wit'cha (Bobby Brown/1989/MCA)

04 **Easy Come, Easy Go**
[曲／詞：David Conley/ Dabid Townsend/
Derrick Culler 中文詞：周禮茂 編：Shayne
Fair] 4:36
OT: Don't Take It Personal
(Jermaine Jackson/1989/Arista)

05 **捨不得你**
[曲／詞：Bernard Jackson 中文詞：小美
編：Alex Dela Cruz] 5:12
OT: Can We Spend Some Time (Surafce/1988/
Columbia)

SIDE B

01 **Electric Girl**
[曲／詞：陣內大藏 中文詞：周禮茂
編：林鑛培] 4:12
OT: 天網恢々（陣內大藏 /1989/Fun
House)

02 **鬆開**
[曲／編：倫永亮 詞：潘偉源] 4:18

03 **烈火一星期**
[曲／詞：陣內大藏 中文詞：陳少琪
編：林鑛培] 5:32
OT: 君といたい（陣內大藏 /1989/Fun
House)

04 **那個秋天**
[曲／詞：堀內孝雄 中文詞：周禮茂
編：林鑛培] 4:03
OT: 秋止符（アリス /1979/Express)

05 **情殤**
[曲：孫偉明 詞：向雪懷 編：孫偉明] 3:24

如果要數香港的跳唱男歌手，許多樂迷都會想起張立基，他的舞曲，尤其那一首 *Electric Girl*，至今仍是經典。一九八六年，他以舞蹈員身份參加香港亞洲電視《第一屆未來偶像爭霸戰》獲得冠軍後，而進入樂壇成為歌手，從幕後轉到幕前，由香港衝入台灣，甚至往後把演藝事業轉向內地，都可見證張立基的能力，足以在兩岸三地大受歡迎。

延續了上一張唱片 *I'll Never Forget You* 的成功，一九九〇年張立基推出 *When The Wine Is Over* 專輯時，也由 ATV 轉到 TVB 發展，這改變讓他有更優越的環境安心建立音樂事業。這張專輯再度由王醒陶與張立基聯手監製，兩人合力商量選曲，當中不少改編歌，便是張立基親自力薦，三首主打歌有 *Electric Girl*、〈異性相吸〉及〈那個秋天〉。

張立基很喜歡改編日本創作歌手陣內大藏的作品，可以說是由他一手把陣內引入香港，因為對方屬日本 EMI 旗下，而張立基屬香港 EMI。上一張唱片成功改編了其作品為〈月在跳〉及〈夜消沉〉，這一次有 *Electric Girl* 及〈烈火一星期〉，並選來前者作主打。若說一首歌能否大熱，相信任何人聽過陣內大藏的〈天網恢ㄆ〉，都心裏有數，何況張立基的改編，讓人感覺更親切，豈有不爆紅之理呢？日本人的錄音及編曲一直給人的印象都很細緻，非常頂級，但林鑛培編的 *Electric Girl* 卻絕沒有被比下去，我反而覺得原版太吵耳，音樂與主唱造成混亂，改編版就突出了主唱，而在樂器方面清晰分明有層次，節奏感更明顯。此曲取得商台亞軍，但在 RTHK 及 TVB 均奪冠。在年終十大勁歌金曲，雖然只是電視台拍攝的 MV，更取得「最佳音樂錄影帶演出獎」。EMI 當時鮮有為旗下歌手拍攝原人原聲 MV，不過在一張 *EMI Karaoke 61007LD* 中，卻很罕見地收錄了 *Electric Girl* 的 MV/Karaoke。翌年，張立基在台灣推出首張國語專輯，再以此曲國語版作 CD 標題及第一主打，在香港推出下一張 Remix 大碟 *House Party* 時，也重新混音了一個 AC/DC Mix。TVB 也在歌曲熱潮過後，於一九九一年使用了它作電視劇《男人勿近》的主題曲，故此在唱片上沒有註明。該劇由張兆輝、李婉華和鄭伊健合演，是一部二十集的家庭愛情劇。怪不得這首歌的流行程度，持續了那麼久了。

第二主打〈異性相吸〉有一位神秘女郎獻聲，據張立基說，他本來跟這位女生認識，因為對方表示想唱歌，於是便把她介紹給 EMI。本來以為不了了之，沒想到當他進入錄音室時，監製給他聽這 Backing，才知公司已跟這把神秘女聲的主人黎明詩試音及簽約，她更為這歌設計了一段 Rap，代替了 Paul Abdul 原曲那一段 Cat's Rap。其實當時樂迷對這把女聲，有許多想像及期待，結果黎明詩也在半年後推出首張專輯 *Besame*。儘管此曲在流行榜成績平平，但不代表樂迷不喜愛，反之印象非常深刻，尤其那句歌詞：「唔該你啦！張立基！」

專輯中尚有其他節奏感非常豐富的勁歌，但唱片公司選來一首很有詩意的抒情歌〈那個秋天〉，以平衡張立基的歌路。原曲是日本樂隊 Alice 的單曲〈秋止符〉，是一首非常優美的旋律。或許大家對這樂隊名字有點陌生，但若談到樂隊成員谷村新司、堀內孝雄和矢沢透，即會恍然大悟。他們原屬日本 EMI 的合約藝人，但一九八〇年轉投寶麗金，作品在香港有

當年筆者買的是 CD，後來買唱片才曉得黑膠碟心設計也很特別。這是張立基最後一張黑膠，市場上流量不多，彌足珍貴。

更深度推廣。三年後，鄭秀文再主唱了另一粵語改編版〈親我等於愛我嗎〉。

其實這張專輯尚有許多好歌的，比如〈共醉這一宵〉就是一首勁道十足的舞曲，卻被大眾忽視了的流行作品。張立基也覺得〈不知今晚這麼熱〉很不錯，只是歌詞意識太大膽，難以 Plug 台。至於 *Easy Come, Easy Go*，是這張專輯中，較少人留意的作品，在 *House Party* Remix 大碟中也收錄 The "It's Not·Easy·To" Mix。炙手可熱的倫永亮也寫了一首節奏舞曲〈鬆開〉，他是打造林憶蓮 R&B 舞曲的重要推手，同期也為梅艷芳、Echo 女子組合等製作寫歌，貢獻了許多優質的本地 R&B 創作。

張立基是香港樂壇少有男跳唱歌手，但其實他也有頗多優秀的抒情歌，只是大多被舞曲的鋒頭蓋過了而已。在這張專輯中，個人頗喜歡〈捨不得你〉，中版的 R&B，很 Easy Listening。至於 Side Track，我首推最後一曲〈情殤〉。編曲有點日本味，又帶點 Rock Ballad，原來竟是本地音樂人孫偉明的作品，張立基藉着向雪懷的歌詞，抒發失戀者的悲傷，令人動容。我沒有刻意搜尋孫偉明的作品，但每次在創作欄見到他的名字，我都會對該首歌曲倍加注意。

至於唱片封套，迷迷濛濛的，很有 Feel，乃是一家餐廳酒吧的場景，照片中出現的男男女女，就是由該餐廳的職員客串。至於張立基的髮型，原來當時他正在內地拍攝一部清裝宮廷電影《嫁到宮裏的男人》，首次擔任男主角。因劇情需要，剃了前半頭髮。髮型師卻很有心思，把他後面的頭髮梳向前面，若不是他親自解說，真不曉得這幕後的趣事呢！

Muzikland
～後記～

認識張立基已有好幾年，前因是一些EMI的復刻Project，故有多次訪問或個案的宣傳合作。記得首次現場看他，是在未來偶像爭霸戰得獎後，剛推出首張個人專輯時。那年頭的新人不時在一些酒廊餐廳演出，我就是在這情況下見過他，算來都已三十多年前的事了。

在EMI年代，我喜歡他的勁歌〈月在跳〉、*Electric Girl*、〈夜消沉〉、〈震撼〉、〈今夜你是否一人〉等，但也喜歡一些抒情之作如〈妳好嗎？〉、〈再見女郎〉；Side Track〈情殤〉更是我多年來的心頭好。他的好歌絕對有一籃子，數不盡！*When The Wine Is Over*推出時，筆者剛巧在澳門工作，當地經濟因賭場而起飛，街頭常有名貴開蓬跑車扭大着汽車Hi-Fi，放着*Electric Girl*，感覺超酷的，所以張立基的歌，在我生活中，留下了深刻的「私房記憶」，想不到日後竟然可以跟他認識。

每次跟張立基訪問，不管談的是當年，又或是近況，他都很誠懇親切，他對自己的音樂事業很有想法，也很有要求，甚至無論甚麼日子，他都Always Standby，絕不跟時代脫節。據他說，當年他貼近外國音樂潮流走，常請外地朋友把最新的MV錄下來寄給他參考。他曾爆紅，也曾因個人原因放棄香港一切，人生路有起有跌，但最後都選擇勇敢地承擔自己的人生。直至如今，他仍是一個積極又有意志力的人，每次演出，仍是百分百的努力，對自己很有要求，這是我非常欣賞的地方，絕不單止喜歡他的歌與舞而已。

1

1
House Party Remix 專輯，收錄了 *Electric Girl* 和 *Easy Come, Easy Go* 的特別混音版本。

2
隨 *When The Wine Is Over* 附送的二十四頁寫真歌詞冊及國際歌迷會參加表格。

2

寫真歌詞冊內有許多精美照片。

幕後製作人員名單

Produced by: James Wong/ Norman Cheung
Project Executive: Derek Yu
Programming: 林鑛培 (1-2,5-6,8)/ Alex Dela Cruz(3)/ 倫永亮 (7)
Guitar: 蘇德華 (3)/ Dondog(5)/ Joey(9)
Bass Guitar: 林志宏 (3,5)/ Albert(9)
Lead Guitar: 林鑛培 (8)
Drums: 陳偉強 (5)/ Ricky(9)
Keyboards: 倫永亮 (7)/ 孫偉明 (9)
Backing vocals: May(1,3,8,10)/ Nancy(1-3,5-6,8-10)/ Albert(1-2,5,8,10)/ 黎明詩 (1-2,5)/ 譚錫禧 (1-3,5,8-10)/ Anna(2,5)/ 胡啟榮 (3,8)/ James(5-6)/ Ronnie(6)/ Norman(6)/ Funkie(6)
Chorus Arranged By: 譚錫禧 (8)
Engineering: Funky Chan(9)
Mixing: David Shum(1-5,7-8)/ Funky Chan(4)/ Lee Wai Ming(8)

Frontcover

78 album

林憶蓮

野花

Backcover

Info

出版商：Stardust Records Ltd.
出版年份：1991
監製：許願、林憶蓮
唱片編號：2427 301

Image Direction: Stardust Factory (星工廠)
Photography: Green Hornet (青蜂俠)
Art Direction: Kinson Chan/ Clarence Hui
Hair Design: Kim Robinson (Le Salon Orient)
Graphics: John Lee (Unlimited Design)
Illustration: Kinson Chan
Fashion Co-ordination: Edith So

1991

大碟

01 Wildflower Overture
［曲／詞：Doug Edwards/ Dave Richardson
編：Dick Lee（李迪文）/ 趙增熹］1:05

02 只要我活過哭過
［曲：Dick Lee（李迪文）詞：周禮茂
編：Dick Lee（李迪文）/ 趙增熹］4:38

03 一輩子心情
［曲／編：杜自持 詞：林夕］4:41

04 花之色
［曲：Dick Lee（李迪文）詞：周禮茂
編：Roel Garcia］5:02

05 夜來香
［曲：金玉谷（黎錦光）/ Dick Lee（李迪文）
詞：金玉谷（黎錦光）/ 周耀輝
編：Dick Lee（李迪文）/ 陳澤忠］3:55
OA：李香蘭 (1944/Pathé)

06 薔薇之戀
［曲：鄺天培 詞：周聰
編：Dick Lee（李迪文）/ 唐亦聰］3:50
OA：尹芳玲 (1961)（廣播劇）/ 林潔
(1961/Diamond)（唱片）

07 再生戀
［曲／編：Dick Lee（李迪文）詞：林振強］
5:51

08 野花
［曲：Dick Lee（李迪文） 詞：林振強
編：陳明道］4:20

09 沒有發生的愛情
［曲／編：倫永亮 詞：潘源良］4:13

10 沒有你還是愛你
［曲／詞：Beverley Craven
中文詞：周禮茂 編：杜自持］5:00
OT：Promise Me (Beverly
Craven/1990/Epic)

11 Wildflower
［曲／詞：Doug Edwards/
Dave Richardson 編：Roel Garcia］3:18

12 只要我活過哭過 (Reprise)
［曲：Dick Lee（李迪文）詞：周禮茂
編：Dick Lee（李迪文）/ 趙增熹］1:29

經過一連串密集式的《都市觸角》系列，加上一張《夢了、倦了、瘋了》，林憶蓮在華納幾年間累積金曲一籮籮，當中還有數不盡的舞曲或Remix經典，然而接下來一九九一年的《野花》專輯，卻靜悄悄地把她的音樂推上了另一新階段。

這張以「花」為題，貫穿所有歌曲的概念大碟，由許願與林憶蓮聯合監製，但音樂創作及編曲基本上由新加坡音樂人李迪文(Dick Lee)擔當重任。每首歌都跟一種花配對，其實這概念早在一九八一年羅文已做過，但憶蓮畢竟以女性身份切入，更細膩展現女生既有柔情似水，也有剛強不倔的感情世界。主打歌有〈薔薇之戀〉、〈再生戀〉、〈沒有你還是愛你〉、〈野花〉及〈一輩子心情〉。

〈薔薇之戀〉原是一九六一年商業電台的廣播劇主題曲，原唱者是劇中主角尹芳玲，但她的唱片版本要待一九六九年才出版，最初配合廣播劇宣傳的唱片版，乃是星馬歌星林潔在香港灌錄的細碟。因該劇大受歡迎，又是國語歌曲，同年代經由許多歌星翻唱，故事更於一九六二年改編成電影版本，相信不少資深樂迷都曾在電視的粵語長片時段欣賞過。本來主唱老歌，很容易跌在老掉牙的位置，但憶蓮於一年前已成功翻唱五十年代經典歌〈情人的眼淚〉，不單令人耳目一新，更得到原唱人潘秀瓊讚賞。這次再接再厲，以薔薇代表多刺的愛情，雖然在流行榜成績未及前作，但仍不失為動聽之作，以優雅姿態把一首古老歌曲呈現在新一代樂迷面前。

儘管粵語歌曲歷年來發展深受西方文化影響，但音樂人也經常期望把它跟中國音樂 *Mix And Match*，於是〈再生戀〉混入了上海戲曲元素，憶蓮以戲曲唱腔切入，唱了兩句「一朝春盡紅顏老，花落人亡兩不知」，交織着一段跨越時空式的戀情。在文案中，〈再生戀〉被形容為牡丹，代表富貴、吉祥，也代表了中國人對高貴氣質的崇拜。這時期憶蓮的歌曲製作離不開 Remix，但跑出來的卻不是如期的舞曲版，重新混音版只簡單稱為 Remix Version，首先出現在日本版的《野花》專輯中，倒是一九九二年收錄在《難忘您華納白金經典十五首》，才正名為 *Multi-Dimensional Mix*，抽走了戲曲腔，加入大量頌經式南無，突顯詭異的前世今生，有種倩女幽魂式的迷幻，也把 Remix 脫離了慣常必然的舞曲曲式。同期，鬧了一個小小雙胞，黃耀明剛巧在他的歌曲〈淫紅塵〉，邀來電台 DJ 洪朝豐為他加插了一段京劇腔；但兩者以林憶蓮的〈再生戀〉較受廣泛認同，進佔四大傳媒流行榜榜首，成為四台冠軍歌。

〈沒有你還是愛你〉取自英國創作歌手 Beverley Craven 的 *Promise Me*，由周禮茂填詞，是一首憶蓮迷非常喜歡的好歌，沒有明天，但緊握這一刻纏綿擁抱的愛意，以紫丁香代表承諾與信任。此歌在四台傳媒中，以商台最力捧，取得流行榜亞軍。一年後，台灣歌手辛曉琪，也同樣以唱將姿態演繹這首高難度的國語版〈自私〉，但唱片出版後旋即由福茂改投滾石懷抱，雖然當時她在香港沒有名氣，但時值擁有福茂近半股權的寶麗金，也因〈沒有你還是愛你〉，把它收錄在香港的國語雜錦合輯中大力推廣，使得〈自私〉在香港也薄有知名度。

〈一輩子心情〉屬很 R&B 的流行曲式，由杜自持作曲、編曲，並由林夕填詞，以 *The Seed Of Love*

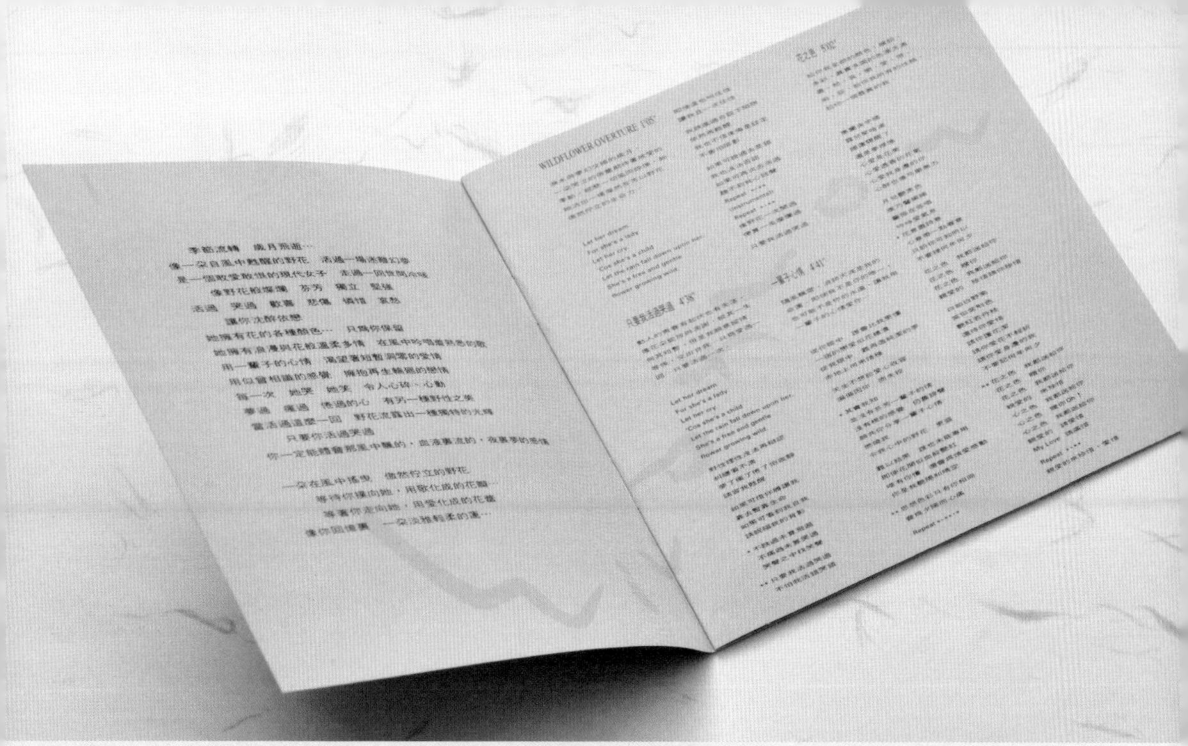

1

2

1
歌詞冊首頁，記下了《野花》專輯的序，但只有日本本土版，才在文末寫下憶蓮的名字，顯示為她寫的文案。每首歌詞都有該歌曲的解説文字，為歌曲詮譯寓意。

2
日本版《野花》CD，歌詞冊上加印了日文翻譯及詳盡解說。至於印刷上，顏色跟香港版有少許不同，加強了忠實粉絲或版本控的收藏推動力。

3

3
1994 年，林憶蓮在日本推出首張日語專輯 *Simple*，主唱了〈一輩子心情〉日語版的 *Sweet Blue*。

4
專輯以花為題，到底每一首歌以甚麼花代表呢？文案有詳盡解釋。

4

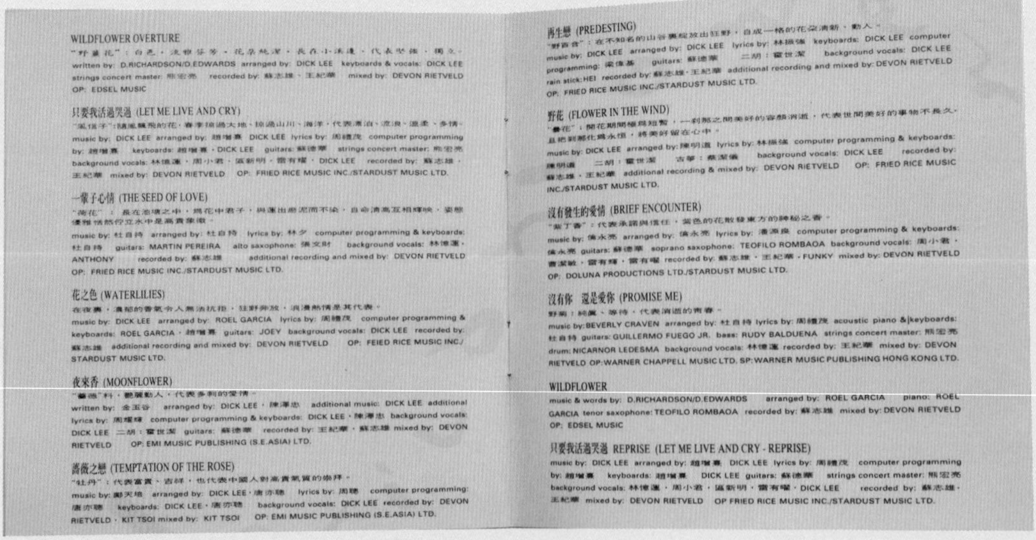

WILDFLOWER OVERTURE
"野薑花"：白色，淡雅芬芳，花朵純潔，長在小溪邊，代表堅強，獨立。
written by: D.RICHARDSON/D.EDWARDS arranged by: DICK LEE keyboards & vocals: DICK LEE strings concert master: 熊宏亮 recorded by: 蘇志雄、王紀華 mixed by: DEVON RIETVELD OP: EDSEL MUSIC

只要我活過哭過 (LET ME LIVE AND CRY)
"風信子"：隨風飄飛的花，春季掠過大地，掠過山川、海洋，代表漂泊、流浪、溫柔、多情。
music by: DICK LEE arranged by: 趙增熹 DICK LEE lyrics by: 周禮茂 computer programming by: 趙增熹 keyboards: 趙增熹，DICK LEE guitars: 蘇德華 strings concert master: 熊宏亮 background vocals: 林憶蓮，周小君，區新明，雷有耀，DICK LEE recorded by: 蘇志雄，王紀華 mixed by: DEVON RIETVELD OP: FRIED RICE MUSIC INC./STARDUST MUSIC LTD.

一輩子心情 (THE SEED OF LOVE)
"荷花"：長在池塘之中，為花中君子，與蓮出淤泥而不染，自命清高互相輝映，姿態優雅悄然佇立水中是高貴象徵。
music by: 杜自持 arranged by: 杜自持 lyrics by: 林夕 computer programming & keyboards: 杜自持 guitars: MARTIN PEREIRA alto saxophone: 張文財 background vocals: 林憶蓮，ANTHONY recorded by: 蘇志雄 additional recording and mixed by: DEVON RIETVELD OP: FRIED RICE MUSIC INC./STARDUST MUSIC LTD.

花之色 (WATERLILIES)
在夜裏，濃郁的香氣令人無法抗拒，狂野奔放，浪漫熱情是其代表。
music by: DICK LEE arranged by: ROEL GARCIA lyrics by: 周禮茂 computer programming & keyboards: ROEL GARCIA，趙增熹 guitars: JOEY background vocals: DICK LEE recorded by: 蘇志雄 additional recording and mixed by: DEVON RIETVELD OP: FEIED RICE MUSIC INC./STARDUST MUSIC LTD.

夜來香 (MOONFLOWER)
"薔薇"科，艷麗動人，代表多刺的愛情。
written by: 金玉谷 arranged by: DICK LEE，陳澤忠 additional music: DICK LEE additional lyrics by: 周耀輝 computer programming & keyboards: DICK LEE，陳澤忠 background vocals: DICK LEE 二胡：雷世潔 guitars: 蘇德華 recorded by: 王紀華，蘇志雄 mixed by: DEVON RIETVELD OP: EMI MUSIC PUBLISHING (S.E.ASIA) LTD.

薔薇之戀 (TEMPTATION OF THE ROSE)
"牡丹"：代表富貴、吉祥，也代表中國人對高貴氣質的崇拜。
music by: 鄭天培 arranged by: DICK LEE，唐亦聰 lyrics by: 周聰 computer programming: 唐亦聰 keyboards: DICK LEE，唐亦聰 background vocals: DICK LEE recorded by: DEVON RIETVELD，KIT TSOI mixed by: KIT TSOI OP: EMI MUSIC PUBLISHING (S.E.ASIA) LTD.

再生戀 (PREDESTING)
"野百合"：在不知名的山谷裏綻放出狂野，自成一格的花朵清新，動人。
music by: DICK LEE arranged by: DICK LEE lyrics by: 林振強 keyboards: DICK LEE computer programming: 梁偉基 guitars: 蘇德華 二胡：雷世潔 background vocals: DICK LEE rain stick: HEI recorded by: 蘇志雄，王紀華 additional recording and mixed by: DEVON RIETVELD OP: FRIED RICE MUSIC INC./STARDUST MUSIC LTD.

野花 (FLOWER IN THE WIND)
"曇花"：開花期間極爲短暫，一剎那之間美好的容顏消逝，代表世間美好的事物不長久，且把剎那化爲永恆，將美好留在心中。
music by: DICK LEE arranged by: 陳明道 lyrics by: 林振強 computer programming & keyboards: 陳明道 二胡：雷世潔 古箏：蔡潔儀 background vocals: DICK LEE recorded by: 蘇志雄，王紀華 additional recording & mixed by: DEVON RIETVELD OP: FRIED RICE MUSIC INC./STARDUST MUSIC LTD.

沒有發生的愛情 (BRIEF ENCOUNTER)
"紫丁香"：代表承諾與信任，紫色的花散發東方的神秘之香。
music by: 倫永亮 arranged by: 倫永亮 lyrics by: 潘源良 computer programming & keyboards: 倫永亮 guitars: 蘇德華 soprano saxophone: TEOFILO ROMBAOA background vocals: 周小君，曹潔敏，雷有輝，雷有曜 recorded by: 蘇志雄，王紀華，FUNKY mixed by: DEVON RIETVELD OP: DOLUNA PRODUCTIONS LTD./STARDUST MUSIC LTD.

沒有你　還是愛你 (PROMISE ME)
野菊：純真、等待，代表消逝的青春。
music by: BEVERLY CRAVEN arranged by: 杜自持 lyrics by: 周禮茂 acoustic piano &|keyboards: 杜自持 guitars: GUILLERMO FUEGO JR. bass: RUDY BALDUENA strings concert master: 熊宏亮 drum: NICARNOR LEDESMA background vocals: 林憶蓮 recorded by: 王紀華 mixed by: DEVON RIETVELD OP: WARNER CHAPPELL MUSIC LTD. SP: WARNER MUSIC PUBLISHING HONG KONG LTD.

WILDFLOWER
music & words by: D.RICHARDSON/D.EDWARDS arranged by: ROEL GARCIA piano: ROEL GARCIA tenor saxophone: TEOFILO ROMBAOA recorded by: 蘇志雄 mixed by: DEVON RIETVELD OP: EDSEL MUSIC

只要我活過哭過 REPRISE (LET ME LIVE AND CRY - REPRISE)
music by: DICK LEE arranged by: 趙增熹 DICK LEE lyrics by: 周禮茂 computer programming by: 趙增熹 keyboards: 趙增熹 DICK LEE guitars: 蘇德華 strings concert master: 熊宏亮 background vocals: 林憶蓮，周小君，區新明，雷有曜，DICK LEE recorded by: 蘇志雄，王紀華 mixed by: DEVON RIETVELD OP FRIED RICE MUSIC INC./STARDUST MUSIC LTD.

為英文副題，寓意為風信子，掠過大地、山川、海洋，代表了飄泊、流浪、溫柔及多情。三年後，林憶蓮用上同一 Music Track，唱了配上日語歌詞的 *Sweet Blue*，以 *Simple* 專輯進軍日本。這首歌唯獨新城電台流行榜第三位，可能是電台自發的主打歌。

〈野花〉是 Dick Lee 與林振強的作品。這裏野花是指野百合，清新動人、自成一格，在不知名的山谷中綻放出狂野；大量 Dick Lee 式合音，插入了霍世潔的二胡及蔡潔儀的古箏，在現代的音樂氛圍，暗藏濃郁的中國味。突出的流行榜成績，在商台取得第三名。

主打以外，受到筆者注意的，還有〈夜來香〉，但這不是百份百老歌翻唱；它屬 Dick Lee 與周耀輝的新作，只是以四十年代李香蘭的同名名曲的副歌借題發揮。雖然一半粵語、一半國語，但感覺絕不突兀，以一段耳熟能詳的經典更明確彰顯「花」的主題。這專輯以「野花」為題，但真正的主題源於英語歌曲 *Wildflower*。據許願回憶錄透露，《野花》的概念，受三個因素影響，首先是葉德嫻的《倦》，用現代的感覺引入中樂，很值得他借鏡；羅文的概念專輯《卉》，以花為題，想法非常前衛，當中由林振強填寫的〈桂花〉尤其引起許願的注意；然後憶蓮提及製作新專輯的想法，他立時想起了一九七二年 Skylark 的歌，於是憶蓮也在這裏重唱了他們的 *Wildflower*。Skylark 對一般樂迷而言，非常陌生，但當中一位成員，是日後聲名大噪的金牌製作人 David Foster。憶蓮的 *Wildflower* 版本一改風格，只以一具鋼琴伴奏，突顯其 Songbird 式的唱功，以它代表純真的野菊那消逝的青春。這歌詞也貫穿了起首由 Dick Lee 所唱的 *Wildflower Overture* 及結尾的〈只要我活過哭過 Reprise〉，把野花主題前後呼應作起首及終結。

其他歌曲尚有〈只要我活過哭過〉，以野薑花代表堅強、獨立；〈花之色〉代表花中君子的荷花，姿態優雅高貴；還有開花期極為短暫的曇花，世間美好事物並不長久，寓作〈沒有發生的愛情〉等。

Muzikland ～後記～

《野花》出版時，正值筆者在澳門工作，音樂是工餘後幾乎佔據我全部生活的唯一娛樂。可能是 CD 推出翌日，我便立即在澳門購買，我還清楚記得是素鴉利神父巷的 CD 店。那年頭，我買 CD 買得很兇，因為澳門家裏沒有電視機，習慣上也少聽收音機，在沒有傳媒的影響下，買來新 CD，管它是不是主打，倒會把每首歌曲細嚼，每次播放 CD，都是從頭聽到尾，幾乎把所有歌曲全單接受。

前作《夢了、瘋了、倦了》，憶蓮已開始減少舞曲，故此《野花》完全沒有該類快歌，我並不意外，驚訝是之後竟然有《再生戀》的 Remix。記憶中，在報章看過一些憶蓮發佈的《野花》製作意念，在當時講求 Entertainment 的娛樂新聞，這話題實在太嚴肅了，記者們會明白嗎？也只有搬字過紙的轉述；但也比現今好，丁點音樂訊息也不會替歌手發佈。至於筆者，對野花是〈路邊的野花不要採〉的陳舊意念，憶蓮怎麼要做《野花》呢？管它呢？說是花，就是花；說是概念專輯，就概念專輯吧！多年後，還是翻看文案，才曉得每首歌，都有一種花卉代表，再從花卉引伸寓意，CD 不單在歌詞冊有一段序，更為每首歌曲寫上解說。坦白說，對「花」有深刻概念，乃因憶蓮說過，其次便是跟花相關的歌名，及 Kinson Chan 的封套設計，整合在我的記憶裏。但以歌而論，留在我心的卻是一張高質素的 Adult Contemporary Album，並且有多首好歌，值得細聽，甚至回味再回味。不過當時傳媒或樂迷，似乎沒有耐性去接受《野花》，很快就以曲高和寡去為它作結，甚至還把〈沒有你還是愛你〉跟原唱比較，添加負評。但經歷幾個年代，相信在憶蓮粉絲心中，它應該是心目中五大唱片，而且很耐聽，甚至往後得到許多樂評人列為香港唱片經典之作。事實上，憶蓮的唱功由《野花》開始受到肯定，多首高難度歌曲，已展現不再是〈愛情 I Don't Know〉的雞仔腔。音樂大部分由李迪文負責作曲及編曲，譜上大量 Dick Lee 式的合音，非常豐富。錄音更送交日本華納做 Mastering，音色上乘，整體上已達國際音樂水平。

《野花》不純是一張原創專輯，也不只是一張粵語唱片，因為當中已撇除語言的界限，出現了粵語、國語及英語多種語言。在流行音樂上也巧妙地使用了戲曲，中樂，甚至還有印度鼓，從而實踐更豐富的亞洲音樂精神。當時筆者未注意到林憶蓮已約滿華納，還只以為用製作室概念，以星工廠製作，因為往後還有新錄音單曲〈難忘您〉發表，結果未幾，憶蓮以星工廠合約藝人，加盟華星唱片，在一九九二年十月推出全新專輯《回來愛的身邊》。

《野花》首版 CD 在文案上，頗多配對錯誤，Track Number 也因為 *Wildflower Overture* 與〈只要我活過哭過〉兩曲相連，以致在封底與實際上出現誤差；星唱片的商標往後也出現多個修改版。《野花》出版後四個月，在日本推出了附加〈再生戀 Remix〉的本土版，並同時推出〈夜來香 / Wildflower〉單曲的三吋 CD 作宣傳。

幕後製作人員名單

Executive Producer: Clarence Hui（許願）
Producers: Clarence Hui（許願）/ Sandy Lam（林憶蓮）
Co-Producer: Chiu Tsang Hei（趙增熹）
Recording Engineers: 蘇志雄 / 王紀華 / 王早苗
Mixing Engineer: Devon Rietveld（王早苗）
Mastering Engineer: Masayuki Amano（天野正行）
Recording Studios: Sound Station/ EMI Recording Studios/ R&B Recording Studio/ Form Recording Studio
Mixing Studio: Form Recording Studio
Mastering Studio: Warner Music Japan Studio
Artist Management: Stardust Factory Ltd.（星工廠有限公司）
Dick Lee appears courtesy of WEA Music K.K. Japan
發行商：Warner Music Hong Kong Ltd.

Frontcover

79 album

張學友

情不禁

Backcover

Info

出版商：PolyGram Records Ltd, H.K.　監製：歐丁玉
出版年份：1991　唱片編號：847 880-1

Photography: 毛澤西
Art Direction: Kinson Chan
Jacket Production: Ming
Hair: Eddie Wong at Il Colpo Hair Salon (Grand Hyatt)
Make-up: Emmy Leung

1991

大碟

SIDE A

01 情不禁
[曲／詞：玉置浩二／松井五郎 中文詞：劉卓輝 編：Gary Tong（唐奕聰）] 3:22
OT：Lonely Far（安全地帶 /1990/Kitty)

02 任性
[曲／詞：矢沢永吉／西岡恭蔵 中文詞：劉卓輝 編：Chris Babida（鮑比達）] 4:24
OT：Diamond Moon（矢沢永吉 /1990/Eastworld)

03 每天愛你多一些
[曲／詞：桑田佳佑 中文詞：林振強 編：Andrew Tuason（杜自持）] 4:38
OT：真夏の果実 (Southern All-Stars/1990/Taishita)

04 馬路英雄
[曲／詞：Tony Clarkin/ Russ Ballard 中文詞：陳少琪 編：Chris Babida（鮑比達）] 4:05
OT： Rockin' Chair (Magnum/1990/Polydor)

05 再愛上妳
[曲／詞：Vicki Golde /Bruce Roberts/ Andy Goldmark 中文詞：周禮茂 編：Andrew Tuason（杜自持）] 4:28
OT：ME-U=BLUE (Glenn Medeiros [Feat. The Stylistics]/1990/MCA)

SIDE B

01 如沒有妳
[曲／詞：Julio Iglesias/ Rafael Ferro Garcian 中文詞：林振強 編：Tony A（盧東尼）] 3:36
OT：Abrázame (Julio Iglesias/1975/ Columbia)

02 早已離開我
[曲／詞：庾澄慶／李正帆／吳正奇／林愷 改編詞：林夕 編：Tony A（盧東尼）] 4:06
OT：想念你（庾澄慶 /1988/ 福茂）

03 小姐，貴姓？
[曲／詞：David Was, Don Was 中文詞：潘偉源 編：Gary Tong（唐奕聰）] 4:55
OT：How The Heart Behaves (Was (Not Was)/1990/Fontana)

04 冰冷的手
[曲／詞：黃大軍／劉天健／宋天豪 改編詞：向雪懷 編：陳玉立] 4:34
OT：冰冷的手（張學友 /1990/Polydor)

05 緣盡情未了（鄭穎賢合唱）
[曲／詞：Pierre Cosso/ L.C. Cohen 中文詞：簡寧 編：Chris Babida（鮑比達）] 4:08
OT：Don't Cry (Pierre Cosso+ Nikka Costa/1989/Avrep)

張學友初出道即鋒芒畢露，發展一帆風順，可惜因擲蛋糕貪玩事件及負面新聞，事業陷入低潮。雖說發展不如理想，但這期間仍享有多首流行榜冠軍歌。一九八九年的《祇願一生愛一人》專輯，令筆者重新注意他，及至一九九一年的《情不禁》，更開始為他的歌曲着迷。

第一首主打，即用上大碟的標題歌〈情不禁〉，過往學友演唱的歌曲以抒情為主，主唱激情的作品也非常到位，均屬他的拿手好菜。雖然在上一張專輯，嘗試了節奏強勁的舞曲〈地震〉，但並未為大眾受落。〈情不禁〉可以說是用搖滾來代替跳舞歌，為學友拓展較重型節奏的歌路。安全地帶的歌曲（更直接形容是玉置浩二的作品），過去甚得港人受落，每次改編幾乎都點石成金；雖然他們推出《安全地帶Ⅲ～夢の都》專輯時，在日本成績平平，但當中竟多達四首被改編為寶麗金歌手歌曲，包括從〈Lonely Far〉變身過來的〈情不禁〉！這歌讓學友奪取了商台、港台及TVB流行榜冠軍寶座，為新專輯帶來先聲奪人之勢。不過，原來好戲尚在後頭，接下來的第二波主打才更厲害，這轉捩點把學友推上天王位置，二、三十年事業歷久不衰。

第二首主打，乃是從日本樂隊 Southern All-Stars 的單曲〈真夏の果実〉，改編過來的〈每天愛你多一些〉。粵語版在編曲上，其實沒有太大改動，原版感覺較真摯，但學友動人的聲音，為歌曲注入甜蜜，當然林振強的詞作，溫馨十足，應記一功，結果旋律、歌詞及演繹三方面混合出一個意想不到的化學作用。此曲不單橫掃商台、RTHK 及 TVB 流行榜冠軍，各榜冠軍週期更是從兩週到四週不等，並在年度頒獎禮取得 TVB 十大勁歌金曲、十大勁歌金曲金獎；RTHK 十大中文金曲；商台叱咤樂壇至尊歌曲大獎、叱咤樂壇我最喜愛的歌曲大獎，雖然同年張學友主唱了國語版，但在華人圈子裏，流行程度及影響力反不及這粵語版。幾十年來，它更經常在婚宴中成為新郎對新娘聊表愛意的雋永戀曲。

第三首主打，改編自台灣好友庾澄慶的歌。早在一九八九年，學友改編主唱庾澄慶的〈讓我一次愛個夠〉，成為〈祇願一生愛一人〉，流行程度不俗，實麗金曾為此把原曲的唱片引入香港，惜未受注意。這次，改編了更早期的作品〈想念你〉為〈早已離開我〉，雖在只曾登上香港電台中文歌曲流行榜第八位，但卻深得樂迷喜歡，寶麗金也借原唱版，為庾澄慶推出首張個人精選 CD，使得這位台灣創作歌手成功登陸香港，為樂迷接受。

或許因為〈每天愛你多一些〉聲勢實在太厲害了，這專輯可能根本不需要更多主打歌，所以〈早已離開我〉及最後主打〈再愛上妳〉，均只出現在個別的電台流行榜中，這次〈再愛上你〉，便是商台之選，得到第六位。原曲是美國歌手 Glenn Medeiros 的歌曲 *ME-U=BLUE*，儘管是單曲之作，但筆者略嫌它太平淡，根本只是 Side Track 命！

至於其它歌曲，〈馬路英雄〉與〈情不禁〉算是雙生兒，同樣是勁度十足的搖滾之作，甚得筆者喜愛。〈任性〉有着濃烈的藍調味兒，雖然骨子裏仍是很商業的流行曲，但帶來更多元化的歌曲元素。另一組孿生兄弟，我會把〈再愛上你〉及〈如沒有妳〉拉在一起，但我偏愛後者。原來那是拉丁歌王 Julio

1

2

4

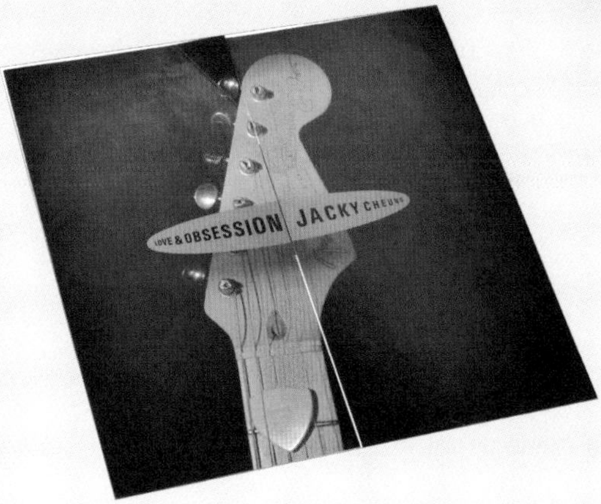

3

5

1
隨唱片附送的大海報，這要待二十七年後黑膠再度興起，唱片公司推出復刻唱片時，才再重現樂迷眼前。

2
Kinson Chan 努力地為張學友塑造樂手的形象，但事實上那仍是很偶像的路線。

3
隨唱片附送的拉頁歌詞紙。

4
《情不禁》卡式帶。

5
細心發現，只出現唱片及卡帶內頁的歌曲資料單，其實跟實際唱片、CD 或卡帶的歌序並不吻合，是否最終出街歌序經修改過呢？

Iglesias 十多年前的舊作，林振強明明寫的是一首情歌，但不曉得為甚麼，總覺滲進了淡淡的傷感，而那種哀傷卻散發了歌曲的魅力，吸引着我。〈冰冷的手〉原是學友之前國語專輯的同名歌曲，在這配上了向雪懷的新詞。末了的〈緣盡情未了〉，可能不太為人注意，但事實上又有不少人對那把合唱的女聲很好奇，有說鄭穎賢是寶麗金簽下的新人，但未幾她卻要求解約離開，於是她的身份也成為了一個謎團。至於專輯中的歌曲，相信我最不喜歡是〈小姐，貴姓？〉，是當時很流行的 House Beat，旋律及歌詞均令我提不起興趣。

《情不禁》專輯，除了有超熱門的〈每天愛你多一些〉橫掃年度歌曲獎，大碟也得到商台 903 叱咤樂壇 IFPI 唱片大獎。這張唱片氣勢如虹，卻不止於此，原來這才是剛剛開始而已，因為往後還有成績更優異的《真情流露》及《吻別》，為學友的音樂事業開創開創另一個高峰。

Muzikland ～後記～

《情不禁》也是筆者在澳門工作時購買的 CD，還記得那一個星期六下午，在執拾房間時，Hi-Fi 正播放着這張新專輯。其實當時的生活，並沒有甚麼管道給我音樂資訊，不像在香港會留意音樂雜誌，追看電視節目《勁歌金曲》，但把 CD 聽畢後，卻在重播〈每天愛你多一些〉時，按下了 Repeat 鍵，這就 Non-Stop 地播放了一個多小時。後來，有香港朋友過來探望我，知道我有這怪行徑，也笑說太誇張了；同期我有這播放習慣的歌，還有黎明的〈醉舞〉。

那個時期，澳門家裏沒有唱盤，剛巧唱片公司會把一些稍舊的專輯，以較便宜的 Special Price 出售推廣，於是我就把學友過去的 CD 通通買回來仔細欣賞，所以為何學友低潮期的專輯，我仍覺得歌曲不錯的。而這種聆聽習慣的轉變，也改變了我過往較愛聽西洋歌曲的習慣，並開始我聽四大天王中文歌曲的大盛期。

這張唱片，雖然有超爆紅的歌曲，但唱片公司並沒有為它們拍下任何一支 MV，個人總覺得是這張專輯的小遺憾。至於〈情不禁〉則有一個 Remix 版，稍後收錄在一張寶麗金 Remix 合輯中，非常特別地 Sampling 了美國合唱團 The Platter 陳年老歌 *Only You* 作引子，然後切入 Reggae 節奏的〈情不禁〉，感覺是原版的大變身。雖說是 Remix，但我一直深信那根本不是重新混音，而是在製作期間的測試 Alternate Version，只是不要浪費，事後也把它推出。是這樣嗎？

收錄《情不禁》Remix 的《寶麗金不一樣的感覺 Remix 精選》CD。

幕後製作人員名單

Producer/ Engineered/ Mixed: Michael Au（歐丁玉）
Assistant Engineers: Clement/ Peterson/ Sam
Recorded & Mixed at Dragon Studio H.K.
Musicians:
Synthesizers: Gary Tong (A1,B3)/ Chris Babida (A2,A4,B5)/ Andrew Tuosan(A3,A5)/ Tony A (B1-2)/ 陳玉立 (B4)
Guitars: So Tak Wah (A1-5,B1-2,B5)/ Joey (A4)/ Joey Tang (B3)/ Jim T. Knettle (A1)/ Stephen Andrew Hogg (A1)/ 江健民 (B4)
Chuck's Guitar: Jim (A1)
Slide Guitar Solo: So Tak Wah (A1-2)
Bass: Steve (A1)/ Lam Chi Wang (B2)/ 郭宋韶 (B4)
Synth Bass: Chris Bibada (A4)
Drums: Gordon Chan (A1,A2,B2)/ 徐德昌 (B4)
Chorus: Hay (A1-1,B2-5)/ Donald (A1-5,B1-5)/ George (A1)/ Albert (A1,A3-4)/ Patrick (A2-4)/ May (A5,B1-5)/ Jackie (A5,B3)/ Nancy (B1-2,B4-5)
Cello: Houng Wang Leung (A2)
Synth Programming: Ian (A2)
Drums Programming: Ian (A4,B1,B5)/ Jone (A5)
Quartet: Houng Wang Leung (A3)/ Wong Wai Ming (A3)/ Ng Ch (A3)/ Fan Ting (A3)
Organ: Andrew Tuosan (A3)
Conga: Gordon Chan (A4)
Mallet: Donald Ashley (A5)
Windchime: Michael Au (A5)
Sampling: Gary Tong (B3)
Artist Managed: Artist Campus Ltd

80 album

Frontcover

劉德華

愛不完

Backcover

Info

出版商：IPS 寶藝星
出版年份：1991
監製：杜自持
唱片編號：IP-L-9191

Art Director: Kinson Chan
Jacket Production: 馬銳明
Fashion Sponsor: Paparazzi Of France
Photography: Paul Hui/ Cambo Wong

1991

大碟

SIDE A

01 愛不完
［曲／編：杜自持 詞：林振強］4:13

02 再吻我吧！
［曲：黃慶元 詞：劉德華
編：Alex Dela Cruz］4:03
OT: 把今生忘掉（劉德華 /1990/IPS）

03 憑甚麼
［曲：薛忠銘 詞：因葵
編：Alex Dela Cruz/ 杜自持］3:50

04 夜了，好嗎？！
［曲／編：倫永亮 詞：小美］4:12

05 若我哭泣
［曲／詞：小美 編：杜自持］4:06

SIDE B

01 今晚沒借口
［曲：楊振龍 詞：林夕
編：甘志輝／譚國政］3:42

02 最後……妳也走了
［曲：殷文琦 詞：潘偉源　編：杜自持］4:13

03 邂逅
［曲／編：倫永亮 詞：周禮茂］4:22

04 親愛的
［曲／編：顧嘉煇 詞：鄭國江］3:47

05 無法一天不想
［曲／詞：飛鳥涼／飛鳥涼＋松井五郎
中文詞：向雪懷 編：杜自持］4:30
OT: 熱い想い (CHAGE and ASKA/1982/
Pony Canyon)

CD Bonus Track:
全人類注視［《撲滅罪行 91》主題曲］
［曲／編：杜自持 詞：鄭國江］4:03

早在一九八五年，劉德華藉藝員的名氣推出首張專輯《只知道此刻愛你》，可惜跟電視台合約糾紛，唱片雖受注意，但銷量強差人意。一九八六年轉投 EMI，兩年間推出三張專輯，漸為樂迷受落，但他也曾公開透露他的舊唱片曾在坊間割價發售。及至一九九〇年，加盟由經理人公司藝能與寶麗金合資的寶藝星唱片，才順利地在樂壇閃露光芒。

一九九一年六月，劉德華在寶藝星唱片推出第三張粵語專輯《愛不完》，銷量達二十五萬張（五白金銷量），鞏固了他的天王位置，在四大天王中，他是首位早於一九九〇年榮獲 TVB「十大勁歌金曲頒獎典禮」最受歡迎男歌星。《愛不完》專輯跟標題一樣，充滿濃濃愛意；主打歌三首，有〈愛不完〉、〈再吻我吧！〉及〈親愛的〉，大部分均為港台兩地的原創作品。

〈愛不完〉由監製杜自持作曲、編曲，配上林振強的詞，就如要跟另一半愛到直至消失天與地，非常甜蜜醉人。套用一句廣東話，簡直係「冧」死人！林振強的詞風非常多元化，可大膽出位，挑戰社會道德極限，但他也是寫情歌的聖手，可惜於二〇〇三年因淋巴癌病逝，是文化界痛失的鬼才。這首歌為劉德華第二度取得三台流行榜冠軍，在年度的頒獎禮，也取得 TVB 十大勁歌金曲及 RTHK 十大中文金曲榮譽。他也在年底於台灣推出的《來生緣》國語專輯中，主唱了親自填詞的同名國語版。

〈親愛的〉是上一代音樂人顧嘉煇與鄭國江合作的作品，這時期顧嘉煇已減產，奇怪這歌竟沒跟劇集拉上關係。不過，劉德華也不是首次主唱顧嘉煇的作品，原來在一九八七年的《情感的禁區》也主唱過電影歌曲——《中國最後一個太監》主題曲〈錯覺〉。可能兩者的流行程度稍遜，均未讓人察覺劉德華曾與這位作曲家合作。〈親愛的〉屬第三首主打，在商台 903 只取得第十位。

〈再吻我吧！〉是第二主打，是台灣音樂人黃慶元的作品，並由劉德華親自填詞，原曲是《我和我追逐的夢》國語專輯的歌曲〈把今生忘掉〉。一年前他填寫國語歌〈如果妳是我的傳説〉時，首度涉足歌詞創作，短短一年間已有〈某年冬季〉、〈絕望的笑容〉、〈迷醉的雙臉〉、〈苦纏〉、〈情歌有沒有唱錯〉等作品面世，國粵語歌兼備，非常多產。在四大天王中，他也突顯其創作才華。這歌曾問鼎 TVB 勁歌金曲流行榜冠軍，在商台 903 及 RTHK 流行榜雖然分別取得第二及第四，但都未能展現歌曲真實的受歡迎程度。

這專輯內尚有兩首台灣音樂人寫的作品，分別是薛忠銘的〈憑甚麼〉及殷文琦的〈最後……妳也走了〉。九十年代港星推出唱片，很流行在港台兩地一曲兩用，但很奇怪〈憑甚麼〉卻未見國語版。這是一首 R&B 節奏的跳躍歌曲，雖然不是主打，也流行過，只是劉德華處理快歌略嫌不如抒情歌般動人。〈最後……妳也走了〉流露着戀人離開後的不捨，是潘偉源的手筆，跟〈再吻我吧！〉，同是《我和我追逐的夢》國語專輯的作品，國語版名叫〈苦纏〉。以非主打歌來説。筆者對此曲特別情有獨鍾。

香港方面，有杜自持、倫永亮、楊振龍和小美的參與。倫永亮貢獻了一快一慢作品兩首。〈邂逅〉屬倫永亮式的 R&B 節奏快歌，但似乎未能跟劉德華

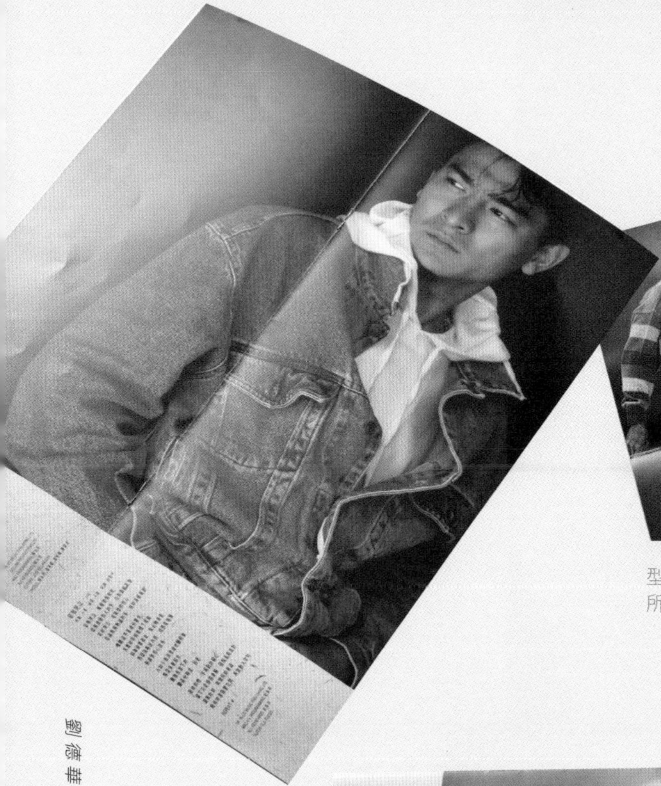

型！酷！帥！也是劉德華的賣點，
所以歌詞冊中有許多精美照片！

隨唱片附送的十二頁長條型寫真歌詞集，當時是唱片中較罕見的設計。

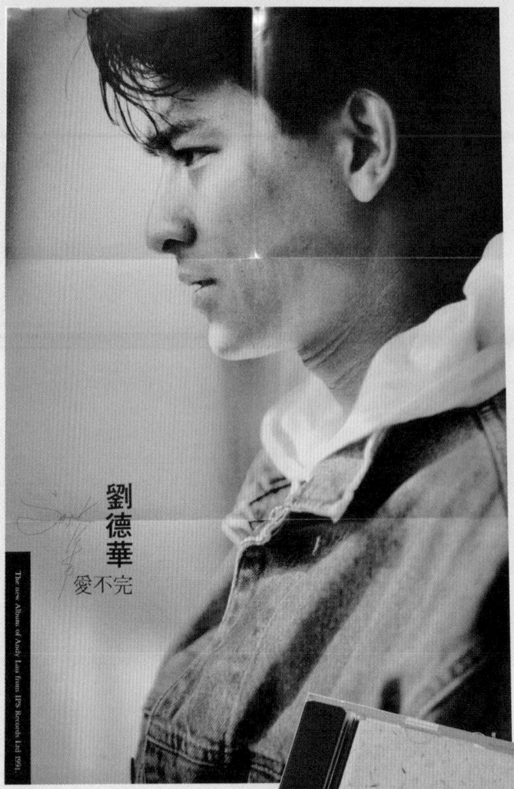

隨唱片附送的大型海報。

原來 CD 版比唱片版多了一首歌。

起到甚麼化學作用；〈夜了，好嗎?!〉由小美寫詞，跟一般華式情歌的格式很相似，由一位帥哥偶像娓娓唱來，粉絲最容易受落。這首作品也於稍後的《來生緣》專輯化身為國語版〈是否你的要求太高〉。

製作一張動聽的專輯，其實很需要快、慢歌曲兼備，夠多元化，才更耐聽，但是劉德華唱快歌，筆者總覺得怪怪的，不曉得是曲式、歌詞或是歌者的唱腔問題？所以幾首快歌，只呈現點綴的角色，說不上好聽。楊振龍作曲、甘志輝與譚國政編曲的〈今晚沒借口〉，節奏感很強，若放在草蜢身上，效果可能會更好。跟〈憑甚麼〉比較，我較喜歡〈今晚沒借口〉。

杜自持除了寫下爆紅的〈愛不完〉，也交出了〈全人類注視〉。這首《撲滅罪行91》的公益主題曲，只出現在CD版，二〇一九年環球唱片推出復刻ARS黑膠時，我正奇怪怎麼少了一首歌呢？這才發現唱片版與CD的分別。只因，當年我已習慣轉買CD之故。至於〈若我哭泣〉，竟然由小美作曲兼寫詞。小美詞作甚多，後期成立小美工作室，主力為旗下藝人郭富城寫詞，她曾於一九九六年監製BMG新人蔡安蕎的唱片時，為她作曲〈意想不到Ya Ya Ya〉。不曉得〈若我哭泣〉是否屬小美獻給劉德華的處女作。甜蜜情歌或情深的戀歌都較適合劉德華演繹，故此〈若我哭泣〉同樣地非常討人喜歡。

全碟唯一改編歌〈無法一天不想〉，原屬日本男子組合CHAGE and ASKA近十年前的舊歌。八十年代，被改編最多的日本創作歌手，首推安全地帶及五輪真弓，但九十年代有兩個單位悄悄崛起，就是同屬日本Pony Canyon的中島美雪及CHAGE and ASKA。前者的作品一經改編，幾乎點石成金；至於後者CHAGE and ASKA，經由劉德華、齊秦、黎明、葉蒨文、李國祥等人唱紅其改編作品也變多的。劉德華年前主唱的〈笑着哭〉，便是他們的歌曲了。

或許因為整張專輯以劉德華擅長的情歌居多，所以在筆者的記憶特別深刻，而且這張唱片的音色超好，深得我心。多年後重溫，對音色的感覺仍舊不改。寫這一篇在處理幕後製作人員資料時，才發現好幾位都是近年為唱片公司製作時，因合作而認識的。

Muzikland ～後記～

筆者購買的第一張劉德華 CD 是 EMI 年代的《永遠記得你》精選，因為很喜歡 Unplugged 感覺的〈流浪〉，也因為這是一位同事推薦給我的歌。早年，我也常看劉德華主演的電視劇，他實在火紅，後來聽說他要灌錄唱片，我也不覺奇怪，因為 TVB 與華星唱片的姊妹關係，當藝員走紅了，也就順道簽唱片合約，務求雙線力捧。預備首張專輯時，劉德華還很緊張，說要給譚詠麟聽過，讓他指導一番云云……

我得說，從《只知道此刻愛你》到《劉德華〈共你傷心過〉》幾張專輯，我都有租唱片錄歌，但自《永遠記得你》精選後，買來首張寶藝星專輯《可不可以》，然後又如我過往的習慣，會一下子把喜歡的歌手的舊作，通通收回來。結果，劉德華在 EMI、可登、寶藝星、New Melody 及飛碟的粵語、國語，我都一一齊備，熱情直至 BMG 年代，才退卻下來。其實，現在我也驚訝竟會收藏那麼多劉德華 CD，但當年就是為了聽得愜意就是了，或者 Karaoke 也是幫兇！

記得那時，劉德華不管在音樂或電影都火紅，但有位音樂好友並不喜歡他，嫌他有粵曲腔口。回想起劉德華第一首唱片歌曲，其實就是電視劇《神鵰俠侶》的南音插曲〈神鵰大俠〉，而之後他也好幾次在 TVB 的慈善綜藝節目與粵劇藝人對唱粵曲，說不定這曲種影響他很深。我其實又不覺得甚麼，就算略有點粵曲腔口，這也是他的個人特色吧？我頗接受的。

約於一九九九年，筆者跟劉德華有一次近距離接觸。話說當時筆者在電視台任職，某天聽說他要來錄影，因為我辦公的地點是該電視台的 Remote Site，辦公的同事不多，大概只有一兩個部門，而平時也不多藝人來訪。同事聽到劉德華要來，都紛紛放下工作，尋找他的影蹤，欲一睹廬山真面目，後來就在化妝室門前守候，而我就跟着大夥兒去湊熱鬧。結果，他在房內預備，他的助理跑出來，很有禮貌地跟我們說，請大家讓劉德華先化好妝，待他把正經事辦好，就會出來跟大家見面或拍照，好嗎？大家不用擔心。其實，我們好像只靜候了十多分鐘而已，未幾，劉德華即推開房門，笑臉迎人地跟我們打招呼。拍照、簽名都一一歡迎，只要大家守秩序慢慢來就好。至於我，並不是追星族，對於我喜愛的歌手，我會選擇買CD或看電影就好，很少希望有近距離接觸。不過，那次我也跟隨同事們，一個一個跟劉德華合照就是了。雖然是一宗多年前的舊事，有時不經意又翻到這張舊照，點點回憶又回來了，那張記錄着筆者和劉德華都曾年輕的留影！

幕後製作人員名單

Produce: 杜自持
Assistant Producer: 王雙駿
Recording Engineers: Sam Ho/ Peterson Wong/ Clement Pong/ Ball Au/Raymond Chu/ Kit Tsoi/ Ka Yeung/ Wing/ Owen Lui
Recording Studios: Dragon Studio/ R&B Studio
Mixing: 杜自持 / 王雙駿 / 楊振龍 / Peterson Wong/ Clement Pong/ Ball Au/Raymond Chu
Sonic Solution Digital Mastering: Ball Au/ Peterson Wong

Frontcover

81

album

羅大佑 + 群星

皇后大道東

Backcover

Info

出版商：Music Factory
監製：羅大佑
出版年份：1991
唱片編號：MFCR 91011

封面意念：羅大佑
攝影：Federick Fung
整體設計：Suzy Cheung
美術製作：Patrick Wong

1991

大碟

SIDE A

01 皇后大道東（羅大佑、蔣志光合唱）
［曲：羅大佑 詞：林夕
編：花比傲 (Fabio Carli)] 4:10

02 情深義更深（袁鳳瑛主唱）
（電影《愛人同志》主題曲）
［曲：羅大佑 詞：潘源良
編：花比傲 (Fabio Carli)] 2:47

03 出走（夏韶聲主唱）
（電影《勇闖天下》主題曲）
［曲／編：羅大佑 詞：林夕］3:36

04 赤子（葉德嫻主唱）
（電影《藍色霹靂火》主題曲）
［曲／編：羅大佑 詞：林夕］3:33

05 長路有多遠（蔣志光主唱）
［曲：羅大佑 詞：林振強
編：Tony A（盧東尼）］5:00

SIDE B

01 似是故人來（梅艷芳主唱）
（電影《雙鐲》主題曲）
［曲：羅大佑 詞：林夕
編：花比傲 (Fabio Carli)] 3:35

02 天若有情（袁鳳瑛主唱）
（電影《天若有情》主題曲）
［曲／編：羅大佑 詞：李健達／李默］3:49

03 道（黃霑主唱）
（電影《倩女幽魂》插曲）
［曲／詞：黃霑
編：花比傲 (Fabio Carli)] 3:13

04 青春舞曲 2000
（Albert/Patrick/Joey/Barry/
周小君／袁麗嫦／Anna/ 阿詩合唱）
［曲／編：羅大佑 詞：林夕］4:21

05 東方之珠（羅大佑主唱）
［曲／詞：羅大佑／鄭國江
改編詞：羅大佑
編：花比傲 (Fabio Carli)／羅大佑］4:17
OT：東方之珠（關正傑 /1986/EMI）

三四十年前，在那個唱片公司競爭劇烈的年代，可以說是鬥過你死我活，每逢歌手跳槽，舊東家必定推出舊歌精選與其新作對打，要兩家唱片公司合作，機會等同零。早於八十年代初，有兩個破天荒合作，不約而同跟羅文都有點關係。一九八二年，羅文為圓其《白蛇傳》舞台劇夢想，效力娛樂唱片的汪明荃，竟出現 EMI 的唱片上，不過聽說娛樂沒有跟歌星簽死約，兩者合作是講求交情及信任，要一個例外還是可以的，加上《白蛇傳》實際上由羅文製作有限公司出品，又不至於真的屬於 EMI。至於一九八三年的《射鵰英雄傳》，由 EMI 及金音符兩家大牌合作，還要是兩個冤家，這背後應是電視台或顧嘉煇的撮合，但想深一層，甄妮根本是金音符老闆，為了一個目標、為了一個「爆」的合作，講條件之餘，只是要通過一個不願或情願的關卡而已。

之後，這種跨公司合作漸多，但背後都是電台或電視台主導的結果。一九八五年由眾歌手合作的《和平穿梭機香港流行曲創作邀請賽》的合輯，由香港電台出版；一九八六年譚詠麟、甄妮、關正傑、林姍姍、張學友、林子祥、陳美玲、王雅文、葉振棠、周啟生、蔡楓華合唱國際和平年音樂會主題曲《和平之歌》，來自寶麗金、CBS/Sony、EMI、華納、星島全音、永恆、五舟景龍的合約歌手，由電台拉線，結果歌曲錄音版權均分，歌手所屬的唱片公司，都可把〈和平之歌〉收錄在參與歌手的唱片中。此後，如《地球大合唱》（一九八七）、《勁Band Super Jam》（一九八八）、《燃點真愛》（一九八八）及《香港心連心》（一九九〇），都是類似的合作。一九九一年，台灣音樂人羅大佑在香港組成「音樂工廠」，推出首張創業作《皇后大道東》，不單歌曲「搞搞新意思」，連整個製作概念都顛覆了唱片公司習慣的運作。

《皇后大道東》合輯，除了一首黃霑包辦曲詞唱的〈道〉之外，其餘全數均為羅大佑個人作品，但這張唱片的主唱人，除了袁鳳瑛與羅大佑屬音樂工廠之外，其餘歌手或是沒有合約，或是借來的，卻竟能湊合為一張令人驚喜、創意奇高，銷量又彪炳的唱片。

〈皇后大道東〉由林夕填詞，是這張唱片打正旗號的重點標題歌。香港人一向少理會政治，但是面對九七臨近，這個跟自身命運相關的課題，也不得不面對。林夕當年在一個電視台節目訪問中談及：「我們今天還能寫這首歌，希望七年後，或者不會有這樣自由的創作環境，能寫這些題材，所以現在先寫，特別希望將來的人還記得。」「偉大同志是我們，同志的稱呼將來在香港人身上就是我們，到時我們都叫同志。」

至於羅大佑的想法，他曾表示「皇后」指英國的皇后，「大道」指人生應走的路；他認為英國是資本主義的「老祖宗」，所以「皇后大道東」象徵資本主義。〈皇后大道東〉的歌詞是由「皇后大道西」開始，「西」表示英國，來到東方即香港就變成「皇后大道東」；而由「皇后大道東」再到「皇后大道中」，「中」表示中國；希望來自西方資本主義可以由香港引入中國。他又進一步解說歌詞中段的「空即是色，色即是空」，九七之後，香港燈紅酒綠的夜景，這樣的顏「色」會否變成「空」？對於這個問題，羅大佑覺得不只是他，很多人都有這樣的疑問。當時有人認

1

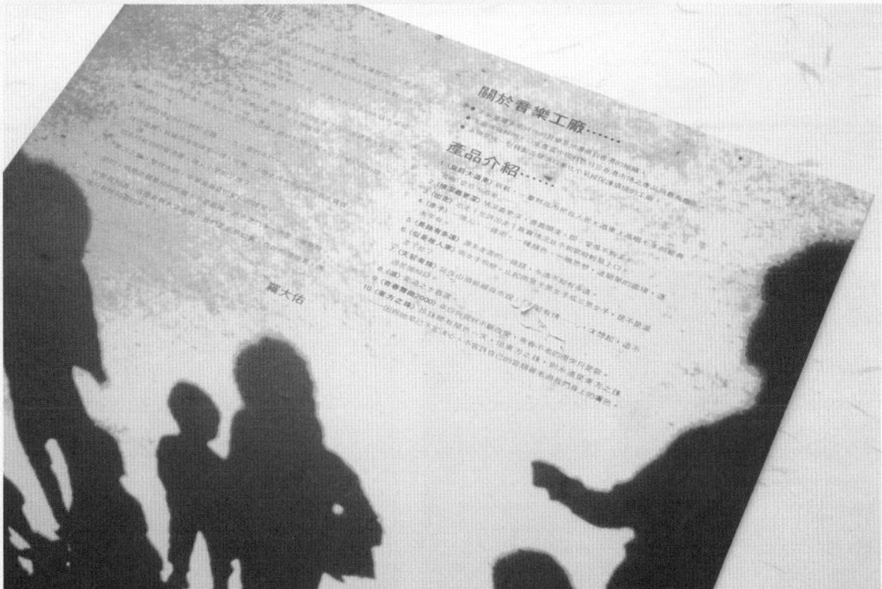

2

1
《皇后大道東》出版於黑膠與 CD 的交接期，筆者還是後來才發現這音樂工廠的創業作原來也有推出黑膠，而且因為發行量少，成為了炒價靚聲天碟。

2
台灣人的製作在文案上較香港製作花心思，歌詞紙背頁花下不少篇幅寫下了製作人的話、唱片公司的製作精神及歌曲介紹。

《皇后大道東》專輯收錄的歌曲不少是電影歌，但整體包裝上卻很香港氣息，回應了音樂工廠「以生產富中國特色符合香港市情之產品為最高指示」的宗旨。

〈東方之珠〉卡拉 OK MV 收錄了粵語、國語兩個版本。

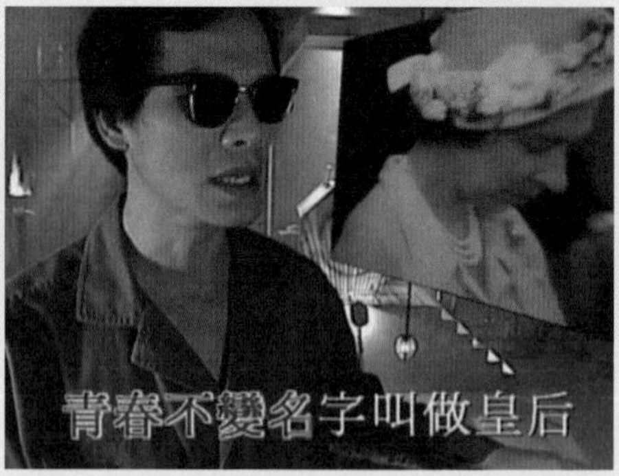

〈皇后大道東〉卡拉 OK MV。

為《皇后大道東》這張專輯頗有政治味道，羅大佑表示製作音樂有如表達自己的想法，各人表達不同的意見仍可和平共存，這才是最重要。

林夕在《林夕字典2》作品集CD中，給〈皇后大道東〉這首描寫得很入肉的作品，留下了一段註腳：「加入音樂工廠（羅大佑一九九〇年創立的音樂公司），與羅大佑從僱傭關係變成知己，是我的福緣。那時還未懂政治何物，很淺白又淺薄地寫了一首政治民謠。但從音樂工廠開始我做過了企劃製作宣傳管人管數以至錄音室配唱的學問，了解流行曲的運作，更讓我有機會跟台灣樂壇交流，練就普通話，開展寫國語歌生涯。很感謝永遠的知音：大佑。」〈皇后大道東〉由羅大佑及永高創意合約的蔣志光合唱，翌年再次收錄在《蔣志光與他的朋友》專輯內，但此曲在台灣由李坤城寫詞後，即成了羅大佑與林強合唱的台語歌〈大家免着驚〉，故事就從香港轉到説台灣去了。

專輯中有另一首由蔣志光主唱的歌曲〈長路有多遠〉，原曲是羅大佑《愛人同志》國語專輯的〈明

天的太陽〉，是給台灣人的勵志歌，換上盧東尼編曲、林振強填詞後，這個意念又轉為勉勵香港人勇敢面對前景。或許是先入為主，也可能珠玉在前，Muzikland較喜歡原版。

至於羅大佑簽下的袁鳳瑛，主唱了兩首歌曲，同是與電影相關，〈情深義更深〉來自一九八九年電影《愛人同志》的主題曲，不約而同，前一年羅大佑在台灣發的專輯剛好就叫《愛人同志》，但電影的背景卻是越南。還有人記得主演的是劉德華和鍾楚紅麼？可能更沒有人記得電影中的〈情深義更深〉是由羅大佑與鍾楚紅合唱。然而，一個廣東話勉勉強強的台灣人，加上一位不擅唱的影星，最終由袁鳳瑛來主唱，扭轉了歌曲的命運。至於〈天若有情〉取自一九九〇年由劉德華與吳倩蓮的合演的同名電影。筆者一直懷疑怎麼同一首歌會出現新藝寶及音樂工廠的唱片中，但最近因為求證原故，終於發現儘管同由羅大佑編曲，長度一樣，但原來兩個版本編曲並不一樣，而新版填詞一欄卻多了李默，這是在《天若有情》EP及電影中沒有提及的。此曲國語版〈追夢人〉，最後由

鳳飛飛主唱，成為紀念作家三毛之作。

〈出走〉是電影《勇闖天下》的主題曲，由夏韶聲主唱，題材跟內地人偷渡來港闖一番事業有關，女角是大家熟識的葉童，但男角卻令人驚訝是導演吳宇森和當時特別介紹的尹陽明。夏韶聲屬 Time Records 的合約歌手，故〈出走〉同期也出現在其《酸雨》專輯中。此曲後來變身為國語版〈動亂〉，由羅大佑主唱。

專輯中有兩首令人意想不到的驚喜之作，不單因為作品出色，而是主唱人就已經是一個亮麗現身。〈赤子〉來自電影《藍色霹靂火》，或許沒有多少人記得這部三百多萬票房的電影，但力邀葉德嫻出山才是令人意想不到之處。葉德嫻一九八七年推出《邊緣回望》專輯時，與唱片公司鬧翻了，更聲言如果香港沒有改善好的錄音，從此不再灌錄唱片。不過沒想到四年後有此令人愛不釋手的新作，而再多年後，葉德嫻道出這是「被騙事件」。話説羅大佑建議與葉德嫻在音樂上交流，但竟然由助手相約到金冠錄音室「切磋」，結果葉德嫻由晚上九點玩到早上四點。過程中，她認為音樂未做好，而林夕當時也來了錄音室，經商議後改動了歌詞，之後錄到六點。切磋完畢，葉德嫻旋即要返回美國，臨行前羅大佑説會把這歌放在CD內，葉德嫻説沒問題，但要把音樂做好了才可以推出，結果還是把這個歌者認為還未及水準的版本推出了。然而羅大佑不願多談，只道當初講好的，不曉得她為何後悔。此曲稍後林夕也填寫了另一份詞，成為了娃娃主唱的國語版〈赤子〉。

至於另一驚喜，乃是出現了華星的梅豔芳，主唱了〈似是故人來〉。由一家獨立公司商借某唱片公司的一姐，光想像就知有多難了，但這確是事實。不過，羅大佑跟台灣滾石很有淵源，屬華星的梅豔芳，其國語唱片，均由台灣滾石製作及推出，音樂工廠稍後也乾脆在香港代理了滾石，説不定這關係成就了這合作。兩年後，梅豔芳再主唱了羅大佑的作品〈女人心〉。〈似是故人來〉是邵氏電影《雙鐲》的主題曲，談及兩友好姊妹的同性之情，主演有陳德容及這一年簽約寶麗金成為歌手的劉小慧。羅大佑的音樂鄉土味配上梅豔芳溫柔而有力度的演唱，感情細膩，促成這首售永的經典。翌年此曲換上台語詞，編曲也有稍微改動，由鳳飛飛主唱了〈牽成阮的愛〉。至於梅艷芳的版本，稍後也回歸到她的 *The Legend of the Pop Queen* 精選輯內。

談到電影《倩女幽魂》，最令人記起是男主角張國榮主唱的同名主題曲，或是葉蒨文主唱的插曲〈黎明不要來〉，不過戲中午馬飾演道士燕赤霞曾有耍劍自娛笑傲江湖的一幕，大唱人間道。這首不為唱片公司注意的黃霑作品〈道〉，最終於四年後收錄在這合輯中。黃霑精於作曲寫詞，也參與了大量電影配樂，但不時也會唱唱單曲，甚至一整張大碟。羅大佑與黃霑於一九九〇年合力製作了《笑傲江湖 百無禁忌黃霑作品集》，在台灣大賣，六天賣出三十萬張，黃霑曾為此自豪，不過當中收錄的 1'59" 版本〈道〉，為國語版，比這粵語版略早。

〈青春舞曲 2000〉，可以說是一首不賣歌手只賣歌的作品，因為主唱人為一班合音的活躍份子，解決了一個借用歌手的問題。旋律是民謠〈青春舞曲〉的變調，到副歌才直闖原曲真身，巧妙地把新舊兩曲結合。羅大佑似乎對這首新疆民謠情有獨鍾，先後在一九八三年《未來的主人翁》及一九八四年的實況專輯，演唱過〈青春舞曲〉。除了一九九一的粵語合唱版〈青春舞曲 2000〉，也有一九九二年換上台語的同名合唱版，及至一九九三年再推出向王洛賓致敬的《情歌紀念日》合輯，再由劉佳慧、高明瀚及柯美黛（巴奈）合唱。

專輯中最後一曲〈東方之珠〉，以國語版回應了開首的粵語曲〈皇后大道東〉，原是一九八六年羅大佑寫給關正傑的同名粵語歌曲。原曲亦是電台力 plug 歌曲，但迴響相對不及五年後（一九九一年）由羅大佑親自主唱的國語版。這一年羅大佑更引入台灣滾石歌手陳淑樺、周華健、娃娃、潘越雲和趙傳一起灌錄了合唱版，並以它為音樂工廠《東方之珠》國語精選輯系列命名。

Muzikland ～後記～

筆者首次聽到羅大佑的名字是因為張艾嘉演唱〈童年〉，後來他的唱片不時出現在唱片行中，因為寶麗金代理了台灣滾石唱片的東南亞發行。後來才知道張學友的成名曲〈輕撫你的臉〉，及陳慧嫻的〈人生何處不相逢〉原來也是他的作品。不過，光從外貌或嗓子，跟當時一眾香港歌手比較，這位台灣創作歌手明顯並不吸引，事實上他也沒在香港宣傳。一九八八年，因為《愛人同志》專輯而突然對他着迷，同期買來了《家》的黑膠唱片，當中短歌〈耶穌的另一名字〉慰藉了我信仰上一些迷思。然後，再以《情歌羅大佑告別的年代》及《情歌羅大佑閃亮的日子》兩張作品精選輯及《衣錦還鄉八兩金電影原聲帶》那般鄉土味，把我的着迷推上高峰。無論樣子或嗓子，他仍是怪怪，但當投下了欣賞眼光，這種怪就成為了獨特。因着《皇后大道東》，這位聽說根本在香港行醫的台灣人，就成為了香港家庭入屋的名字。

有人認為《愛人同志》是回應一九八九年六月的專輯，但事實上這個未改動封面前的台灣版，早在一九八八年已推出。不管「同志」一詞、歌者名字旁那一點猶如開槍的爆花、或當中一些歌曲，似是巧合地給人想像的空間。《皇后大道東》勾起了香港回歸的話題，卻以音樂麻醉了港人，用笑笑唱唱來逃避了這未來課題的現實，應合了當時「馬照跑、舞照跳」的憧憬。事實上，羅大佑的創作不單是流行曲，他的一九八二年首張專輯《之乎者也》就已是一針見血觸及台灣盜版的問題。

《皇后大道東》於一九九二年農曆新年前夕，推出了原裝音樂的卡拉OK LD，樂迷可以把當中十一首歌曲在K房內大唱特唱，而且更有多首滾石超熱國語歌曲，使得「音樂工廠」及「滾石」兩個廠牌都可以擦得亮亮的。一九九二年，羅大佑復又使用了《皇后大道東》製作的方程式，推出了《首都 Capital 音樂工廠Ⅱ》合輯，雖然有新加盟的黃耀明及旗下袁鳳瑛，更有曾路得、軟硬天師及夏韶聲等相助，但聲勢卻不及前作；一九九四年，再推出《音樂工廠3兒童樂園》，以兒歌作賣點，創作誠意十足，卻為「音樂工廠」系列劃下了句號。

配合專輯宣傳再推一把的副產品《音樂工廠》卡拉 OK LD 。

幕後製作人員名單

製作人：羅大佑
聯合製作：花比傲 (Fabio Carli)
Anita Mui Appears Courtesy Of Capital Artists Ltd.
Ram Tsung Appears Courtesy Of Regal Creation Records Company
Danny Summer Appears Courtesy Of Time Records Ltd.
James Wong Appears Courtesy Of Musicommunications Ltd.
錄音：朱偉文 / 袁家楊 / 陶贊新
混音：朱偉文 (A1,A2,B1,B3,B4,B5) / Giorgio Agazzi(A3,A4,A5,B2)
錄音室：R&B Studio
所有樂器演奏：花比傲 (A1,A2,B1,B3,B5 / 羅大佑 (A3,A4,B4)
中樂演奏：鄭文 (A1) / 羅大佑 (A1) / 花比傲 (A1)
薩士風：Phil Rombada(A4)
鼓：陳偉強 (A5)
結他：蘇德華 (A5)
木結他：花比傲 (B2)
曼陀鈴：花比傲 (B2)
低音結集：林志宏 (A5)
鍵盤：盧東尼 (A5)
弦樂：熊宏亮 (A5) / 花比傲 (B1)
弦樂協調組：Larry Deaming(B1)
古箏：鄭文 (B1)
中國笛：譚寶碩 (B1,B2)
和音：Chris(A1) / Danny(A1,A3) / Barry(A1,A3,A4) / Albert(A1,A3,A4,A5,B1,B5) / 羅大佑 (A1) / 花比傲 (A1) / 袁麗嫦 (A1,A4,A5,B5) / 周小君 (A1,A4,A5,B5) / 譚錫禧 (A3) / 胡啟榮 (A3,A5,B5) / Patrick(A3,A4,A5,B1,B5) / Joey(A4,A5,B1,B5) / Jacky(A4,A5,B5) / May(A4,A5,B5) / 蘇德華 (A5) / 張偉文 (B1)
Marketed By: Golden Pony Ltd.
Distributed By: Culture Records Ltd.

Frontcover

Echo

Ja Ja Jammin' On A Groovy Wave

Backcover

Info

出版商：Forte Records Co. Ltd.
監製：杜自持、Stephen Cheng
出版年份：1991
唱片編號：311.07.02

Photography: Esvigo (Colonel Kwong)
Make-Up: William Lygratte
Hair Stylist: La Chic (Charles Wong)
Costume Consultant: Edmund Soul
Graphic Design: Maxim Tang
Choreographer: Stephen Lee
Concept: Forte Production Ltd.

大碟

01 高溫赤裸
[曲：L. A. Reid/ Babyface 中文詞：周禮茂
編：杜自持 / 楊振龍 / 譚國政] 4:40
OT: Heat Of The Moment (After 7/1989/
Virgin)

02 風度，瘋道 Mix
[曲：Michael Cretu/ Klaus Hirschburger
中文詞：陳少琪
編：Joey Ou/ Joseph Wong] 5:30
OT: (Life May Be) A Big Insanity
(Sandra/1990/Virgin)

03 准許我愛你 Remix
[曲：Mike Stock/ Matt Aitken/ Pete Waterman
中文詞：林振強
編：Joey Ou/ Joseph Wong] 4:38
OT: Turn It Into Love (Kylie Minogue/1988/
PWL)

04 第四者 Mix 第四者
[曲：倫永亮 詞：周禮茂
編：Joey Ou/ Joseph Wong]4 :37

05 深呼吸 Not Again Remix
[曲：L. A. Reid/ Babyface/ Daryl Simmons
中文詞：林夕 編：杜自持 / 楊振龍] 5:20
OT: Knocked Out (Paula Abdul/1987/Virgin)

06 Hello! Goodbye! Summer Remix
[曲：倫永亮 詞：周禮茂
編：Joey Ou/ Joseph Wong] 5:16

07 情是空 Mix 情是夢
[曲：Eric T/ Jay F 中文詞：林振強
編：Joey Ou/ Joseph Wong] 5:02
OT: Life After Love (Shirley Lewis/1989/
Vendetta)

08 不再糾纏 Celebration Party Remix
[曲：T. Fernando/ I. Fernando/ W. Brown
中文詞：周禮茂
編：Joey Ou/ Joseph Wong] 7:49
OT: Heat Of The Moment (3's A Crowd/
1991/Polydor)

八十年代中期，香港再度流行樂團組隊熱潮，但已不像六七十年代以 Full Band 上陣，因着電子樂器流行，衍生了一些二至三人樂隊，甚至出現一些男子或女子的跳唱組合。七十年代香港也有女子組合，只是當時流行稱為「姊妹花」，那年頭最紅的首推阿美娜與仙杜拉的「筷子姊妹花」。至於八十年代，有夢劇院、Echo 及稍後於一九九〇年出道的 Face To Face 等，而最長壽的，應算是千禧年後的 Twins 了。

Echo 由區海倫和李蕙敏組成，兩人都因參加歌唱比賽而被發掘，區海倫參賽時的名字叫區鳳蘭，以一曲 *Greatest Love Of All* 晉身五強，但她早於一九八二年已參與電影演出；至於李蕙敏曾在一九八五年參加 TVB《歡樂今宵》綜合節目內的「Sing 星聲歌唱比賽」，其後被新成立的 Forte 豐藝唱片相中，但因為當時新人競爭太激烈，唱片公司建議以組合形式出道，結果在試音過程中，選了區海倫，組成 Echo。

Echo 活躍的時間不算長，在一九八九至一九九一年間，共推出了三張專輯 *Echo*、《准許我愛你》和 *Goodbye Summer*，也曾為打開台灣市場，在當地 EMI 旗下推出《你是愛我還是需要我》專輯。可惜那一年發了《不再糾纏》抒情歌精選及 *Ja Ja Jammin' On A Groovy Wave* Remix 專輯後，便告拆夥了。Echo 的第一張唱片先由黃良昇、杜自持和倫永亮合力監製，之後重任就落在杜自持身上，並由楊振龍擔任助理監製協助。Echo 以演唱舞曲為主，有別當時另一較文青又靜態的夢劇院，有樂迷會覺得她們是女版草蜢。

三張專輯內，倫永亮貢獻了多首作品，由他所寫的〈第四者〉、〈舌戰〉到改編歌〈半個他〉，均由周禮茂填詞，都以兩女生爭男友為題材，之後周禮茂以〈不再糾纏〉和解作結，「當天的錯還回當天，曾〈舌戰〉妳與我為〈第四者〉結怨，也有過〈半個他〉，一些交惡片段……」由歌詞交待這四部曲，安排極具心思。*Ja Ja Jammin' On A Groovy Wave* 選了當中兩曲的 Remix，連歌名也玩花樣，最終有〈第四者 Mix 第四者〉及〈不再糾纏 Celebration Party Remix〉。前者比原版的節奏更緊湊，音樂細節更見豐富，並多了 Hip-Hop 的跳躍感，經重新混音後，進化了。至於〈不再糾纏 Celebration Party Remix〉有點劇場版，兩女生在機場與舊男友 Nick 偶遇，最終兩女決定再不爭「仔」，為這段多角戀劃上句號。新版除了加重 Hip-Hop 節奏，也加入大量 Rap Talk。當年粵語歌加入大量英語 Rap 的做法，確實好「型」！

原是德國女歌手 Sandra 歌曲的〈風度〉，新版〈風度，瘋道 Mix〉仍以 Hip-Hop 變身，但卻少了原版的實在節奏感。原曲是 Echo 第一首流行榜亞軍歌，過門用了 Deep Purple 的經典 *Smoke On The Water*，屬神來之筆，抹去了這一段，神采大大降低。Sandra 當年由夫婿 Michael Cretu 用心打造，熱門單曲一首接一首，確實很紅，但 Michael 最初為香港人注意乃是一九七九年的抒情歌 *Moonlight Flower*，想不到他的製作可以那麼商業化，當然他往後走 Ambient / New Age 的 Engima，又是另一層次了。

〈准許我愛你〉由澳洲女歌手 Kylie Minogue 的 *Turn It Into Love* 改編，Echo 的原版曾攀到商台

Ja Ja Jammin' On A Groovy Wave Remix 專輯，選曲主要來自她們三張專輯，全部均有發行唱片、卡帶及 CD。原來她們也坐過黑膠唱片的尾班車。

Echo 在形象上曾千奇百變，最後一個形象就是這次仿六十年代陳寶珠、蕭芳芳的裝扮。

903 排行榜第七位。Hip-Hop 化後的〈准許我愛你 Remix〉換來另一個簡單的化身，我喜歡 Remix 後的特別，但更愛原版。

〈深呼吸〉改編自美國跳唱歌手 Paula Abdul 的單曲 *Knocked Out*，同期跟周慧敏的〈深呼吸〉撞歌，兩個版本都是跟隨原曲，並沒太多變動，但 Echo 版卻不及周的版本，未能擠身商台 903 流行榜十大。〈深呼吸〉在《准許我愛你》專輯同時收錄了 Remix Version，在這裏的〈深呼吸 Not Again Remix〉，其實跟之前的 Remix Version 沒兩樣，只是改了名字。

Hello!Goodbye!Summer Remix 取自 Echo 第三張專輯 *Goodbye Summer* 的同名標題歌，由倫永亮作曲，周禮茂填詞，可惜沒被任命作主打。*Goodbye Summer* 是美國 R&B 式的節奏舞曲，Remix 版跟原版長度相差不遠，但卻有種一直處於前奏或過門的 Club Music 感覺，很特別！同樣取自 *Goodbye Summer* 的〈情是空．情是夢〉，改編自 Shirley Lewis 的 Side Track *Life After Love*，屬中板節奏的舞曲，曾是商台 903 第六位歌曲，略為加長的新版〈情是空 Mix 情是夢〉亦同樣滲入了 Club Music 元素。

Ja Ja Jammin' On A Groovy Wave 共收錄了八首歌曲，唯一〈高溫赤裸〉沒有玩 Remix，因為這是新加入的歌曲。它改編自美國 R&B 組合 After7 的首張單曲，由周禮茂填詞，更動用杜自持、楊振龍與譚國政合力編曲。這歌是 Echo 第二首流行榜亞軍歌，可惜也是她們最後的單曲。

對於 Echo 是女版草蜢之說，我是頗認同的，因為兩者均是跳唱組合，而且同樣有幾首改編七十年代西洋抒情老歌的悅耳之作，只是兩個團體發展命運卻不一樣。Echo 起初給我留下深刻印象，並不是主打舞曲〈戰場〉或〈第四者〉，卻是流行榜成績強差人意的抒情歌〈想念〉和〈隨時隨地〉。〈想念〉改編自一首我已遺忘的好歌，那年代我經常由音樂陪伴入睡，有時是自己挑選 CD 或卡帶，偶爾會把選擇交給電台節目。好幾次，在午夜節目聽到〈想念〉，總覺得怎麼這曲子那麼動人，卻想不出原曲？或許是夜深人靜會令人倍覺思念吧！至於〈隨時隨地〉是倫永亮的作品，讓人有一種與〈想念〉是姊妹作的錯覺，是一首很舒服的慢歌。

舞曲方面，我喜歡第三張專輯的〈風度〉、〈情是空·情是夢〉、〈半個他〉及倫永亮作品 *Goodbye Summer*。當時在澳門工作的我，只是藉週末在香港的短暫逗留，租 CD 把幾首喜歡的歌錄下來，亦因為在澳門沒有甚麼娛樂，所以特地買了一套微型 Hi-Fi 相伴。〈風度〉、〈半個他〉及一堆林憶蓮、張立基的舞曲，就是最容易令我情緒高漲的音樂。不過，後來還是把該些曾租過的 CD，花錢買回來。以我的經驗，租 CD 從來沒有為我省過錢，最後還是一張一張買回來。

早前，商台 DJ 余宜發邀請我做了一個專訪，談及音樂。雖然事前我並不知道他會問甚麼，但聊得很開懷。其中一段我談到，對於喜歡的音樂，不多不少總會跟生活或回憶拉上關係。後來，當我重溫節目，感覺這一段很有意思。雖然 Echo 的音樂，現在許多人都不看好，甚至有人愛揶揄她倆身材一高一矮；翻閱流行榜成績，只得商台力挺，但她們的歌曲確實在我回憶中留下足跡，倍覺可愛。而且，她們的唱片由杜自持、倫永亮和楊振龍打造，配上林振強、陳少琪、林夕、周禮茂的詞作，都是當時很頂級的音樂人。改編歌方面，都是選取那幾年最 Up Beat 的西洋舞曲，編曲及錄音都做得很細緻，絕不是順手抄過來翻翻而已的 Cover Version。有時，我甚至覺得她們的改編版比原版更出色。

往後區海倫轉向電視節目主持人發展，然後便嫁人離開樂壇；至於李蕙敏單飛後，曾發展成績驕人，That is another story，毋須我再多說了。

幕後製作人員名單

Executive Producer: Andrew Tuason/ Stephen Cheng
Produced By: Joey Ou (Except Song 1,5)
Arrangement: Joey Ou+Joseph Wong (Except Song 1,5)
Production Assistant: Grace Fong Ying
Mixing & Engineering: Wong Kee Wah (Sound Station)/ Cheng Tse Wing (R&B Studio)/ Ronnie Ng (Sound Station)
Distributed by BMG Pacific Ltd

Frontcover

83

album

譚詠麟

情人

Backcover

Info

出版商：PolyGram Records Ltd, H.K.　監製：關維麟、葉廣權
出版年份：1992　唱片編號：512 972-1

Art Director: Tommy Chan
Photographer: Can Wong
Hair Dresser: Alice of Silkcut
Jacket Production: Ahmmcom Ltd
Artists Managed by: Image Impact Ltd.

1992

大碟

SIDE A

01 情人
[曲 / 編：周啟生 詞：因葵] 3:51

02 珍惜的珍惜
[曲：鈴木キサブロー 中文詞：潘源良
編：盧東尼] 4:06
OT: 彼女は想い出の日々 (山本英美 /1989/
Triad)

03 墨西哥情人
[曲：Dimitri Tiomkin/ Ned Washington
中文詞：向雪懷 編：Richard Yuen] 3:43
OT: Do Not Forsake Me, O My Darlin
(Frankie Laine/1952/Columbia)

04 這一刻妳可想我 !?
[曲 / 詞：朱永誠 編：周啟生] 5:45

05 越獄漢子
[曲：Best/ Damian / Johnson / Weir
中文詞：潘源良 編：周啟生] 4:17
OT: Cover Of Love (Michael Damian/1989/
Telarc)

SIDE B

01 Oh Girl!
[曲：桑田佳祐 中文詞：簡寧
編：Richard Yuen] 4:32
OT: 悲しい胸のスクリーン
(Southern All Stars/1990/Taishita)

02 有淚不輕流
[曲：Ron Korb 中文詞：向雪懷
編：盧東尼] 3:36

03 愛，極愛
[曲：譚詠麟 詞：小美 編：盧東尼] 4:33

04 再等幾天
[曲：Klaus Meine 中文詞：林敏驄
編：蘇德華] 4:29
OT: Wind Of Change (Scorpions/1991/
Vertigo)

05 緣未了
[曲 / 編：盧東尼 詞：簡寧 (劉毓華)] 4:32

一九九二年，譚詠麟推出的《情人》，不知不覺已是他的第二十二張粵語專輯，若以一九八四年的《霧之戀》是他爆紅的轉捩點，及至八年後雖已踏入香港四大天王年代，他的叫座力仍然強勁，半年前才兩度舉行《譚詠麟變幻迷情演唱會91》及《譚詠麟夢幻柔情演唱會91》，合共二十六場。《情人》專輯於一月底農曆新年前推出，標題也配合着即將來臨的情人節，甫推出即大賣十五萬張。

這張專輯雖然只有兩首主打歌，但細味當中的歌曲仍很值得細聽。〈情人〉是專輯的標題歌，由周啟生作曲、因葵寫詞。儘管早在一九八四年，譚詠麟已主唱過周啟生的作品〈午夜麗人〉，但之後合作不多，只偶然由他編過幾首曲子。這次由周啟生配太極樂隊的御用詞人因葵（即陸謙遜），是繼上一張專輯的*Elaine*後，再次身負重任。結果，比前作更成功，取得商台、RTHK及TVB勁歌金曲三台的流行榜冠軍，其中在商台903更穩坐兩星期。翌年Beyond也主唱了一首異曲異詞的〈情人〉，跟譚詠麟這一首，同樣大受歡迎。

無巧不成話，第二主打〈再等幾天〉跟 Beyond 也拉上一點關係，這首取自德國樂隊 Scorpions 的歌曲 *Wind Of Change*，由林敏驄填詞，是一首 Rock Ballad。當時許多人聽過後，都覺得這是一首具有黃家駒風格的搖滾作品，尤其副歌一段，很容易令人產生家駒唱腔的想像。想不到，這竟是一首外國作品。〈再等幾天〉在流行榜成績平平，只曾在商台 903 流行榜第九位停留，實在有點可惜。

《情人》專輯大部分為改編，但也有四首原創，除了〈情人〉，還有〈緣未了〉、〈這一刻妳可想我?!〉及譚詠麟親自作曲的〈愛，極愛〉。談到譚詠麟的創作，遠在一九八二年，他已為〈無法不想你〉填詞，也為〈精工體育'82〉作曲，之後他的作品屢見於其大碟中。開始為人注意的作品，首推一九八四年的〈傲骨〉及一九八五年填詞的〈冬之寒號〉，然後便是一九八七年為 TVB 電視劇作曲的〈痴心的廢墟〉和〈曾經〉及同年〈再見吧?!浪漫〉，自此他便經常作曲，更被選為主打歌，他甚至為劉德華和何嘉麗寫了〈下雨晚上〉及〈無情者有情人〉。〈愛，極愛〉由小美填詞，並由盧東尼編曲，是一首很「麟」式的情歌，想念着變了心的她，很配合當時他的多情形象。這歌雖然沒有大事宣傳，但在麟迷中非常流行；這一年譚詠麟在台灣推出國語專輯時，即主唱了由何厚華配上新詞的〈讓愛繼續〉，並成為大碟的主打標題曲。

盧東尼寫的〈緣未了〉，由寶麗金中文部經理簡寧填詞，是被人忽略了的佳作，沒有太多激情的傷感，淡然地分手。放在 Side B 最後一曲，緣未了但轉眼歌已放完，每次聽畢這首歌，總有突然醒覺怎麼碟已播完了?很有意猶未盡之感。

〈這一刻妳可想我?!〉由朱永誠作曲作詞，並由周啟生編曲。據説創作人不願用自己名字，於是借用了朋友的名字發表。相信這不是許多人注意到的秘密。

至於改編歌有〈珍惜的珍惜〉、〈墨西哥情人〉、〈越獄漢子〉和 *Oh Girl!*。〈珍惜的珍惜〉改編自日本音樂人鈴木キサブロー的創作，中版的節奏，就是讓人聽得舒舒服服的，享受並珍惜着那份愛意。

一九九二年的寶麗金黑膠唱片還可以用 Philips 廠牌，但到這張黑膠復刻，已是環球年代，因版權問題，復刻的版本上，Philips 字樣已不復見了。

1

2

1
寶麗金後期的唱片，早已用彩色歌詞紙或歌詞冊取代早年簡單設計的黑白歌詞紙。但《情人》專輯竟然也是黑白純文字歌詞紙，只是背頁用用上了四張譚詠麟的精美彩照。

2
隨唱片附送摺着的 20 × 30 吋巨型海報，收藏在唱片封套內。這都是黑膠唱片年代特有的記憶。

鈴木キサブロー被改編的作品頗多，梅艷芳、草蜢、黎明、張學友、陳慧嫻，甚至鄧麗君和許冠傑都曾翻過他的作品，至於譚詠麟則有〈霧之戀〉、〈愛的替身〉、〈最愛的你〉、〈雨夜的浪漫〉及 *Don't Say Goodbye*，均屬受歡迎的主打歌。〈珍惜的珍惜〉的原曲主唱是山本英美，在香港不見經傳，但譚詠麟也曾改編過他的歌曲成為〈凌晨一吻〉及〈愛情斑馬線〉等。

〈墨西哥情人〉由老歌改編，這首遠至四十年多年前的作品，許多資深的樂迷及影迷都非常熟悉，是一九五二年由 Gary Cooper 與 Grace Kelly 主演的西部電影《龍城殲霸戰》(*High Noon*) 的主題曲，並由 Frankie Laine 主唱。這位美國四、五十年代家傳戶曉的歌星，跟華人也有點淵源，因為他主唱了上海時期作曲家陳歌辛寫給姚莉的〈玫瑰玫瑰我愛你〉，不過他主唱的是英語版，更把歌曲推上美國排行榜第三位，為華人音樂添上光輝的一筆。至於 Grace Kelly，這位美人兒息影後來嫁到摩洛哥去，成為皇妃。回說〈墨西哥情人〉，雖是老掉牙的古老旋律，

但經 Richard Yuen 重新編曲，調子變得輕快，甚至加添點 Reggae 味兒，很有新鮮感。特別引起筆者注意，全因這是老歌。翌年，譚詠麟推出《情心義膽》專輯，更是一口氣改編演唱了十首這一類相近的老調。

另一首筆者喜愛的 Side Track 有 *Oh Girl!*。Southern All Stars 的原曲，本有幾分西洋曲式的感覺，但 Richard Yuen 的編曲卻點燃起歌曲本有的東洋味，甚至把它編成帶點像八十年代日本偶像歌手歌曲的感覺，令我聽得入神。這歌由簡寧填詞。

〈越獄漢子〉取自美國歌手 *Michael Damian* 的歌曲 *Cover Of Love*，輕快的歌曲節奏，屬中規中矩的作品，不難接受，尤其經常有「La La La La」的合音，有〈你知我知〉的影子。至於〈有淚不輕流〉由向雪懷寫詞、Ron Korb 作曲。翻查資料時，找不出原曲，推測是身在日本發展的外國音樂人寫的曲子，也有可能是專程寫給譚詠麟的作品。

Muzikland ～後記～

《情人》專輯雖然甫推出已有十五萬張銷量，也有一首三台冠軍歌，但跟譚詠麟早前的專輯比較，主打歌只有兩首，無疑是平淡了一點。從一九八四年《霧之戀》專輯開始，譚詠麟每次發片都有四至五首主打歌；一九八七年《牆上的肖像》及一九九〇年的《夢幻舞台》更多達六首。自《情人》專輯開始，往後的專輯明顯減少了主打歌，除了偶然幾張專輯例外。

當年筆者買來CD時，主打歌之中，特別喜歡，〈再等幾天〉。因為曲子很有Beyond的影子，而他們又是我最愛的本地樂隊，故此每當和朋友們去Karaoke玩樂，總愛以家駒唱腔高歌〈再等幾天〉。畢竟，我喜歡搖滾音樂，配我沙啞的嗓子，總以為跟偶像黃家駒會幾可亂真。事實上，我曾幻想，家駒會不會找個機會唱唱它呢？說不定夢想會在商台的《除夕龍鳳配》節目成真。可惜，翌年年中家駒在日本遊戲節目受重傷而過世，這夢想永不會實現。

另外，對*Oh Girl!*特別鍾愛，因為它令我回味着那些年喜愛日本歌的日子。八十年代，我對甚麼音樂都兼收並容，其中歐陸的Euro-Beat及日本歌最影響我對音色及編曲的注意。日本人事事講求認真，在音樂編曲上，非常注意細節，也講求出色錄音。聽八十年代偶像派歌手的歌曲，我會經常着迷於其編曲或特別的樂器聲，*Oh Girl!*事實上有點像〈你要等我〉。來到九十年代，不經意地帶幾分懷舊，卻很吸引。

Muzikland喜歡老歌，就好像喝陳酒一樣，這是早在孩童時期已紮下的音樂根源。每次聽到老歌改編，都會有種欲聽又怕聽的矛盾。或許，因為擔心改編換來期待後的失望吧！所以，未必有許多人注意的〈墨西哥情人〉，卻特別惹我注意。幸好，新版還算不俗，這就成為這專輯給我留下深刻記憶之一。至於〈緣未了〉則是近年才注意到的好歌。

一九九二年是香港寶麗金最後一年推出黑膠唱片，那年頭樂迷都愛買CD，間或還有一些錄音帶的捧場客。黑膠唱片幾乎無人問津，產量也甚少，甚至稍後割價也沒有人要。筆者從未視譚詠麟為偶像，但年輕時常聽他的歌，有好幾張專輯更特別喜歡。《情人》專輯除了因為幾首歌曲給我很個人的回憶，也因為封面設計很美，（夕陽帶來的色調非常迷人）。因此，明明已買了CD，卻忘了甚麼時候又買了黑膠，這還是幾年前翻着封塵的唱片櫃才發現的。

聽說，一九九二年的寶麗金原版黑膠現在都是天價，這升值曾讓我暗地裏歡喜了一陣子。這話怎說呢？只因我從不出讓我的唱片CD的，所以就算唱片飆升到天價，對我也實在毫無意義。二〇一七年，環球推出復刻黑膠，因為喜歡這設計，我又多買一遍新版《情人》！

幕後製作人員名單

Produced By: Joseph Ip & William Kwan
All Songs Mixed By: Joseph Ip & Peterson Wong
Arrangement & Keyboards: Tony A (A2,B2-5)/ Richard Yuen(A3,B1)/ 周啟生 (A1,4-5)
Guitar: 蘇德華 (A1,4,B4)/ Joey Tang (A4)/ Jim Knettle (A3,5)/ Peter Ng(A3,B1)
Bass: 林志宏 (A1,4,B2,4)/ Steve Hogg(B1)
Drums: 陳偉強 ((A1,4,B2,4)
Chorus: Nancy/ Jackie/ Patrick/ Albert
Mandolin: Joey V(A2)
Digital Mixing & Mastering

84

album

Frontcover

華納群星

華納群星難忘您
許冠傑

Backcover

Info

出版商：Warner Music Hong Kong Ltd - A Time Warner Company.
出版年份：1992
唱片編號：9031-77463-2

Cover Design: Basil Pao
Graphic Paintbox Artist: Deedee Donnelly/ Centro

1992

大碟

01　學生哥（林子祥主唱）
［曲／詞：Bobb Goldsteinn/ David Shire
中文詞：許冠傑／黎彼得 編：黃良昇］3:18
OT：Washington Square (The Village Stompers./1963/Epic)
OA：許冠傑 (1978/ Polydor)

02　半斤八兩（Beyond 主唱）
［曲／詞：許冠傑 編：Beyond］3:23
OA：許冠傑 (1976/Polydor)

03　印象（杜德偉主唱）
［曲：許冠傑 詞：許冠傑／黎彼得
編：鮑比達］3:21
OA：許冠傑 (1981/Polydor)

04　夜半輕私語（呂方主唱）
［曲：許冠傑 詞：許冠傑／黎彼得
編：鮑比達］2:55
OA：許冠傑 (1976/Polydor)

05　天才白痴夢（陳百強主唱）
［曲：許冠傑 詞：許冠傑／薛志雄
編：徐日勤］3:50
OA：許冠傑 (1975/Polydor)

06　梨渦淺笑（何婉盈主唱）
［曲：許冠傑 詞：許冠傑／黎彼得
編：鮑比達］3:59
OA：許冠傑 (1976/Polydor)

07　世事如棋（劉錫明主唱）
［曲：許冠傑 詞：許冠傑／黎彼得
編：鮑比達］2:45
OA：許冠傑 (1978/Polydor)

08　難忘您（林憶蓮主唱）
［曲／詞：許冠傑 編：鮑比達］4:08
OA：許冠傑 (1982/Polydor)

09　這一曲送給你（鍾鎮濤主唱）
［曲：許冠傑 詞：許冠傑／黎彼得
編：周啟生］3:39
OA：許冠傑 (1980/Polydor)

10　雙星情歌（葉蒨文主唱）
［曲／詞：許冠傑 改編新詞：林敏驄
編：鮑比達］4:10
OA：許冠傑 (1974/Polydor)

11　滄海一聲笑（黃霑主唱）
［曲／詞：黃霑 編：顧嘉煇］4:01
OA：許冠傑 (1990/Polydor)

12　等玉人（太極主唱）
［曲／詞：Ron Elliott/ Bob Durand
中文詞：許冠傑 編：太極］2:31
OT：Just A Little (The Beau Brummels/1965/Autumn)
OA：許冠傑 (1974/Polydor)

13　知音夢裏尋（蔡立兒主唱）
［曲：許冠傑 詞：許冠傑／黎彼得
編：鮑比達］3:26
OA：許冠傑 (1976/Polydor)

14　鐵塔凌雲（曾航生主唱）
［曲：許冠傑 詞：許冠文 編：鮑比達］3:00
OA：許冠傑 (1974/Polydor)

15　沉默是金（雷有曜、雷有輝合唱）
［曲：張國榮 詞：許冠傑 編：甘志偉］4:00
OA：許冠傑／張國榮 (1988/Cinepoly)

現今樂壇每年出產不少翻唱歌專輯，美其名是Hi-Fi碟，或者所謂Cover Version，但在七八十年代，不少二三線甚至不知名的歌手翻唱人家的歌，會被稱為口水歌，如蔣志光未成名前，便灌錄了許多平價口水歌錄音帶，聽說當年賣五元一盒。

一九七四年，粵語歌開始抬頭，起初確實有好歌齊齊唱的過渡期，例如〈啼笑因緣〉、〈雙星情歌〉紅遍大街小巷，幾乎大大小小電視節目都有歌星翻唱，又或者灌錄唱片，甚至有時根本有些歌星本不適合唱它的都要唱，泛濫到令人吃驚，令人想吐。但隨着粵語歌曲發成熟展了幾年，歌星之間翻唱別人的歌已愈來愈少，遇上好喜歡的歌，也只會在演唱會唱，樂迷也多只能在演唱會唱片，才會欣賞得到。

踏入九十年代，外國興起了翻唱致敬

之風，於是有 Erasure 翻唱偶像 Abba 的 *Abba-esque* EP、一眾 indie 樂隊合作 *If I Were a Carpenter*（一九九四）合輯，大唱木匠兄妹樂隊的經典歌，尚有 *It's Now Or Never - The Tribute To Elvis*（一九九四）、*The Glory Of Gershwin*、*Tapestry Revisited: A Tribute to Carole King*（一九九五）……印象中 *Two Rooms: Celebrating the Songs of Elton John & Bernie Taupin*（一九九一）是當中較早期之作。至於香港，一九九二年因為許冠傑引退，唱片公司順勢借致敬之名，推出了翻唱碟，順理成章這合輯理應由寶麗金推出，因為許冠傑近九成的錄音都在該公司，然而當時鬧了雙胞，寶麗金製作了《許冠傑光榮引退匯群星》合輯，但跟許冠傑完全無關的華納，也來分一杯羹，推出了《華納群星難忘您許冠傑》合輯，兩家公司均動用了旗下大細牌歌手，齊齊唱頌歌神許冠傑。究竟華納為何會致敬一位從未效力過的歌手呢？

原來每家唱片公司都會有其姊妹創作版權公司，過去連於寶麗金的「Intersong Music Ltd」，卻在八十年代末被對家華納突擊收購，寶麗金曾因此亂了陣腳好一會，因為許多歌曲他們只有錄音版權，再版歌曲或重唱都可能會遇上被拒之險，其後他們的新歌歸於 Polygram Publishing, Inc.。故此擁有大部分許冠傑創作版權的華納，好自然也有權來翻唱一下了。兩張致敬碟，可說是各有各好，也各有各壞，兩者比較 Muzikland 卻偏愛華納這一張。

〈學生哥〉由林子祥主唱，並親自監製，黃良昇的編曲有異於許冠傑的原版，這版本也突出了阿 Lam 充滿 Power 的嗓子，絕對醒神！林子祥曾說：「阿 Sam 影響我個人由英文轉去唱廣東歌。」同樣由 Beyond 親自編曲及主唱的〈半斤八兩〉，承傳了原曲的搖滾風，但新版更有狠勁。當時 Beyond 轉向日本發展，故此這歌也在日本製作。由杜德偉主唱的〈印象〉，充滿了深情，並加入其獨特的 R&B 腔口，使這首十一年前的舊歌，滲入了現代氣息。呂方主唱的〈夜半輕私語〉沿用了原曲的口哨 Intro，就算沒有輕私細語，都有幾分夜來的閒適 Feel。

陳百強主唱的〈天才白痴夢〉，由其好拍檔徐日勤編曲兼製作。每次聽到 Danny 的版本，都覺得這首舊作猶如他晚期的寫照。後期的他經常鬱鬱寡歡，一九九二年五月十八日晚上被發現在寓所內倒臥昏迷，這張合輯約於三、四月間推出，他還未及宣傳。在《華納群星難忘您許冠傑 金曲 Karaoke 26 首》LD 中，這歌的 MV 用上了電影《天才與白痴》的片段，歌末段戲裏的許冠文，成為了白痴，頭頂插滿了儀器的電線，配上陳百強的歌聲，令人為這沉睡的歌者倍感惋惜。

林憶蓮灌錄〈難忘您〉時，正藉約滿華納，經過一輪《都市觸角》系列後，事業衝上頂峰，這時期的憶蓮在音樂上有好多 Idea，她的新版微帶舊日歌廳 Feel，配上近代唱腔、滲入濃濃的 Reverb，使得歌曲不至於完全懷舊，卻又走出了新意。在製作訪問中，林憶蓮說：「我自己好鍾意呢首歌，覺得呢首歌好甜！」〈這一曲送給你〉由鍾鎮濤主唱、周啟生編曲，並由二人合力監製，沒有特別的刻意改編，卻有B哥哥的深情。

葉蒨文主唱的〈雙星情歌〉由黃柏高監製，鮑比達為歌曲加入了中樂，比原曲更配合歌詞的古典味，許冠傑曾透露歌詞用字有參考粵曲歌書，新版由林敏驄稍為改動了部分歌詞，抹走了老舊感。不過，跟葉蒨文加盟華納首張專輯中的〈新雙星情歌〉比較，似乎她並沒有重新錄唱，只是把九年前的版本還原了歌名而已。至於葉蒨文對許冠傑的印象，她這樣說過：「我好欣賞阿 Sam 的歌曲，同埋我好細個嗰陣時，鬼妹嘅時候都係聽佢嘅歌！」

〈滄海一聲笑〉是黃霑為電影《笑傲江湖》所寫的主題曲，這位才子曾在電視節目《名曲滿天星》中透露，本由男主角許冠傑演唱的主題曲，因製作的內部糾紛而把電影拖了兩年都未能完成，於是許冠傑罷唱，故此他找來羅文錄音，然而最終電影復拍後，許冠傑又把歌取回來唱，結果羅文的版本被棄用，只零碎地出現在電影續集《笑傲江湖Ⅱ東方不敗》中。不過，羅文最終也於一九九〇年及一九九二年，先後灌錄了粵語版及國語版。至於黃霑，曾為電影的國語版，找來林利與徐克一起合唱，及至一九九〇年在台灣推出《笑傲江湖 百無禁忌黃霑作品集》時，又由監製羅大佑代替了林利。兩年後，黃霑再在這合輯中灌錄了粵語版，其實他的豪情更能配合此曲的意境。

〈等玉人〉是許冠傑一九七四年首張粵語專輯的歌曲，但其實早在一九六七年，他有份的蓮花樂隊(The Lotus)已經在寶麗多前身的鑽石唱片，灌錄了此歌的英文細碟 *Just A Little*，不曉得美國樂隊 The Beau Brummels 的原版有多流行，但東南亞的樂迷鐵定最熟識許冠傑版本。太極樂隊重唱此曲，使得這首本來 Band Sound 的歌曲更具現代音色質感，他們在稍後的 *Cyrstal* 專輯再度收錄此曲，但多了一段較長的 Intro。

此外，尚有太極樂隊變身的兄弟組合雷有曜、雷有輝合唱了〈沉默是金〉、鄧麗盈的〈梨渦淺笑〉、劉錫明的〈世事如棋〉、蔡立兒的〈知音夢裏尋〉和曾航生的〈鐵塔凌雲〉，但對不起，水準跟同碟的大星比較，確實有些距離。《華納群星難忘您許冠傑》全碟收錄了十五首歌曲，但實際上這個 Project 灌錄了更多致敬作品，只是這批歌曲如〈莫等待〉（鄧麗盈）、〈浪子心聲〉（張偉健）、〈天才白痴往日情〉（王傑）、〈杯酒當歌〉（鄧建明）、〈紙船〉（蔡立兒）、〈相思萬千重〉（曾航生）、〈父母恩〉（呂方）、〈何處覓蓬萊〉（鄧建明）、〈最佳拍檔〉（杜德偉）、〈斷腸夢〉（雷有曜）及〈是雨是淚〉（劉錫明），只收錄在《華納群星難忘您許冠傑 金曲 Karaoke 26 首》LD 而已。

1

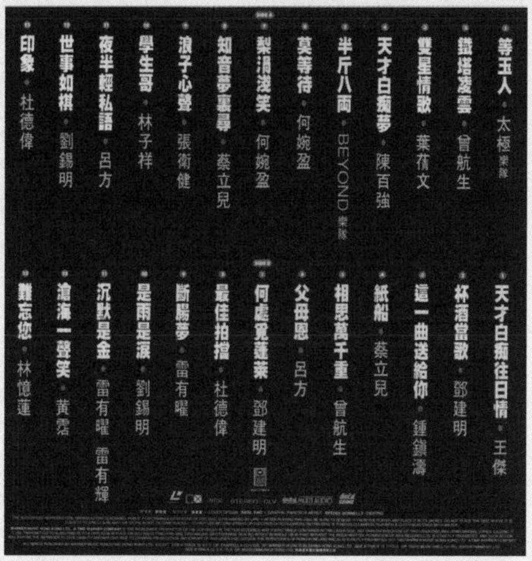

2

1
《華納群星難忘您許冠傑　金曲Karaoke 26首》LD與《華納群星難忘您許冠傑》CD用上同樣封面設計。

2
《華納群星難忘您許冠傑　金曲Karaoke 26首》LD，收錄了較多歌曲。

Muzikland ～後記～

重溫《華納群星難忘您許冠傑》這張二十八年前的合輯時，心裏不禁感到唏噓，沒有現今甚麼 Hi-Fi 靚聲碟的包袱，每位歌手都是竭盡所能，以自己獨特風格演繹別人歌曲，但又不失禮於原曲。不管歌手或編曲，都沒有過了頭的刻意，為改編而改編。許多大星當時都處於事業黃金期，駕馭歌曲能力都綽綽有餘，而且都有自己製作班底合作製作，有自己的構思。或許當中也有誰也不能輸給誰，這個實力比拼，除了令金曲大翻身，也讓樂迷大飽耳福。

除了因為擁有歌曲版權，華納較寶麗金容易出版到許冠傑歌曲專集的 Karaoke，這張 LD 借用了許冠傑在嘉禾年代幾部經典電影的 Footage，彌補了不是正宮的遺憾。至於 CD 的文案，也請來了許冠傑的好拍檔黎彼得執筆，增添製作誠意：

> Sam Hui 這個名字在我生命歷程裏面，佔了一個很重要的角色，認識 Sam，也是我人生另一轉捩點，他改變了我往後的生活及際遇。Sam 給我的感覺是完美、有涵養，無論事業、家庭及對人處事，都可成為大眾的偶像，這亦是我堅持的一個信念，不計較一切與 Sam 合作，希望能報答 Sam 的知遇之恩。回顧 Sam 過往的作品，有部分是與我合作的，能夠成為樂壇巨星經典作品的參予者，也是我一生的榮幸。而在 Sam 的音樂生命裏，影響至深的，我相信是 Elvis Presley 及 Beatles，因從他的作品裏面，都可發現存在着類似 Beatles 的反映社會說理，以及擁有 Elvis Presley 的形象和樂壇巨星地位。我對 Sam 這次的引退，我感覺非常開心，套用一句古詩「自古美人如名將，不許人間見白頭」，能夠留住最燦爛的一刻及成為樂壇經典，相信 Sam 一生也無憾了！另一方面，人隨着歲月的增長，對事物及追求生活的理想，也會有所改變，所以我很尊重 Sam 所追求的和決定，及為他而高興。而這一張專輯，不單只是歌頌 Sam 的經典作品，更是向這位樂壇超級巨星的最崇高一次致敬，敬祝 Sam 何時何地，也永遠活在快活中！

至於寶麗金那張《許冠傑光榮引退匯群星》，其實製作的方程式與華納這一張差不多，既有巨星，也有新人，不過那邊廂有一首改編過了頭的〈浪子心聲〉，確實嚇怕了我！

幕後製作人員名單

Producer: 林子祥 (01)/ Beyond(02)/ 賴健聰 (03)/ 鄧祖德 (04,13,14)/ 徐日勤 (05)/ 陳志康 (06,07,15)/ 鍾鎮濤 (09)/ 周啟生 (09)/ 黃柏高 (10)/ 黃霑 (11)/ 太極樂隊 (12)/
Co-Producer: Clarence Hui(08)
Mixed by: Johnny Cheung at Sony Music Entertainment(01,07)/ Amuse Studio, Tokyo Japan(02)/ 賴健聰 (03)/ Ringo(03)/ 蔡顯樂 (04,13,14)/ 徐日勤 (05)/ David Ling Jr.(05,12)/ Owan Kwan at Sony Music Entertainment(06,08,15)/ Ricky Cortes(11)
Recording Studio: Resort Studio Inn Eggs, Yamanaka-Ko, Japan(02)/
Engineer: 熊田倫和 (02)/ 賴健聰 (03)/ Ringo(03)/ Simon Of Peking Studio(12)
Additional Background Vocal Arrangement: Joseph Hwang(08)
Additional Background Vocal: 崔炎德 (08)/ 白嘉倩 (08)/ Joseph Hwang(08)
Programmer: 郭燦賢 (09)
Bass: 細威 (09)
Managemet: Amuse Inc(02)
Manager: Leslie Chan(02)

Frontcover

85

album

張學友

我與你

Backcover

Info

出版商：PolyGram Records Ltd, H.K.　監製：歐丁玉
出版年份：1991　唱片編號：519 704-2

Art Direction: 奚仲文
Photographer: Sam Wong
Jacket Production: Ahmmcom Ltd
Hair Stying: Herman of Beijing Hair Culture
Make Up: Eunice Wong of Kesalan Patharan

1993

大碟

01　我與你
[曲／詞：石川洋／渡辺克巳
中文詞：潘源良 編：徐日勤] 5:57
OT: Rose Is A Rose (Katsumi/1991/Pioneer)

02　祇想一生跟你走
[曲／詞：巫啟賢／陳佳明
改編詞：劉卓輝 編：趙增熹] 5:10
OT: 不該讓你等太久（巫啟賢 /1993/EMI）

03　等你回來
[曲／詞：伍思凱／劉虞瑞
改編詞：簡寧（劉毓華）編：徐日勤] 4:22
OT: 情網（張學友 /1993/Polydor）

04　忘記他
[曲／編：劉諾生 詞：劉卓輝] 4:20

05　舊情綿綿
[曲／詞：小椋佳 中文詞：劉卓輝
編：盧東尼] 4:28
OT: 心ゆくまで（梅沢富美男 /1993/Polystar）

06　思憶季節
[曲／詞：Begin 中文詞：陳少琪
編：趙增熹] 4:46
OT: この街はなれて (Begin/1993/Fun House)

07　人生需要甚麼（電視劇《居者冇其屋》插曲）
[曲／編:徐日勤 詞:向雪懷(陳劍和)] 4:49

08　不經不覺
[曲／詞：小林孝至／コシミハル
中文詞：劉卓輝 編：盧東尼] 3:44
OT: SPLEEN ～六月の風にゆれて～（沢田研二 /1991/Toshiba EMI）

09　如來神掌（電視劇《如來神掌再戰江湖》主題曲）
[曲／編：顧嘉煇 詞：陳少琪] 2:59

10　煙花句（歐丁玉合唱）
[曲／詞：弾厚作（加山雄三）/ 谷村新司
中文詞：潘源良 編：盧東尼] 4:36
OT: サライ（加山雄三＋谷村新司 /1992/Fun House）

11　留住這時光
[曲／編:劉諾生 詞:向雪懷(陳劍和)] 1:00

● 九十年代初，Muzikland因着工作及生活環境轉變，音樂上缺乏傳媒資訊，接觸西洋音樂也不及八十年代，音樂口味逐漸轉變，從容易購買的CD入手，因而聽了許多中文歌，這也剛巧是四大天王及新晉天后冒起時。那時候，我對音樂口味少了點執着，聽得愜意即可。一九九一年回流香港，隨着卡拉OK興起，對中文歌更是琅琅上口。四大天王，我特別喜歡張學友。

《我與你》於一九九三年推出，時值張學友鋭意在國語及粵語歌曲市場雙線發展，印象中《吻別》國語專輯在台灣甫推出即大賣八十萬張（可能更多），讓經已在香港火紅的學友，挾着回流的聲勢，再衝另一高峰，爆紅程度真的一發不可收拾。《我與你》專輯選曲原創及改編大約各佔一半，當中包括兩首三台冠軍歌〈祇想一生跟你走〉、〈忘記他〉；兩台冠軍歌〈等你回來〉，其他主打尚有〈舊情綿綿〉、〈如來神掌〉及〈不經不覺〉。

先說〈祇想一生跟你走〉，改編自巫啟賢的作品〈不該讓你等太久〉。這位馬來西亞創作歌手早在一九八三年已出道，然而發展一直不如意，數度赴台灣發展折翼而返，香港音樂人韋然曾把他引入香港，甚至一九九〇年譚詠麟改編他的作品，成為電視劇主題曲〈也曾相識〉，可惜歌紅，卻未見樂迷對這原作者注意。及至一九九三年，巫啟賢轉投EMI百代，事業才見起色；但轉捩點應是張學友連續改編了他兩首作品，成為火熱的主打歌，而EMI也起用他監製新加盟的彭羚及楊采妮，他既積極推出專輯，又為劉德華製作歌曲，多線發展下，一時間炙手可熱。

〈不該讓你等太久〉帶有R&B風格，但經過趙增熹重新編曲的〈祇想一生跟你走〉，節奏頓時明快起來，鋼琴伴奏為調子添上幾分傷感，劉卓輝密集的副歌歌詞，更讓樂迷爭相在卡拉OK飆歌時向難度挑戰。巫啟賢也曾公開承認，張學友翻得比他原版好，難怪此曲得到年度的TVB十大勁歌金曲及金曲金獎、香港電台十大中文金曲、商台的叱咤樂壇我最喜愛的歌曲大獎與叱咤樂壇全國專業推介金獎、新城電台的十大本地金心情歌金獎。監製歐丁玉也憑此曲榮獲TVB「十大勁歌金曲頒獎禮」的最佳歌曲監製獎。

〈忘記他〉可以說張學友第一首最成功的舞曲，之前他也嘗試節奏明快的歌曲，但卻被批評不懂跳舞，雖然在一九九二年他在TVB勁歌金曲季選演唱〈愛得比你深〉時，已開始配合舞蹈員邊唱邊有肢體動作，尚有稍後的〈愛、火、花〉也很有動感，但完整地展現學友是唱跳皆宜的歌手，卻始於〈忘記他〉，這曲由劉諾生作曲編曲，兩人之後還有〈餓狼傳說〉及〈當愛變成習慣〉等成功合作。

〈等你回來〉與〈舊情綿綿〉是專輯中最浪漫的主打歌，前者本是台灣創作歌手伍思凱的作品〈情網〉，這正值他的音樂低潮期，把歌曲賣給張學友主唱，結果收錄此曲的《吻別》專輯狠狠地把他的《不同》專輯打跨了，〈等你回來〉就是〈情網〉的粵語版，大受歡迎之下更取得香港電台十大中文金曲，令張學友在該頒獎禮連奪兩曲。〈舊情綿綿〉改編自日曲，搶耳的小提琴伴奏，實在令人忘我地融入歌曲的傷感當中，但只曾在商台的流行榜第三位出現。兩首均是我十分喜歡的歌曲，甚至有時候有雙生兒的錯覺，愛得太過，有時也會出錯！哈！

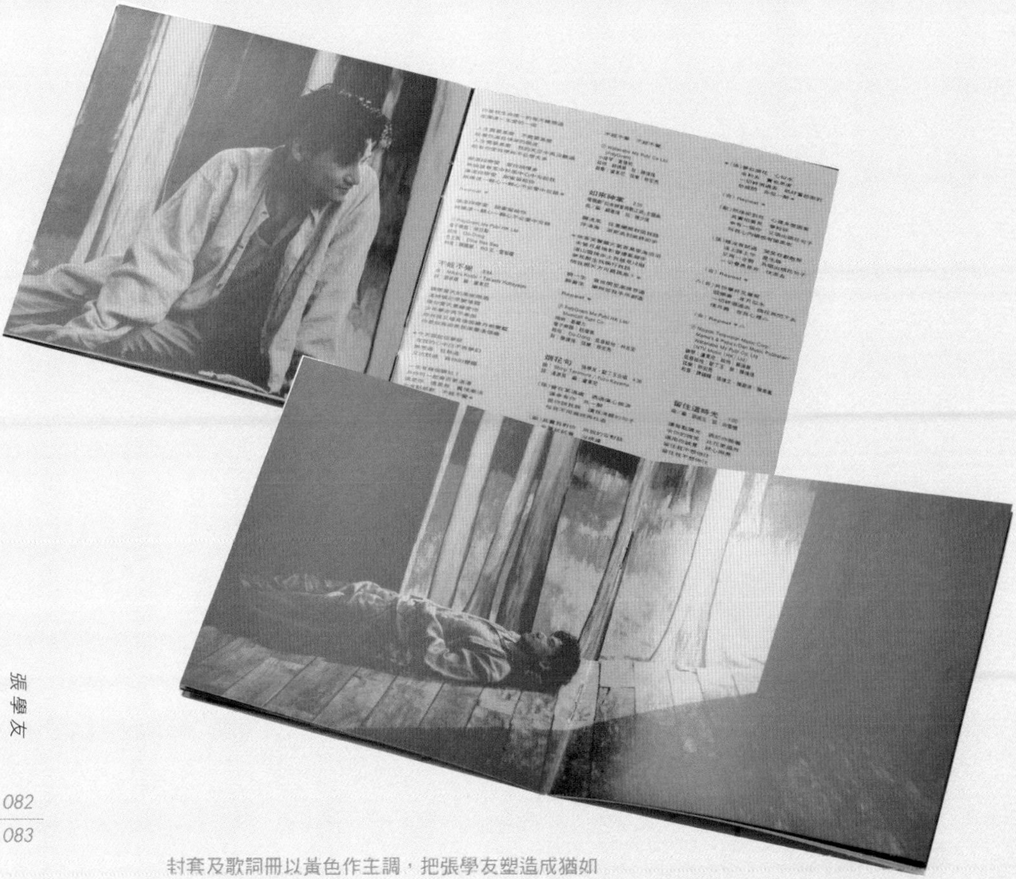

封套及歌詞冊以黃色作主調，把張學友塑造成猶如童話中的帥哥。

翻開久未打開的歌詞冊，才因這廣告記起這由Philips與三菱合力研發，以對抗Sony MD(Mini Disc)的DCC(Digital Compact Cassette)產品，原來時為一九九三年，可惜這產品只曇花一現，及至一九九六壽終正寢。

〈不經不覺〉取自日本歌手澤田研二的單曲，沒想到他的歌在九十年代還有影響力。整首樂曲以小提琴為主奏，非常高貴，但輕鬆的節奏又帶點俏皮，非常討人喜歡，然而只得到商台的流行榜第十位，相信是電台主動力推的心頭好。相同的情況也出現在〈如來神掌〉，這首 TVB 劇集的主題曲，當然獲得該台力推，所以只出現在勁歌金曲流行榜第九位。儘管是音樂大師顧嘉煇的手筆，但他這晚期的作品，影響力跟七八十年代已相去甚遠，我甚至討厭該曲的出現，破壞了整張專輯的氛圍。但寶麗金的製作少有完整概念，通常包攬改編、原創、劇集主題曲、抒情及舞曲，務求湊起來令整張專輯夠多元，所以在商業角度來說，不同的歌曲都發揮到其獨特的流行性，或各得電台與電視台喜愛，結果會造就一張擁有多首流行悅耳歌曲的專輯，因而帶動銷量。

例如另一劇集歌〈人生需要甚麼〉，屬 TVB 劇集《居者冇其屋》的插曲，不是主打，也未打入流行榜，只由二十集電視劇作洗腦宣傳而已；該劇主題曲〈情濃半生〉，由學友與湯寶如合唱，則留在湯寶如的專輯《我和秋天有個約會》，並未收錄在《我與你》專輯中。我翻查資料，此劇由陳秀雯、廖啟智、林保怡、陶大宇和張鳳妮合演；對此，我的印象非常模糊，但對歌名卻有深刻記憶。由徐日勤作曲、向雪懷寫詞，沒有太濃烈的劇集味兒，曲式走舊作〈暗戀你〉的 Doo-wop 懷舊氣息。對了！人生需要甚麼？你有思考過這課題麼？

用上藍調結他的〈思憶季節〉，同樣懷舊味十足，中板節奏帶動聽者的思緒，跟着歌者的歌聲，回味思憶帶來的美妙，陳少琪彷彿告訴大家，回憶不一定是苦澀的！不是嗎？〈思憶季節〉帶來了浪漫！

標題歌〈我與你〉用作 CD 的開場曲，有着音樂劇鋪排的特性，非常有新鮮感，在粵語流行曲中屬罕有的。數年後，學友果然也演了轟動的音樂劇《雪狼湖》。我常想一位對音樂有熱誠的歌手，總愛有演音樂劇的夢想，或者跟演員也愛演話劇，對自己的能力作出挑戰，屬同出一轍的道理吧。

〈煙花句〉的出現是有點怪，監製歐丁玉首度開腔，與張學友合唱，唱功落差實在太大，幸好感覺還不致太突兀，歌頌真友情作為紀念更顯重要，畢竟兩人在樂壇幾乎同時起步，一起闖進事業高峰，直至二〇〇七年學友推出《在你身邊》，區丁玉到北京發展，這兩個男人才分道揚鑣，〈煙花句〉恍似預早為這一段珍貴的友誼留下烙印。

最後一首〈留住這時光〉，不曉得有沒有人留意到是一闕只有一分鐘的短歌呢？當時有朋友跟我分享，怎麼歌這麼短？但作為一首香港旅遊協會一九九三年的主題曲，張學友還演了該宣傳片，它純屬發揮廣告宣傳效用而已。而且 CD 開首有一首恍如音樂劇的〈我與你〉，以一首短歌起 Reprise 作用，也起了令人對整張專輯回味無窮之用，這是我的想法。但後來學友在稍後的《忘記他》EP，推出了 Full Version，那就或許是為這 EP，留下了一條尾巴作招攬。但故事未告終，翌年，因為這首曲子在新加坡由陳佳明填上全新國語詞，成為由張學友、土靖雯、湯寶如、草蜢、劉小慧和黎瑞恩合唱的〈將心照亮〉，收錄在《寶麗金巨星獻愛心》腎臟基金慈善演出紀念專輯中，周慧敏更以鋼琴演奏了一個 Piano Solo Version。一首可能未令人注意的好歌，卻在另一方大大發揮它的作用，甚至可能深入人心。

幕後製作人員名單

Producer/ Mixing: 歐丁玉
電子樂器：徐日勤 (1,3,7)/ 趙增熹 (2,6,9)/ 劉諾生 (4,11)
結他：蘇德華 (1-6,8)/ 楊雲驃 (3)/ Do-Dong(7,9)
低音結他：林志宏 (5-6,9)
鼓：陳偉強 (5-6,8-10)
小提琴：黃偉明 (5,8)
鍵琴：盧東尼 (5,10)
鼓擊：區丁玉 (5)/ 盧東尼 (8)
弦樂：熊宏亮 (5,8-10)
色士風：Dina Bas Bas(7)
和音：雷有輝 (1)/ 雷有曜 (1-2,4,7)/ BG 文 (1,7)/ 周小君 (1-2)/ Corrinna Choi(1)/ 曹潔敏 (1-2)/ 譚錫禧 (2,5-6,10)/ Barry(4)/ 蘇德華 (4) / 胡啟榮 (4)/ 張偉文 (5-6,10)/ 陳碧清 (5-6,10)/ 陳美鳳 (5-6,10)/ 陳國華 (7)
Digital Recording & Mastering

在新加坡推出的《寶麗金巨星獻愛心》合輯，便有〈留住這時光〉的國語版〈將心照亮〉，筆者只收藏了卡帶。

Muzikland 因對封面喜愛，於是也抗拒不了黑膠版（左下）及以此輯照片作設計的SACD Box（左）了。

Muzikland ～後記～

近年對張學友的熱情已漸漸減退，挑選101時，在他三個階段的眾多專輯中，好辛苦才篩選到三張，《我與你》屬其中之一。這張專輯，我最喜歡〈舊情綿綿〉及〈情網〉，最深刻印象是〈我與你〉，而最有故事就是〈留住這時光〉了；至於另一原因，這是把學友拍得最帥的專輯。近年環球推出張學友的《歌神同行》SACD Box時，其中一集便是使用了這專輯的照片，個人認為也是四套SACD Box中設計最吸睛的，幾個原因足可以讓我借題發揮，展現我喜歡《我與你》的原因。

稍後推出的《忘記她》EP，是唱片公司刻意為學友力推的動感舞曲，但卻沒有把歌曲加長或Remix，重點在首次出現的Full Version〈留住這時光〉，並加上兩首舊作增添叫座力。

EP

01 **忘記他**
[曲／編：劉諾生 詞：劉卓輝] 4:20

02 **還是覺得你最好**
[曲／詞：米米 CLUB 中文詞：劉卓輝
編：趙增熹] 5:18

03 **我愛玫瑰園**
[曲：區丁玉 詞：簡寧 編：盧東尼] 3:35

04 **留住這時光 (Full Version)**
(香港旅遊協會 '93 宣傳歌)
[曲／編：劉諾生 詞：向雪懷 (陳劍和)]
4:35

幕後製作人員名單

出版商：PolyGram Records Ltd, Hong Kong
出版年份：1993 Except Track 2 (1992) & Track 3 (1991)
Producer/ Mixing: 歐丁玉
Jacket Design: Pat Chan/ Ahmmcom Ltd
Jacket Production: Ahmmcom Ltd
唱片編號：859 445-2

Frontcover

王靖雯

十萬個為什麼？

Backcover

Info

出版商：Cinepoly Records Co. Ltd, Hong Kong.
出版年份：1993
監製：梁榮駿
唱片編號：CP-5-0099

Cover Concept: 王菲
Photographer: 張文華
Hair Stylist: Elaine Wong (Headquarters)
Make Up: Zing
Jacket Design: Joy N./ Ahmmcom Ltd.
發行商：Polygram Records Ltd., Hong Kong/ Singapore/ Malaysia

大碟

01 **流非飛**
[曲／編：C.Y. Kong（江志仁）
詞：莫可欣／郭可盈] 3:45

02 **Summer Of Love**
[曲／詞：Helen Hoffner/ Simon Burton
中文詞：周禮茂
編：Raymond Wang（王利民）] 4:36
OT: Summer Of Love (Helen Hoffner/1993/Atlantic)

03 **如風**
[曲／詞：張宇／十一郎 改編詞：林振強
編：Tony A（盧東尼）] 4:23
OT: 猜心（萬芳 /1992/ 滚石）

04 **冷戰**
[曲／詞：Tori Amos 中文詞：林夕
編：Tony A（盧東尼）] 4:05
OT: Silent All These Years (Tori Amos/1991/Atlantic)

05 **長大**
[曲：鄧建明 詞：陳少琪
編：Gary Tong（唐奕聰）] 4:18

06 **若你真愛我**
[曲／詞：中島美雪 中文詞：潘源良
編：C.Y. Kong（江志仁）] 4:24
OT: 惡女（中島美雪 /1981/AardWark）

07 **動心［無線電視劇《千歲情人》主題曲］**
[曲／詞：王靖雯 編：Gary Tong（唐奕聰）] 4:01

08 **雨天沒有你**
[曲／詞：Barry White 中文詞：潘源良
編：C.Y. Kong（江志仁）] 3:27
OT: Walking In The Rain (With The One I Love) (Love Unlimited/1972/MCA)

09 **誘惑我**［電影《誘僧》主題曲～國語版］
[曲／編：劉以達 詞：周耀輝] 3:56

10 **Do Do Da Da**
[曲／詞：Sting 中文詞：周禮茂
編：C.Y. Kong（江志仁）] 3:47
OT: De Do Do Do, De Da Da Da (Police/1980/A&M)

11 **Do We Really Care?**
[曲：鄧建明 詞：梁榮駿
編：Gary Tong（唐奕聰）]4:18
OA: 長大（王靖雯 /1993/Cinepoly）

千禧前的香港，音樂是非常的多元化，乃因樂迷接受不同類型音樂，甚至許多台灣或內地的歌手，都爭取機會在香港發展，務求一登「紅館」，升價萬倍。這不是誇張話，因為確屬事實。細數一下，不屬本土，卻在香港大放異彩的歌手，有七八十年代的鄧麗君、甄妮、黃露儀、蘇芮，以及九十年代的王菲，都曾為香港灌錄粵語專輯，一躍成為巨星。

王菲最初在香港發展時，唱片公司嫌她名字過分土味，於是為她改了藝名「王靖雯」，洋名 Shirley。一九八九年，以《王靖雯》專輯出道，往後再推出兩張專輯 *Everything* 和 *You're The Only One*，反應都不錯，可惜發展尚在起步，卻因卡在經理人與唱片公司間的合約糾紛而煞停。後來，她乾脆往外國求學，所屬的新藝寶唱片公司，在這時期為她推出 *Shirley Once More* 精選。結果，反應非常好，這才讓更多樂迷認識到這位新星，尤其發現她擅唱 R&B；然後，新藝寶再推出精選續集 *More Shirley*。其實，兩張精選已幾乎包攬了王靖雯首三張專輯的大部分歌曲，但這重新包裝也讓樂迷重頭認識她。

一九九二年推出兩張回歸專輯 *Coming Home* 和《執迷不悔》，帶來非常重要的代表作〈容易受傷的女人〉和〈執迷不悔〉，在這裏更發掘了她在填詞的才華。一九九三年緊接的《十萬個為什麼?》專輯，讓她告別過去數張專輯的風格，以嶄新風格示人，甚至玩形象，展開她的輝煌天后期，這張專輯跟稍後的國語專輯《天空》，是她最後一次使用「王靖雯」這名字的粵語、國語專輯。

Summer Of Love 改編自美國女歌手 Helen Hoffner 的同名原作，充滿陽光與夏日氣息，有別王菲過去的怨情或 R&B 風格，原來歌者也有開朗一面，非常清新。這歌榮登商台 903 及 RTHK 流行榜冠軍，並在 TVB 勁歌金曲取得第三名。王菲稍後再主唱了國語版，由何因填詞。

另一令人愉快的作品有 C.Y. Kong 作曲的〈流非飛〉，作詞的莫可欣和郭可盈是一九九三年同屆參選香港小姐的佳麗，結果莫可欣成為冠軍，郭可盈只取得最受傳播媒介歡迎獎及最具演藝潛質獎。但事實上寫詞的真身，乃是軟硬天師的林海峰及葛民輝，他們也是新藝寶旗下藝人，在此之前曾請來王菲在他們的專輯中客串合唱〈請勿客氣〉。主題講流言蜚語的〈流非飛〉，使用了王菲的同音字，大玩「食字」，歌詞也突顯了歌者真實的自我性格，王菲更少見如此奔放。特別一提，一九九三年那屆香港小姐，佳麗劉飛飛取得國際親善小姐，可見軟硬天師玩「食字」是如何「高章」，而王菲也為 TVB 拍下該年的香港小姐參選宣傳片。〈流非飛〉分別取得商台 903、RTHK 及 TVB 勁歌金曲流行榜第四、第三及第二。稍後此曲出現了一個 60's Version 的特別版，由 Steve Chung、Patrick Tscng 和 Stanley Leung 編曲，收錄在一九九五年《王菲精彩全記錄 8CD》所附贈的 Bonus CD 中。

九十年代吹起台灣風，跟香港音樂文化相互交流，本地樂迷也非常受落台灣的文藝，所以常把流行的台灣作品改編。〈如風〉取自萬方的〈猜心〉，是張宇與十一郎夫婦的作品。當時，不管王菲、萬芳、張宇或十一郎，都處於事業起步，但卻有這麼出色的作品。〈如風〉雖是改編，但效果比原版好，〈猜

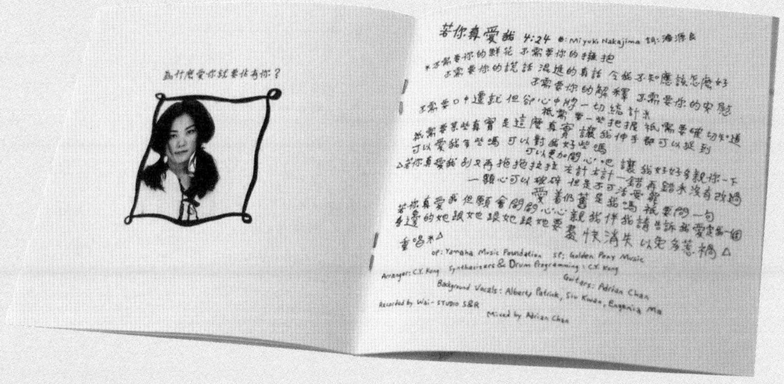

「為什麼愛你就要佔有你？」
「為什麼流言飛語滿天飛？」
歌詞冊配上不同的王菲造型，也不時在部分歌詞旁，加上了歌者的疑問。

一九九五年《王菲精彩全記錄 8CD》附贈的 Bonus CD 中，收錄了〈流非飛 60's Version〉。

《十萬個為什麼？》雜誌廣告。

心〉有種拖着拖着的緩慢，王菲的嗓音也比萬芳實在，結果由林振強填上新詞的〈如風〉，讓歌者的失戀顯得如風飄過般淡然，實則卻很痛。這歌取得商台903三星期冠軍，並在RTHK及TVB勁歌金曲取得兩星期冠軍及亞軍。《十萬個為什麼？》專輯於九月推出，翌月新藝寶再推出《如風》EP接力，收錄了Autumn Version的〈如風〉，由唐奕尼編曲，減少盧東尼第一版的結他聲，加重了弦樂伴奏，這是筆者更喜歡的版本。

〈冷戰〉改編自美國女歌手Tori Amos的單曲*Silent All These Years*，Tori算是較冷門的歌手，此曲旋律動聽，但非常難唱。它雖然在流行榜只取得商台903第八及RTHK第三，但確為王菲的唱功加分。林夕分別寫了粵語版及國語版，後者收錄在王菲的台灣首張國語專輯《迷》，當王菲在台灣節目打歌時，也以國語版宣傳。那個年代，商台每逢除夕，固定有《除夕龍鳳配》節目，邀請當紅歌手演繹同期別人的歌，林憶蓮為此也翻唱了〈冷戰〉，至今仍流存於網絡中，可以說是兩位天后令人難忘的一次以歌對壘。

王菲求學返港後，以一首日本才女中島美雪的作品而走紅，上次改編為〈容易受傷的女人〉的原曲，其實在香港並不流行，這次再度使用中島的舊作〈惡女〉。可惜原曲曾在香港流行一時，故改編為〈若你真愛我〉後迴響不大，但C.Y. Kong的編曲，確實增添了新鮮感。〈雨天沒有你〉同由C.Y. Kong編曲，把一首二十一年前的老歌重新換上新衣，野心不少，王菲跟隨了原曲唸着獨白，歌曲意念其實與原曲頗相似，只是潘源良把雨天擁有對方的感覺，換作了失去！另C.Y. Kong再把The Police樂隊的舊作*De Do Do Do, De Da Da Da*編成*Do Do Da Da*。雖不是主打歌，但頗受樂評人注意。

《十萬個為什麼？》不是一張完整的粵語專輯，因為收錄了三種語言的歌曲。上一張專輯，王菲為〈執迷不悔〉的國語版填詞，使得國語版比陳少琪寫的粵語版更受歡迎，這次王菲更為電視劇《千歲情人》寫了一首很古樸感覺的中國小調，包辦作曲作詞來配合一個穿越秦代至現代時空的故事。王菲除了主唱這首國語主題曲，更親自主演，男主角是方中信。

另一首國語作品，由達明一派成員劉以達作曲，當時他已單飛發展，除了擔任唱片監製，也為多部電影配樂，其中由國際級女星陳沖和吳興國合演的《誘僧》，配樂便是出自他手，主題曲〈誘惑我〉由周耀輝寫詞，原聲帶 CD 由台灣福茂唱片推出。王菲在此重錄了一個錄音室版本，但稍後在《如風》EP 再度收錄電影版。《誘僧》由泰迪羅賓監製，他是新藝寶唱片老闆之一，至於出品商泰影軒，是寶麗金與泰迪羅賓合組的電影製作公司。

上文提到《十萬個為什麼？》出現三種語言，除了粵語、國語，還有一首本地創作的央文歌。由太極樂隊結他手鄧建明作曲，分別有陳少琪寫的粵語版〈長大〉及由監製梁榮駿填詞的 *Do We Really Care?*，一曲兩用。筆者較喜歡粵語版，觸及長大的感覺，很有意思！

Muzikland ～後記～

當王靖雯推出首張專輯《王靖雯〈無奈那天〉》時，筆者已很喜歡她，那時候我常以收音機陪伴入睡，節目經常播放她的〈無奈那天〉及〈藉口〉。中板節奏歌曲配上她迷人的聲音，令人陶醉。有一次，她在一個下午的電台戶外節目，演唱了上述兩首主打歌，可能因為都是抒情歌，現場氣氛反應一般，她也很謙虛地表達感謝，說話不多。*You're the Only One* 專輯裏的〈多得他〉獲得許多人讚賞，但我更愛抒情的〈靜夜的單簧管〉及充滿節奏感的〈悶人咖啡〉，尤其後者，好「型」！當她卡在合約糾紛時，我的好友剛巧參加「嘉士伯流行音樂節」，那一年主辦單位請來的嘉賓是內地樂隊黑豹。就在下午綵排時，筆者眼前走過一位個子很高的女子，原來那是王靖雯，非常低調地探男友班，其時盛傳她跟黑豹樂隊的主唱竇唯在交往。

雖然返港後的〈容易受傷的女人〉、〈季候風〉及〈執迷不悔〉都火紅，但《十萬個為什麼？》才讓她脫胎換骨。音樂風格很創新，唱功流露自然，也少了之前主唱 R&B 時的吃力及刻意，甚至王靖雯更親自主導自己的形象，負責封面設計。塑造一個傻女問着「十萬個為甚麼？」，其實蠻可愛，只是標題跟當中的歌曲拉不上半點關係，唯一可能是〈長大〉引發的感觸。

首五張專輯，不管是唱片公司專程為她打造，或是返港後刻意的洋化，甚至極力爭取用「Faye」代替「Shirley」，但現在回看，感覺都很土。但《十萬個為什麼？》卻是她榮登天后很重要的轉捩點，並榮獲多個年度獎項，包括RTHK十大中文金曲〈冷戰〉和十大優秀流行歌手大獎、TVB勁歌金曲國內最受歡迎香港女歌星及商台叱咤樂壇女歌手金獎。這張專輯風格很廣，王菲銳意嘗試多種音樂路線，往後更學Bjork的「菠蘿頭」，模仿Sinéad O'Connor和The Cranberries主唱人Dolores O'Riordan的嗓子，然後走出自己的風格，往後筆者一直支持她到EMI及Sony年代。曾經很接受她是屬於香港的歌手，但今天筆者的感覺已不盡然了。

幕後製作人員名單

Executive Producer: Andrew Tuason/ Stephen Cheng
Producer: Alvin Leong（梁榮駿）
Co-Producer: Stanley Leung（梁飛翔）
Synthesizers & Drum Programming: C.Y. Kong (1,6,8,10)/ Raymond Wang (2)/ Gary Kum (3)/ Gary Tong (5,7,11)/ Tats Lau (9)
Keyboard & Synthesizers: Tony A (3)
Piano & Synthesizers: Tony A (4)/ Gary Kum (4)
Keyboard: Alex San (2)/ Gary Tong (5,7,11)
Guitar: So Tak Wah (2)/ Joey Tang (3,5,11)/ Adrian Chan (6,10)/ Tats Lau (9)
Strings: Houng Wang Leung Orchestra (5,11)
Flute: Tam Po Slk (7)
Gu Cheng: Choi Kit Yee (7)
Bass: Lam Chi Wun (2)/ Eddie Sing (5,8,11)
Piano: Dannie Wong (8)
Background Vocals: Albert (1-3,6,8,9)/ Patrick (1-2,6,9)/ Siu Kwan (1-3,6,8)/ Engenia Ma (1-2,6,9)/ Tam Siu Hay (3,8)/ Nancy Chan (3,8)/ Faye Wong (4)/ Choi Kit Mun (9)
Ad-Lib: Joey Tang (5,11)
Recorded by: Adrian Chan (1-2,5,8,10-11)/ Wai (2,4,6,9)/ John Lin (5,8)/ Owen Kwan (7)/ David Ling Jr. (8)/ Sunny Chan (9)
Studios: S&R (1,4-5,8-9,11)/ Sony Studio (7,9)
Mixed by: David Ling Jr (1,4-5,9,11)/ John Lin (2,7(S&R))/ Adrian Chan (3,6,8,10)
Recording, Mixing & Mastering: AAD

出版商：Cinepoly Records Co. Ltd, Hong Kong.
出版年份：1993
監製：梁榮駿
唱片編號：CP50103-150
Producer: Alvin Leong（梁榮駿）
Co-Producer: Stanley Leung（梁飛翔）
Jacket Design: Joy N./ Ahmmcom Ltd.
Jacket Production: Ahmmcom Ltd.
發行商：Polygram Records Ltd., Hong Kong/ Singapore/ Malaysia

EP

01 如風（Autumn Version）
［曲／詞：張宇／十一郎 改編詞：林振強
編：Gary Tong］4:26
OT: 猜心（萬芳／1992／滾石）

02 誘惑我［電影《誘僧》主題曲～電影版］
［曲：劉以達 詞：周耀輝
編：Tats Lau（劉以達）］3:30

03 天生不是情造
［曲：劉以達 詞：周耀輝］4:10

04 季候風
［曲／詞：陳小霞／楊立德 改編詞：潘源良
編：Richard Yuen（袁卓繁）］4:30
OT: 有一天我會（張瓊瑤／1990/EMI）

87

album

Frontcover

軟硬天師

廣播道
軟硬殺人事件

Backcover

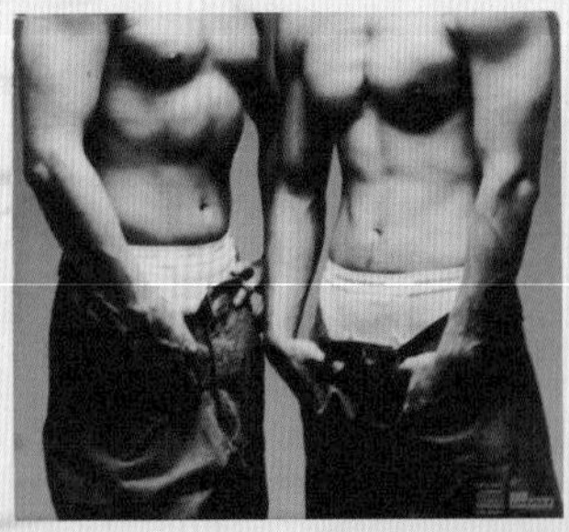

Info

出版商：Cinepoly Records Co., Ltd. Hong Kong
出版年份：1993
監製：C.Y. Kong/ 軟硬 / Stanley Leung/ Alvin busy Leong(3)
唱片編號：CP-5-0075

發行：Polygram Records Co. Ltd, Hong Kong/ Singapore/ Malaysia

1993

大碟

01 廣播道 Fans 殺人事件
[曲 / 詞：Hiroaki Serizawa (芹澤廣明)/ Yasushi Arimoto (秋元康)/ C.Y. Kong (江志仁)
中文詞：軟硬 編：V-Wild Production] 3:36
OT: 背中ごしにセンチメンタル (宮里久美 /1985/Victor)

02 點解要大家笠
[曲 / 詞：Frankie Lymon/ Herman Santiago/ Jimmy Merchant 中文詞：軟硬 詞：周禮茂 編：C.Y. Kong (江志仁)] 3:58
OT: Why Do Fools Fall In Love (Frankie Lymon & The Teenagers/1956/Gee)

03 請勿客氣（軟硬 / 王菲合唱）
[曲 / 詞：Ferrell Sanders/ Rob Gallagher/ Crispin Robinson 中文詞：軟硬 編：C.Y. Kong (江志仁)] 4:30
OT: Prince Of Peace (Galliano/1992/ Talkin' Loud)

04 中國製造
[曲 / 編：C.Y. Kong (江志仁)]
詞：軟硬 / 黃偉文] 4:37

05 鈴通天地線
[曲 / 詞：Van Rijen/ Jasper 中文詞：軟硬 編：Jones Chan] 3:22
OT: In Your Eyes (Twenty 4 Seven/1991/BCM)

06 老人院
[曲 / 詞：後藤次利 / 秋元康 中文詞：軟硬 編：C.Y. Kong (江志仁)] 2:55
OT: とんねるず - ガラガラヘビがやってくる (Tunnels/1992/Pony Canyon)

07 愛式（軟硬 / 黃耀明合唱）
[曲：Fabio Carli (花比傲)/ C.Y. Kong (江志仁)] 詞：軟硬 / 黃偉文
編：C.Y. Kong (江志仁)] 4:28

08 最後今天
[曲：Dick Lee (李迪文) 詞：軟硬] 4:10

09 叱咤勁歌金曲
[曲：James Wong (黃霑)/ C.Y. Kong (江志仁) 詞:軟硬 編:C.Y. Kong (江志仁)] 4:02

10 非常口
[曲 / 詞：Bingo Boys/ Two Deadly Elements 中文詞：黃偉文 編：Alex Yang/ Davy Tam] 3:16
OT: No Woman No Cry (Bingo Boys/1991/Atlantic)

一九八八年三月二十一日，商業二台軟硬天師正式在廣播道開咪，由「硬天師」林海峰與「軟天師」葛民輝組成，為林姍姍的《姍姍收音機》節目一個環節錄音。名字反映兩人性格，意即軟硬兼施，名字由跨媒體創作人歐陽應霽所改。當時林海峰在 4A 廣告公司任職，葛民輝是 Esprit 時裝店的櫥窗設計，工作上有緊密合作，後一起經俞琤面試，開始在商台兼職。

在音樂上，軟硬天師最初在商台《叱咤新一代》合輯中初試啼聲，一九九一年由陳少寶簽約新藝寶旗下，為他們推出專屬專輯《車欠石更》，兩人本以為是一碟的 Ad Hoc Project，沒想到專輯大賣，唱片監製梁榮駿游說他們再下一城，終於在一九九三年推出《廣播道軟硬殺人事件》專輯，但這張專輯比前作更具創意，為香港音樂史上一張非常重要的 Hip-Hop 專輯。

〈廣播道 Fans 殺人事件〉借用了〈愛情陷阱〉的 Intro，並由 C.Y. Kong 加上了一個數板而成。葛民輝在《廣播道開咪》電視節目訪問提過〈廣播道愛情陷阱〉，可能是歌曲雛形的 Work Title。歌詞數盡當時紅星及新人，並借意揶揄當時瘋狂粉絲的行徑。其實意圖接近偶像的行為，早在八十年代已有，一九八四年的陳百強訪問剪報，透露他經常接到騷擾電話，更有女生得到他的寓所地址，找上門按門鈴，雖然對方沒有惡意，也把他嚇個半死。換作今天，可在不同社交平台追蹤心儀偶像，這些過分行為也成為歷史。歌曲中提及的紅星有黎明、張學友、郭富城、劉德華、林憶蓮、葉蒨文、Beyond、草蜢、王菲、關淑怡、林志穎及張衛健，不過陸家俊、鄭梓浩、蔡興麟、梁雁翎、黎明詩和何婉盈則只屬煙花爆放，這首詞作不經意記錄了一九九三年樂壇當時的狀況。順帶一提，從〈廣播道 Fans 殺人事件〉的 Credit，唱片公司已低調地註明了〈愛情陷阱〉不是芹澤廣明專程為譚詠麟而作的了，原歌詞是秋元康所寫，但實際上近年許多聰明的樂迷已發現〈愛情陷阱〉跟宮里久美的動畫主題曲〈背中ごしにセンチメンタル〉極為相似，但為該曲寫詞的是三浦德子。〈廣播道 Fans 殺人事件〉稍後有一個 Remix 版本〈廣播道 Fan Club 殺人事件〉。

八十年代，愛滋病絕症令世人大為震驚，幾乎無藥可醫，有說主要是男男同志才會得病，但後來又發現這病毒經由血液或性交傳染，但不限同性戀者，性濫交的人也會很容易得到，於是醫學界鼓吹，為了安全，性行為宜使用保險套，而〈點解要大家笠〉就是以此借題發揮。此曲原是五十年代美國 Doo-Wop 組合 Frankie Lymon & The Teenagers 的冠軍歌 *Why Do Fools Fall In Love*，歷年翻唱版本無數，一九八一年再由天后 Diana Ross 翻唱，令此曲再度流行。軟硬以輕鬆搞笑的手法處理〈點解要大家笠〉，稍後又做了一個輕柔版的版本〈點解要大家卡拉 O.K.〉，以認真的態度作溫馨提示；但之後再版則改名〈點解要大家 Plug〉。

一九九二年短暫留學歸來的王靖雯，在音樂上脫胎換骨，翌年更回復本名王菲直闖事業高峰，這時候，她在音樂上作了許多大膽新嘗試。先在一九九〇年已經與軟硬嘗試合唱 Madonna 歌曲 *Keep it Together*，這次以合音的身份為〈請勿客氣〉獻聲。

整張 CD 設計非常統一，亦很配
合軟硬二人的設計出身的背景。

歌詞冊上的「九龍皇帝」字款，不是曾灶財的手筆，而
是模仿的效果。

密集的歌詞如果還要搞花巧設計，實在很考眼力。

軟硬專心説唱，主唱交由王菲處理，鼓勵內斂不擅辭令的人大着膽子對喜歡的人示愛。Acid Jazz 音樂風格，曾在九十年代大為流行，此曲改編自倫敦組合 Galliano 的單曲 *Prince Of Peace*。

〈中國製造〉是 C.Y. Kong 的原創作品，當中 Sampling 中樂〈將軍令〉及〈功夫〉，急速緊張的節奏，填滿了軟硬與黃偉文合力填寫的歌詞，幾乎把中國產品、人物、京腔或內地人給海外華人印象的用字都放進去。

九十年代還未有「宅男」的稱呼，紙媒仍是主要的傳媒之一，當時曾出現許多交友熱線電話廣告，當然不是真心的跟你做朋友，收費每六秒六毫的電話對話或性挑逗錄音，慰藉着寂寞的心 Lonely Heart 俱樂部的人。當年的「天地線」及「步步通」手提電話是單向的，只能打出，不能接聽，大家有用過嗎？〈鈴通天地線〉反映那年代曾出現過的奇怪狀況，也用流行一時的手提電話暗喻了這個單向的溝通方式。就算未打過這些熱線電話，可能大家都知道「173-173-」字頭的熱線電話號碼，是怎麼的一回事。

有説〈老人院〉是軟硬在電台節目《老人院時間》的主題曲，但筆者記得這是他們主持《軟硬製造》電視節目的主題曲。歌曲源自日本 Tunnels 搞笑節目的主題曲，軟硬的版本同樣爆笑，雖是一大堆無厘頭的歌詞，卻令人開懷。同年，草蜢也改編了同曲，成為國語版的 *Gala-Gala Happy*。

〈愛式〉本是黃耀明在《首都 Capital 音樂工廠Ⅱ》合輯的單曲，軟硬的版本屬二次創作，但邀請了原唱人客席主唱了副歌。由軟硬與黃偉文重新填詞後，使得此曲加重了同志愛的色彩。

〈最後今天〉記錄着一九九三年一月一日元旦時分在中環蘭桂坊的人踩人慘劇；商業電台在蘭桂坊轉角處舉辦新年倒數流行音樂會，並架設了舞台及巨型氣球。警方當時派駐了一百一十八名警員在場維持秩序，惟在又窄又逼的街道斜坡，在倒數時竟擠滿了萬多群眾。在情緒過於高漲下，人與人間引致碰撞，最終造成了人疊人的骨牌效應，歡樂節日留下了二十死、六十三傷的傷痛記憶。

〈叱咤勁歌金曲〉Sampling 了溫拿樂隊的歌曲

L.O.V.E. Love，揶揄當時樂壇現況，不管歌曲創作、歌手唱歌水準、藝人形象私生活，都放進歌詞裏。不過話說回來，那個年代樂壇的精采，實在也比今天好。

〈非常口〉跟原曲分別不算大，改編自 Bingo Boys 的 *No Woman No Cry*，輕鬆的節奏以「口」為題材，除了吃東西，在字裏行間也提到性行為，在那個年代屬於很大膽的題材，但令人會心發笑。

由《車欠石更》及《廣播道軟硬殺人事件》兩張專輯延伸出來的 3 吋特別混音 CD Box，每張 CD 只有一首歌，是為死忠粉絲而設的收藏品。

Muzikland ～後記～

不管是創新報道交通消息的「馬路天使」或軟硬天師電台節目，筆者也沒有認真的聽過，大概認識這組合是從TVB的電視節目《軟硬製造》，乃因當時已少聽收音機。起初聽到軟硬的歌曲，實在沒想到他們會大紅，後來出版《車欠石更》專輯，也只以為純屬搞笑的唱片，因為電台DJ灌錄唱片，根本不是甚麼新鮮事，我丁點興趣也欠奉。那一年，筆者被選中在表演中合唱〈廣播道Fans殺人事件〉，剛得知消息時，還有點反白眼的反應，不過為了做好表演也就買來這CD，要把歌聽熟，在不情願的心情下，平平宜宜的買二手就好。那個年頭，Muzikland買唱片買得很兇，而且只買全新的，可見我如何看不過這些歌。不過，當要認真練起說唱來，那就不是一件容易事了，別說練準急速的拍子，光是記熟那長如江河流水的歌詞也很困難。幸好，結果還是表演了，換來不錯的反應，至今仍可把歌詞背得滾瓜爛熟。但這個表演機會，卻讓我接觸到《廣播道軟硬殺人事件》專輯裏頭的歌曲，而且愈聽愈愛不釋手。數年後，聽過《車欠石更》，我還是只愛這張CD，那管是創意也好，鬼主意也好，這張專輯實在充滿了許多新鮮的意念。

葛民輝曾在電視節目中談及這張專輯，滿以為推出了《車欠石更》就算，沒想到唱片公司提出再出一碟的要求。但上一張專輯，要認真唱起歌來實在辛苦，於是兩人想到〈川保久齡大戰山本耀司〉反應不錯，何不避開唱歌，轉用說唱，這容易駕馭得多了。於是他們很艱苦地在眾多工作餘下的時間填寫歌詞，幾乎是一個月才能完成一首。

封面上的軟硬把自己頭像植在兩位健碩男的身體上，退下牛仔褲頭露出裏面的菊花牌白內褲，「基」味十足，設計大膽；加上歌曲內容，筆者曾以為他們兩人是一對，不過之後兩人相繼結婚，這疑惑也就不攻自破。歌詞冊上的「九龍皇帝」字款，原來不是出自曾灶財的手筆，乃是劉建文花了一星期趴在地上模仿曾灶財字跡的成果。

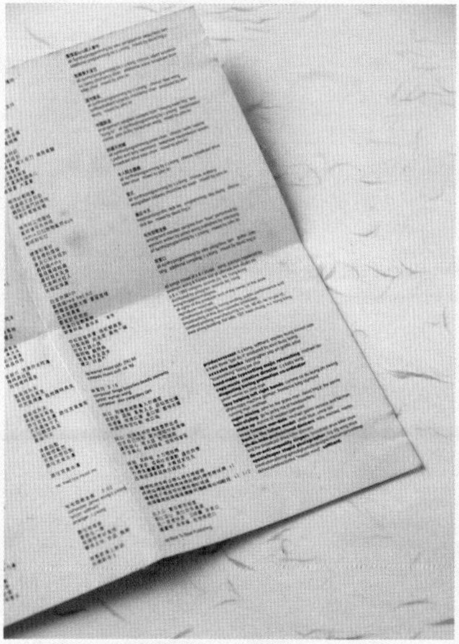

除了歌詞冊，另附一張白紙黑字歌詞紙。細心看
幕後製作名單，才曉得軟硬非常搞怪。

幕後製作人員名單

Producersssszzz: CY. Kong/ Softhard/ Stanley Leung except "just do it" by Alvin busy Leong(3)
All Synths/Programming: Alex Yang(1,10)/ Patrick Delay(1)/ Davy Tam(1,10)/ C.Y. Kong(2,3,4,6,7,9)/ Jones Chan(5)
Additional Programming: C.Y. Kong(1)
Keyboards/Synths: Dick Lee(8)
Programing: Day Leung(8)
Mixed by: David Ling Jr.(1,8,10)/ John Lin(2,4,5,6,7,9)
Chorus: Albert Lui(2,3,7)/ Patrick Lui(2)/ Jacky Cho(2,3,7)/ Nancy Chan(2,3)/ Faye Wong(3)/ Softhard(3)/ 'Wink 'Vasiine T. Pettis(5)/ Larry Hammond(5)/ Broadcast Drive Killer Choir(6)/ Anthony Wong(7)/ Chow Siu Kwan(7)/ Dick Lee(8)
Addition Voice: Broadcast Drive Killer Choir(2)
Transmission Voices: John Lin(4)/ Lily Ho(4)/ Wyman Wong(4)
Telephone Transmission Voices: Broadcast Drive Killer Choir(5)

all songs mixed at s & r studio
sonic solution mastered by peterson wong & francis wai ultimart one studio ltd

xxxxxtra thanks: typographer pop art graffiti artist "kowloonking" tsang joe choi
hand made typesetting majic retouching: michael lau
copy-music creator director: c. y. baby kong
disgusting boring promotion co-ordinator: junior Winnie yu zero mak
lazy helping left right hands: comme ca du leung chi kwong, photo-copy machine german, freelance king Raymond running man-michael
super mixing: join lin the grass-man, david ling jr. the senior
hair-styling: go lo jacky ma of headquarters
make up: eunice of kesalan patharan
scaa famous mor-dale: michael gianni versace and fat-man
back to the future model: uncle blue, uncle hoi
un-dis-inde-professional dancers: ricky, michael, martin and the broadcast drive killer dancers
de-re-anti-unqualify singers: broadcast drive killer choir
specialsuper stupid photographer: big dig shya creatvitionalismgraphicdigitartisticdesignermessengerpasteupdeliverartdirectorthe "master mind" softhard.

88 album

Frontcover

劉雅麗、譚偉權、胡寶秀

我和春天有個約會 EP

Backcover

Info

出版商：夢云音樂劇場 監製：夢云音樂劇場 (CASH Member)
出版年份：1993 唱片編號：FH10050

發行：Sound Factory Company Ltd.
美術製作：M. Dee

1993

Tracklist

01　**我和春天有個約會（劉雅麗主唱）**
［曲／詞：鍾志榮 編：溫浩傑］

02　**孤燕（譚偉權主唱）**
［曲：鍾志榮 詞：杜國威／鍾志榮 編：溫浩傑］

03　**你為了愛情（劉雅麗主唱）**
［曲／詞：鍾志榮 編：溫浩傑／李啟昌］

04　**困倦（第三屆 CASH 流行曲創作大賽最佳歌曲季軍）（胡寶秀主唱）**
［曲／詞：鍾志榮 編：李啟昌］

時為一九九三年，一位音樂同好朋友很興奮跟Muzikland透露，前一晚欣賞的話劇，裏頭幾首歌好聽到不得了。對於從不看話劇的我而言，立即泛起一種記憶：那種背台詞、誇張式做戲、甚至如朗誦一樣悶人的演出嗎？對！那是很小時候跟姐姐去大會堂看的，可能還是那些很陽春的學校表演，談不上甚麼真正演出。既然是悶人話劇，那些歌還會好聽麼？友人不甘心，還是想盡辦法把我拉進她的興奮情緒中，斷斷續續、零零碎碎的模糊旋律與歌詞，最清楚還是最後一句甚麼「拋諸腦後」（友人還要配合動作）。這就可以感動我麼？勉強聽完就算了，而且還說是話劇，如我沒機會進場看，根本也沒機會聽到該些歌曲吧。想不到，沒多久我買到CD，我的神通廣大，無意間嚇了她一跳，經她確認，就是這幾首歌。

這張《我和春天有個約會》CD，只是一張四首歌的EP，以植物照片作封面，甚麼「夢云音樂劇場」出品？「Sound Factory」發行？真是連唱片公司名字都未聽過。不過Beyond推出第一盒卡帶時，又有多少人認識呢？事後那盒卡帶大家都當寶。反正價錢不貴，買來聽聽，說不定會有驚喜！

果然有！那首甚麼「拋諸腦後」，名叫〈你為了愛情〉是一首很輕快的曲子，還有一首很抒情的〈我和春天有個約會〉，同由一位叫劉雅麗的女生主唱。再有一首男生主唱的〈孤燕〉，挺不錯的，但演繹則很業餘，再然後是一首第三屆 CASH 流行曲創作大賽最佳歌曲季軍歌曲，名為〈困倦〉。幾位主唱人的名字，實在陌生得很，但劉雅麗的兩首歌，着實唱得不錯。我還介紹給歌唱老師，這女生嗓子有點像梅艷芳，技巧當然不能相比，但若換上梅艷芳來唱，她的老練可能又未必完全展現這女生的味道。

翌年，傻傻的收到電視台附屬公司的邀請，報名參加甚麼演藝興趣班，筆者從不是這種料子，但公餘後玩玩也着實無妨。戲劇部分的課程，由羅冠蘭老師負責，經她講解，才曉得演戲竟是一門那麼高深的藝術。同學們很緊張的學做戲，甚至經常相約綵排，當然事後我會發現有人期望通過這途徑進入娛樂圈，但也有人是想藉機會「追女仔」。經過約一年時間，大夥兒參了好幾期演藝興趣班，當時有一套名為《我和春天有個約會》的電影上映，這是跟那 CD 有關的嗎？不管如何，至少我的導師羅冠蘭是其中一角。幾個因素下，我跑去看了這部電影，懷舊的歌廳劇情，寫愛情、講友情，懷舊歌、老香港，具備了觸動我的元素，結果跟友人去看，自己看、拉着朋友看，在戲院共看了六次。當我告訴羅冠蘭時，她驚訝地反應：「你傻了麼？」沒有！我確實很喜歡這部電影！還有那些歌！

因這部電影，讓大眾未必熟悉的幾位女角知名度大增，原來她們都是來自話劇界，主角劉雅麗因兼主唱主題曲、插曲即為大眾認識，羅冠蘭與蘇玉華往後都加入電視台演出，至於馮蔚衡多年來仍醉心話劇發展。《我和春天有個約會》電影在圈中不被看好下，以黑馬姿態跑出，唯一有名氣的演員是吳大維，他演過些電影，是衛星電視 MTV 台的 VJ。結果電影上映長達九個月，票房超越二千一百多萬，並且捧紅了劉雅麗。這部電影導演高志森於一九九五年成立「春天舞台」製作公司，再度上演春天版的《我和春天有個約會》舞台劇；之後又有亞洲電視的電視劇版，往後又轉化為《麗花皇宮》。

至於該部劇的歌曲，除了出現在首張同名EP中，部分錄音又賣給華納、飛圖等唱片公司推出雜錦合輯，EMI推出電影原聲帶CD，復又簽下劉雅麗再把兩首重要歌收錄在她的《戲迷情迷》專輯中，在《伴我同行》OST中，劉雅麗也主唱了國語版，同屬話劇界出身的劉玉翠也在其EP中翻唱了；主題曲尚有鄺美雲及劉德華分別在台灣推出的國語版（黃舒駿寫詞）或改編版〈痴心也是錯〉（熊儒賢寫詞），及一九九七年電視劇延續的CD；然後便是多屆的《麗花皇宮》的CD、VCD、DVD了。這個《春天》瀰漫了香港好多好多好多年。

因《我和春天有個約會》一劇而衍生的電影、劇集、歌舞劇或改編歌、翻唱歌，實在多不勝數！

從一九九三年到二〇二〇年，原來已整整二十七年。在 Muzikland 的音樂歷程中，因着《我和春天有個約會》，使我之後看過幾套其他劇團的話劇和音樂劇，甚至買他們的 CD。作曲的鍾志榮往後為杜琪峰打造吳倩蓮，也出現過我做音樂的朋友的生活中。喜歡〈我和春天有個約會〉及〈你為了愛情〉，多年未變，但曾貼近我的是譚偉權主唱的〈孤燕〉，因為電影中姚小蝶與鳳萍的兒子重逢及回憶一幕着實動人，而且這首男生歌，我可以唱。一直沒多注意的〈困倦〉，屬鍾志榮參加「第三屆 CASH 流行曲創作大賽」的季軍作品，比賽時由袁鳳瑛主唱，至於 CD 則改由同是演藝出身的胡寶秀灌錄。

二〇一八年的一天，大着膽子邀約劉雅麗做訪問前，剛好在早前舉行的《真。經典電視主題曲演唱會》中欣賞到她的演出，為她伴奏〈我和春天有個約會〉的正是此曲的原編曲人 Marco（溫浩傑）。原來這張 EP 是香港話劇團重演該劇時，同場發售的，在溫浩傑的 Home Studio 錄音，並由劉雅麗的爸爸借錢給鍾志榮出版，不談甚麼酬勞，出版只為一個紀念。

一九九〇年，劉雅麗演藝學院畢業，加入了香港話劇團，發展並不如意，只能演對白欠奉的閒角，甚至需要黐鬚的士兵都要演。一九九〇年，機會來了，剛好有個需要唱歌的劇本，話劇團中會唱歌的演員本已不多，尚可以唱的幾位又剛好離團，自小跟着當歌星的媽媽曉華，渴望當歌星的劉雅麗自然成為人選，經過 Casting 之後，也順利當上該劇主角。《我和春天有個約會》先於一九九〇年在大會堂首演，之後移師西灣河又演了十幾場。歌手鍾鎮濤曾跟朋友來捧場，非常喜歡那些歌曲，梅艷芳捧場時，喚起她許多童年賣唱的回憶，曉華也請來許多圈中人如黎小田來看，導演杜琪峰及高志森都均表示很想拍電影版，唯高表示可以用原班人馬主演，並且劇情盡量根據話劇，不多作改動，結果成就了一套超賣座的電影，屬香港人的重要回憶。至於 Muzikland？我、我、我為了《我和春天有個約會》，一直都不太冷靜……

Muzikland 喜愛《我和春天有個約會》，所以除了 LD 及 VCD 等，還收藏了電影原聲帶 CD。

出版商：Curb Records, Inc.
出版年份：1994
監製：李漢金
唱片編號：72438 29951 28
發行：EMI (Hong Kong) Ltd.

大碟

01 **你你你為了愛情（電影版）（劉雅麗主唱）**
[曲／詞：鍾志榮 編：溫浩傑／李啟昌]

02 **孤燕（電影版）（譚偉權主唱）**
[曲：鍾志榮 詞：杜國威／鍾志榮
編：溫浩傑]

03 **我和春天有個約會（電影版）（劉雅麗主唱）**
[曲／詞：鍾志榮 編：溫浩傑]

04 **馬路英雄**
[曲：姚敏 詞：李雋青]
OA: 張萊萊／劉韻 (1958/ 百代)

05 **再愛上妳**
[曲：劉家昌 詞：林煌坤]
OA: 尤雅 (1971/ 海山)

06 **梅蘭梅蘭我愛你（周恩恩／彭秀麗合唱）**
[曲：劉家昌 詞：林煌坤]
OA: 尤雅 (1971/ 海山)

07 **情人的眼淚（羅冠蘭主唱）**
[曲：杜芬（姚敏）詞：狄薏（陳蝶衣）]
OA: 潘秀瓊 (1961/ 天使／百代)

08 **不了情（蘇玉華主唱）**
[曲：莫然（王福齡）詞：陶秦]
OA: 顧媚 (1961/ 寶石)

09 **鑽石大盜（周志輝／周恩恩／彭秀慧合唱）**
[曲：王福齡 詞：張徹]
OA: 林沖 (1969/ 娛樂)

10 **早已離開我**
[曲／詞：Herman Hupfeld]
OA: Frances Williams (1931)

11 **雜錦（Various Artists 合唱）**

12 **As Time Goes By（音樂）**
[曲／詞：Herman Hupfeld]

13 **你你你為了愛情（音樂）**
[曲：鍾志榮]

14 **我和春天有個約會（音樂）**
[曲：鍾志榮]

15 **情人的眼淚（音樂）**
[曲：杜芬（姚敏）]

16 **不了情（音樂）**
[曲：莫然（王福齡）]

17 **As Time Goes By（音樂）**
[曲／詞：Herman Hupfeld]
OA: Frances Williams (1931)

Frontcover

89 album

梅艷芳

是這樣的

Backcover

Info

出版商：華星唱片　　監製：倫永亮
出版年份：1994　　唱片編號：CD-04-1152

Artists Management: Metrostar Entertainment Ltd.
Image Director: Eddie Lau 劉培基
Art Director: Tan Khiang
Photographer: Fanco Lai
Hair Stylist: Nichol Yip (Le Salon Orient)
Make Up Artist: Judy Leung (Faces)

1994

大碟

01 **情歸何處**
[曲 / 編：倫永亮 詞：張美賢]

02 **感激**
[曲 / 編：倫永亮 詞：林夕]

03 **請你快回來**
[曲 / 編：Tony A(盧東尼) 詞：林振強]

04 **愛是個傳奇**
[曲 / 編：張兆鴻 / 倫永亮 詞：周禮茂]

05 **悲情城市**
[曲 / 詞：尾崎亚美 中文詞：林夕 編：倫永亮]
OT: Souvenir (尾崎亚美 /1992/Pony Canyon)

06 **如夜**
[曲 / 編：Dick Lee (李迪文) 詞：潘源良]

07 **蝶舞**
[曲 / 編：張兆鴻 詞：潘源良]

08 **愛情來了報佳音**
[曲 / 編：Tony A(盧東尼) 詞：周禮茂]

09 **是這樣的（電影《阿飛正傳》主題曲）**
[曲 / 詞：Ernesto Lecuona/ Carmen Lombardo, Charles O'Flynn
中文詞：鍾曉陽 編：Terence Chan]
OT: Jungle Drums (Canto Karabali) (Guy Lombardo And His Royal Canadians/1933/Brunswick)

10 **朦朧夜雨裏**
[曲 / 詞：鍾偉強 編：張兆鴻]

●舉行完橫跨一九九一至九二年的三十場《KOOL百變梅艷芳告別舞台演唱會》後，這位事業仍如日中天的百變天后梅艷芳隨即宣佈退出樂壇。一九九四年，敵不過樂迷的苦苦哀求，再度在伊利沙伯體育館舉行一場的《情歸何處II梅艷芳感激歌迷演唱會》，並推出全新專輯《是這樣的》。

重出江湖的梅艷芳在這張專輯，猶如沉澱過後從新出發，曲風少了前作如〈慾望野獸街〉、〈女人心〉、〈妖女〉等經典的狂野或硬朗味道，轉而滲出醉人的成熟韻味，四首主打歌有〈情歸何處〉、〈朦朧夜雨裏〉、〈如夜〉及〈感激〉，均屬柔情之作。

〈情歸何處〉是好拍檔倫永亮為她量身訂造之作，張美賢也為歌者刻下感情寫照，梅艷芳演繹絲絲入扣，非常動人，結果成為了商業電台（三星期）、香港電台（兩星期）及新城電台三個流行榜的冠軍歌；華星也隆重其事，為梅艷芳拍攝原裝MV，並由成龍擔任男主角，不過在第二版MV這位男角的蹤影被剪去了。過去七八十年代的歌曲MV，均由TVB拍攝；由唱片公司出資拍攝的，實屬首次，而對這位八十年代叱吒樂壇的巨星來說，實在是一支遲來的MV。

第二主打是翻唱梁朝偉一九八六年初出道的歌曲〈朦朧夜雨裏〉，當年這位電視藝員備受TVB力捧，也被安排在姊妹公司華星灌錄唱片而晉身歌壇。有説他對音樂很有品味，聽許多不同類型的非主流歌曲，對選曲也有自己的看法，可惜演唱〈朦朧夜雨裏〉卻力有不逮，但此曲卻讓許多樂迷留下深刻印象，甚至是卡拉OK挑戰歌。新編曲減少了原曲的激情，卻突出了梅艷芳中音的魅力及感情發揮，隨即成為了一首脱胎換骨的翻唱歌，更攀上香港電台流行榜首位。二〇一三年，梁朝偉在《梅艷芳。10。思念。音樂。會》中獻唱此曲，以紀念這位離去十年的好友。

〈如夜〉由新加坡音樂人Dick Lee作曲及親自編曲，並由潘源良填詞。此曲不單旋律醉人，梅艷芳的輕柔，帶出了曲中的深情，她每個吐字，力度均恰到好處，雖然筆者不常重溫這張專輯，但每次聽到〈如夜〉，均不自覺地反覆播放。

不計四歲已在荔園賣唱，光從一九八二年以新秀出道，直到一九九四年的十二年間，梅艷芳在樂壇交出了一張絕對亮麗的成績單，經過引退復再回歸，由倫永亮作曲、林夕寫詞的〈感激〉，雖然流行榜成績平平，但道出了這位巨星對樂迷粉絲多年來真摯的感受。

〈是這樣的〉本是上一張*The Legend of the Pop Queen*專輯中的新歌，但在這裏經過重新編曲及再次灌錄，並成為這張回歸專輯的標題。舊版本編曲接近一九六一年拉丁音樂領班Xavier Cugat的純音樂版本，筆者則較愛注入爵士伴奏的新版。文案雖注明是電影《阿飛正傳》的主題曲，但實際上該部由王家衛執導的經典作，並沒有主題歌，只有大量阿爺年代的音樂陪襯，其中不少是六十年代歌星潘迪華提議的Xavier Cugat純音樂。〈是這樣的〉只是改編配樂之一的*Jungle Drums*，並由鍾曉陽填上歌詞而成的流行曲，翌年該部電影主角張國榮則灌錄了國語版〈何去何從之阿飛正傳〉。Xavier Cugat過往曾多次灌錄此曲，除了一九六一年Mercury版，更有一九五七年RCA Victor版及其一九三九年在Victor演奏的Dinah

第二批的梅艷芳《是這樣的》金碟限量五千張，以絨面紙盒包裝，雍容華貴，是粉絲的必然收藏品。

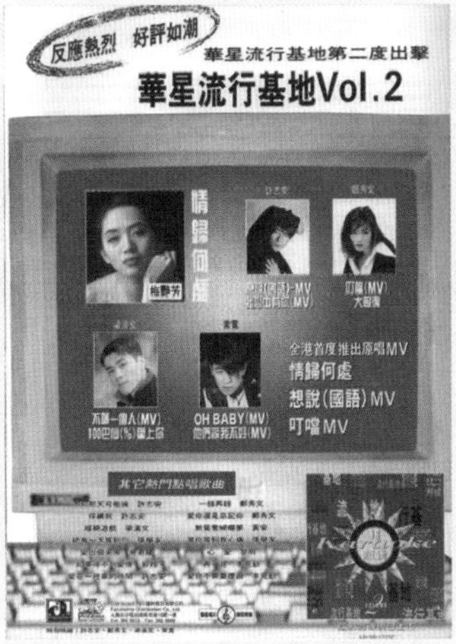

〈情歸何處〉原唱 MV，是當時華星推出的一張 Karaoke LD 重要賣點。

華星出資首個梅艷芳原人原聲 MV。

Shore主唱版，但最早版本應屬一九三三年Guy Lombardo And His Royal Canadians Vincent Travers Orchestra演奏版。〈是這樣的〉不管新舊版本，都有濃濃懷舊色彩，因為骨子裏這旋律實在很老。

專輯中有一首取名好有美感的〈蝶舞〉，由張兆鴻作曲、編曲，並由潘源良寫詞。張兆鴻在這張專輯開始與梅艷芳合作，作曲兩首、編曲三首，參與度很高。他早年組樂隊擔任琴鍵手，兩度參加「嘉士伯流行音樂節」，並於一九八九年該比賽中榮獲「最優秀鍵琴手」，當時所屬樂隊「禁區」的參賽曲〈獵情者〉便是他的作品。其後，他多次與鍾志榮為電影配樂，作品有〈向左走向右走〉、〈大事件〉及〈龍鳳鬥〉等。潘源良筆下的「一點煙一點灰，就在無盡夜空向遠方飄。化蝶化蝶化蝶，舞吧舞吧舞吧，使我重拾歡笑！」實在好有畫面。至於他另一作品〈愛是個傳奇〉，屬節奏歌曲，相比之下，卻不及〈蝶舞〉吸引。

〈悲情城市〉恍似與台灣同名電影相關，卻原來只是取其名的改編；原曲是日本創作才女尾崎亞美的歌曲*Souvenir*。此曲從悲傷至漸進激情，鋪排非常精采，雖不是主打歌，卻絕對值得細聽。

〈請你快回來〉與〈愛情來了報佳音〉屬盧東尼貢獻的兩首作品，這位屬寶麗金的In House音樂人，不曉得甚麼時候開始替其他公司及歌手工作。他的作品很有水準保證，就算不屬主打歌，都會是一些很耐聽的Side Track。兩者比較，筆者較喜歡〈請你快回來〉。

Muzikland ～後記～

早在〈風的季節〉參賽時，Muzikland便已開始聽梅艷芳，多年來從〈心債〉至〈是這樣的〉，接觸她的歌頗多，我得說八十年代她實在太紅了，她的代表作多不勝數，誰不對她的歌曲滾瓜爛熟、琅琅上口？我也是其中之一。但我得說，早期華星的錄音並不優質，許多編曲也略嫌粗糙，但經火紅的梅艷芳演唱，及TVB大力宣傳下，她實在無曲不成金。但Muzikland最欣賞她的抒情歌，卻不是早年的〈似水流年〉，卻始於由羅大佑操刀的〈似是故人來〉及小蟲的〈親密愛人〉。梅艷芳的硬朗，是同輩歌手中少有的，也是獨特的，但我更愛她放下外表的華麗與堅強，滲出內心的那股溫柔。《是這樣的》未必是一張很商業的專輯，也未能展現歌者的百變，但卻很耐聽；其演繹感情發揮淋漓盡致，多首歌曲都能突出這位歌后咬字發音輕重音發揮的超高技巧。它可能是Muzikland最愛的梅艷芳專輯！

幕後製作人員名單

Executive Producer: 倫永亮
Keyboards: 倫永亮 / 張兆鴻 / 盧東尼
Synthesizers Programming: 倫永亮 / 張兆鴻 / Gary Gum/ 陳澤忠
Bass: Rudy Rombhoa/ 林志宏
Drums: Ricky Johnson/ 陳偉強 / 張健波
Guitar: 蘇德華 / Guillermo Fuego Jr./ Danny Leung
Chorus: 周小君 / 曹潔敏 / 黃偉年 / 雷有耀 / 陳明道 / 譚碩熹 / 馬怡靜 / 倫永亮
Recorded and Mixed Studio: MBS Recording Studio
Recording Engineers: Kinson Tsang/ Gordon Allyang/ carrie
Mixing Engineers: Kinson Tsang
Digitally Mastered by: Kinson Tsang
"是這樣的" Mixed by Kit Tsoi at R&B Studio
Marketed & Distributed by: Capital Artists Ltd.

同年在台灣滾石推出的《小心》專輯，由小蟲打造，多首非主打均以《是這樣的》專輯歌曲變身，包括〈醉朦朧〉（是這樣的）、同名的〈情歸何處〉、〈再陪你一晚〉（朦朧夜雨裏）、〈天使愛魔鬼〉（愛是個傳奇）及〈小心〉（請你快回來）。

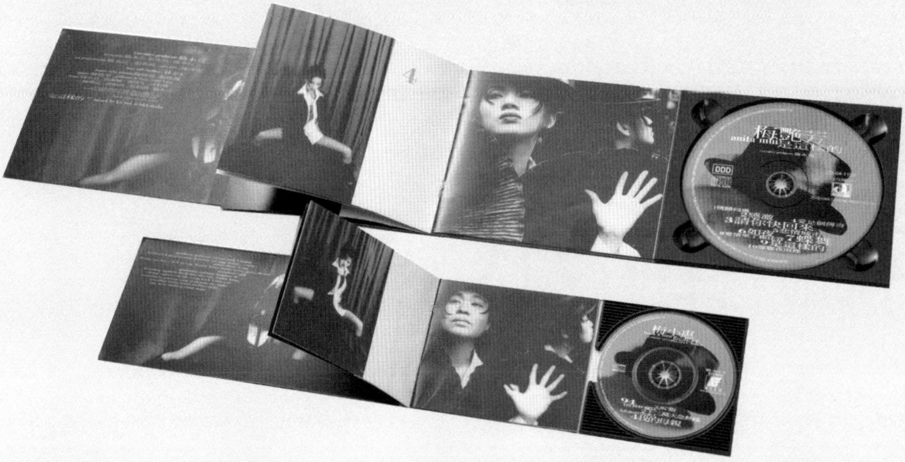

同年由藝能動音出版的梅小惠與阮兆祥 3 吋 CD（小），雖然歌曲跟《是這樣的》（大）沒有關連，但其二次創作的封面，跟梅艷芳的原裝專輯幾可亂真，令人會心微笑。據行內人透露，這次模仿是得到梅艷芳同意的，並借出服裝，難怪幾乎一模一樣了。

90 album

Frontcover

彭羚

未完的小說

Backcover

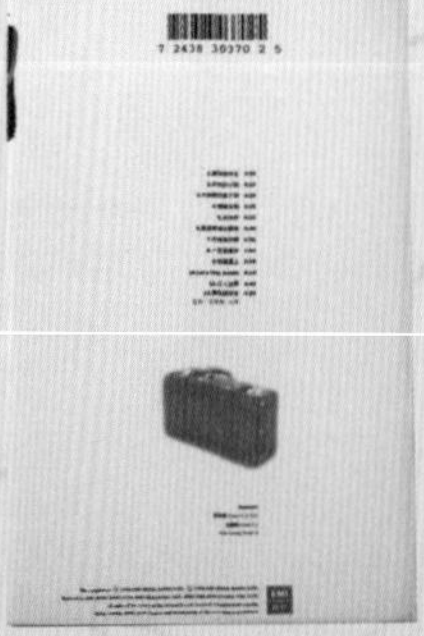

Info

出版商：EMI (Hong Kong) Ltd
出版年份：1994
監製：巫啟賢、王醒陶、梁榮駿、Keith Yip、麥皓輪
唱片編號：7 2438 30370 2 5

Art Direction: Lo Chi Wai
Photography: 張文華
Make-up: Eunice Wong/ Kesalan Patharan
Hair Stylist: Jacky Ma/ Head Quarters
Graphic Desiogn: Uly3sec Design

1994

大碟

01 讓我跟你走
[曲／詞：梁文福 改編詞：張美賢
編：杜自持] 3:55
OT: 從你回眸那天開始（洪劭軒 /1989/YSS）

02 未完的小說[商業二台叱咤903蘭茜夫人劇場
《戀愛 1/2》主題曲]
[曲：郭靜 詞：周禮茂 編：盧東尼] 4:14

03 不許眼兒再下雨
[曲／詞：Nikos Lyras/ Ernest Williamson/
Curtiss Boone 中文詞：林振強
編：Alex San] 4:21
OT: Come In Out Of The Rain (Wendy Moten/
1992/Capitol)

04 情難自制
[曲／詞：Michael Masser/ Gerry Goffin
中文詞：張美賢 編：麥皓輪] 4:07
OT: Now We're Starting Over Again
(Dionne Warwick/1981/Arista)

05 奔向你
[曲／詞：Jud Friedman/ Allan Rich
中文詞：李敏 編：麥皓輪] 4:25
OT: Run To You (Whitney Houston/1991/
Arista)

06 愛過痛過亦願等
[曲／詞：Donald Robinson/ Leah Worley
中文詞：張美賢 編：麥皓輪] 4:42
OT: Give And Take (Tyler Collin/1989/RCA)

07 彷彿是初戀
[曲／詞：Peter Lord 中文詞：李敏
編：麥皓輪] 4:54
OT: Rush Rush (Paula Abdul/1991/Virgin)

08 一世愛着你
[曲／詞：John Farrar 中文詞：張美賢] 3:05
OT: Hopelessly Devoted To You
(Olivia Newton-John/1978/RSO)

09 有緣遇上
[曲／詞：Lauren Wood 中文詞：張美賢
編：Ray Lau] 3:50
OT: Fallen (Nicolette Larson/1979/Warner)

10 Let's Stay Awhile
[曲／詞：James Harris III/ Terry Lewis/
Janet Jackson/ Melanie Andrews
中文詞：黃文廣 編：唐奕聰] 4:12
OT: Let's Wait Awhile (Janet Jackson/1985/A&M)

11 三人世界
[曲／詞：Martika/ Michael Cruz/ Michael Jay
中文詞：黃文廣 編：Keith Yip/ 麥皓輪] 4:44
OT: Safe In The Arms Of Love (Martika/1991/
Columbia)

12 讓我跟你走（巫啟賢合唱）
[曲／詞：梁文福 改編詞：張美賢
編：杜自持]4:28
OT: 從你回眸那天開始（洪劭軒 /1989/YSS）

許多歌手在樂壇一瞬即逝，也有些浮浮沉沉多年，半紅不黑；有些靠實力，也需要際遇及機會，等待突爆的一刻，在筆者心中，彭羚就是後者一類歌手。

有說彭羚本來是樂意唱片公司的職員，一九八九年初試啼聲，與該公司旗下歌手阮兆祥合唱了〈我心深處〉。翌年出道，推出首張專輯 *With Love*，這也讓她抓着了黑膠唱片的尾巴，因為下一張專輯已是只發行CD及卡帶而已。在樂意唱片逗留了兩年多，推出四張專輯，成績算是中規中矩，每張唱片都有主打歌攀上流行榜，但成績偏重在商業電台。她亦以第一首冠軍歌〈愛過痛過亦願等〉嶄露頭角，其歌聲也得到普遍樂迷肯定。一九九三年中，彭羚改投EMI發展，在財雄勢大的國際音樂機構支持及宣傳下，《有着你……多麼美》的選曲開始進軍香港四大傳媒，當中〈如果得不到愛情〉一曲，橫掃四台排行榜冠軍，其他如〈戀火〉及〈有着你……多麼美〉也出現在RTHK的流行榜中。四個月後，EMI為彭羚推出《未完的小說》新曲＋精選輯。

彭羚才推出過粵語及國語專輯各一張而已，為何在新加盟的唱片公司，竟有足夠歌曲推出精選呢？乃因EMI把彭羚的樂意唱片舊錄音版權也買過來。三首新歌加八首舊作，促成一張賣過滿堂紅的精選盤，也令彭羚的音樂事業突圍，衝上高峰！新歌分別由三位不同監製操刀製作，有新加坡創作歌手巫啟賢、王菲的金牌監製梁榮駿及EMI的In House監製王醒陶。

先說巫啟賢監製的〈讓我跟你走〉，巫當時也從新加坡的飛鷹唱片加盟EMI，其情況其實跟彭羚差不多，被國際級的唱片機構相中後，在更充足資源下，其潛質得以更大發揮。〈讓我跟你走〉不是一首全新調子，巫啟賢便曾在舊東家灌錄過國語版〈想着你的感覺〉，加盟EMI後再錄一次，並且給與更強大宣傳。EMI也把他從新加坡重新推廣到台灣，並把他帶到香港來，也藉着一張新曲＋舊歌重新錄音的精選，作強勁宣傳。〈讓我跟你走〉比〈想着你的感覺〉遲半年推出，剛巧可以延續巫啟賢的版本餘勢出發。巫啟賢是一位很有才華的創作歌手，把一首自己唱過多年的歌，為彭羚製作一個粵語版，根本手到拿來。彭羚的嗓子偏向柔和舒服，加盟EMI時初試輕快舞曲，而巫啟賢監製這新歌時，則要求她在副歌部分以真聲去飈高音。結果，彭羚技驚四座，也令人對這位女生的唱功刮目相看。在Karaoke熱潮的年代，這首難度十足的歌曲，當然也令樂迷爭相獻技，無疑在宣傳上又再多推一把。雖說〈讓我跟你走〉改編自〈想着你的感覺〉，但原來後者也是一首翻唱，原曲於一九八九年由新加坡歌手洪劭軒演唱，名叫〈從你回眸那天開始〉，屬於「新謠」年代的創作歌曲，兩者歌詞其實一樣，只是歌名改了。「新謠」是新加坡民謠的簡稱，校園民歌改變了七十年代台灣的流行曲創作與製作模式，新加坡也受影響而出現「新謠」，培育了許多當地創作人，寫〈從你回眸那天開始〉的梁文福，就是這個時期的創作人，「新謠」也造就了巫啟賢。從一九八九年洪劭軒演唱過〈從你回眸那天開始〉後，另一變身〈想着你的感覺〉也被多位歌手翻唱，除了巫啟賢（一九九一及一九九四），也有杜德偉（一九九一）及呂方（一九九二），甚至徐小鳳於一九九一年也唱過，只是易名為〈一個一個想你的

加盟 EMI 後，彭羚的形象也被徹底改造。

日子〉。所以，彭羚的〈讓我跟你走〉，可以說是積聚了多位前人的貢獻，樂迷對歌曲早就留下了印象。這歌在 903 及 RTHK 的流行榜均取得三甲位置，於 TVB 勁歌金曲更取榜首，順道拿走年度的十大勁歌金曲獎。巫啟賢同時製作了一個合唱版的〈讓我跟你走〉，與獨唱版的分別，則是加入他的一段清唱，意圖製造一個雙方彼此掛念的感覺。

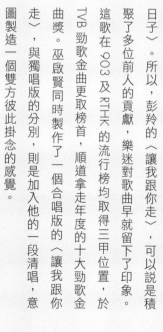

由王醒陶製作的〈未完的小說〉，屬於 903 蘭茜夫人劇場《戀愛 1/2》的主題曲。九十年代初這劇場掀起了一陣追聽廣播劇熱潮，《戀愛 1/2》便是其中之一。彭羚除了主唱主題曲，也與郭富城聲演了劇中主角，同場還有李蕙敏、黃偉文、歐陽德勛及寫這歌的郭靜；但這位郭靜是 DJ，有別於台灣發展的同名歌手。CD 製作名單中特別鳴謝的鄧潔明，便是《戀愛 1/2》的編劇，歌詞冊中也節錄了劇本內容，並以此為專輯標題，務求由此與新舊作品，打造一個滿有故事概念的精選碟。

〈不許眼兒再下雨〉改編自美國歌手 Wendy Moten 的 *Come In Out Of The Rain*，屬一首 R&B 的

抒情歌，由把王菲推上天后位置的梁榮駿監製。王菲初期幾張專輯，由這位金牌製作人操刀，主唱了不少 R&B 作品，是當時香港歌手鮮有嘗試的曲風，結果為王菲走出個人前期的鮮明音樂風格。〈不許眼兒再下雨〉由林振強填詞，歌名有幾分台式浪漫。

至於八首樂意唱片的舊作，安排在新歌之後，沒有再刻意特別編排，主要是依專輯選來幾首熱門歌而已，但已足夠令新樂迷在熱門舊作中，重新認識彭羚。這批歌曲均由樂意唱片老闆葉建華與麥皓輪聯手打造，兩人也捧紅了彭羚、夢劇院及日後的李蕙敏。從彭羚首兩張專輯 *With Love* 及 *Somewhere In Time*，只選來了 *Let's Stay Awhile* 及〈愛過痛過亦願等〉。初聽 *Let's Stay Awhile* 時，實在難以置信是以強勁舞曲著名的 Janet Jackson 原唱，這是彭羚個人的 Debut 歌曲。至於〈愛過痛過亦願等〉是美國 R&B 歌手 Tyler Collin 的單曲，彭羚的版本雖保留了原曲的 R&B 氣息，卻帶出新人的清新感覺，這是彭羚第一首流行榜冠軍歌，極為重要。

第三張專輯《彷彿是初戀》只有四首主打歌，在這裏全數收錄，均是改編歌。〈三人世界〉改編自美國創作歌手 Martika 的 *Safe In The Arms Of Love*，原曲在外國並未受到注意，Martika 發了這第二張專輯後也人間蒸發了，但被改編後卻成了彭羚第三首冠軍歌。〈有緣遇上〉由張美賢寫詞，改編自美國歌手 Nicolette Larson 早年的歌曲，算不上是一首搶耳的作品，但有着樂意唱片製作的小清新。至於〈一世愛着你〉的調子，大家都耳熟能詳，因為那是 Olivia-Newton John 在電影《油脂》(*Grease*) 演唱的插曲 *Hopelessly Devoted To You*。相隔十多年把一首經典改編，殊不容易，但那個年代頗多這種老掉牙歌曲改編的成功例子，樂迷容易入口，易於接受。印象中還有草蜢的〈舊唱片〉、〈歲月燃燒〉、Echo 的〈隨時隨地〉，又或是後來李蕙敏的 *Sam*，改編效果也頗討好。〈彷彿是初戀〉跟 *Let's Stay Awhile* 有點相似，竟是舞曲歌后 Paula Abdul 的抒情歌，這曲為彭羚帶來第二首冠軍歌。

第四張專輯 *See for Cass*，這也是彭羚在樂意最後的大碟，挑來兩首專輯中成績最好的單曲，分別是

〈情難自制〉跟〈奔向你〉。〈奔向你〉改編美國天后 Whitney Houston 的電影插曲 *Run To You*，在該部電影《護花傾情》(*The Bodyguard*) 中，Whitney 把 Dolly Parton 舊歌 *I Will Always Love You* 升格為難度十足的經典，插曲 *Run To You* 同樣不易演繹，在高音、轉音或感情處理上，彭羚都是向難度挑戰，結果卻為她賺來一首代表作。至於〈情難自制〉取自美國歌手 Natalie Cole 的 *Starting Over Again*，但原來這歌原唱人是 Dionne Warwick 才對，Dionne 是 Whitney Houston 的表姐，想來〈情難自制〉與〈奔向你〉都有點淵源。

Muzikland ～後記～

不難發現，獨立唱片公司的資源確有限制，若歌手得到國際唱片機構相中，用心栽培，事業隨時得到更大發揮；不過失敗例子也有，如從 Golden Pony 轉投寶麗金的李蕙敏，所以彭羚可以說是一位幸運兒。

彭羚加盟 EMI 後，唱片公司已經起用梁榮駿監製其新專輯《有着你……多麼美》，為她在流行榜打開了一個新局面的成績，並且立即在台灣由資深音樂人王文清打造其首張國語專輯《我的眼我的淚》，可見其受重視程度。

《未完的小說》沒有刻意命名為精選碟宣傳，反之意圖融入舊歌，打造一張近似小說的概念專輯。三首新歌各具特色，也各具賣點。巫啟賢除了推出唱片，也加重其製作人身份，作雙線發展。短時間內，他除了製作彭羚的歌曲，也出現在楊采妮的合唱歌內，推出為香港而製作的專屬粵語歌。既為別人作嫁衣，也在其他人的專輯替自己作 Cross Promotion 增加曝光，效果是相得益彰。其實 EMI 當時有想過彭羚會火紅得那麼厲害麼？接下來，主唱入屋的劇集歌，再邀請不同風格的製作人如鍾定一、杜自持和倫永亮等替彭羚製作，可以說每一張都是皇牌。

彭羚的嗓子屬乾淨型，不算很有個人特色，但處理歌曲時，就如 Songbird 般容易為人接受，加上她唱功的潛力得到進一步開拓，代表作就一首接一首，接踵而來。雖然往後她在 EMI 還有多張專輯，甚至還有轉投 Sony 的延續，但《未完的小說》是她在音樂發展上最重要的一步。

《未完的小說》初版是長版，包裝猶如一本小說，之後 EMI 再推出短版。

《未完的小說》雜誌廣告。

幕後製作人員名單

Producer: 巫啟賢 (1,12)/ 王醒陶 (2)/ Alvin Leung(3)/ Keith Yip+ 麥皓輪 (4-11)
Studio: Q Sound Studio(1,12)/ S&R Studio (2)/ Sound Station(3)
鳴謝叱咤 903 商業二台提供蘭茜夫人劇場《戀愛 1/2》劇本
Special thanks to 鄧潔明

Frontcover

91 album

吳倩蓮

天下浪子不獨你一人

Backcover

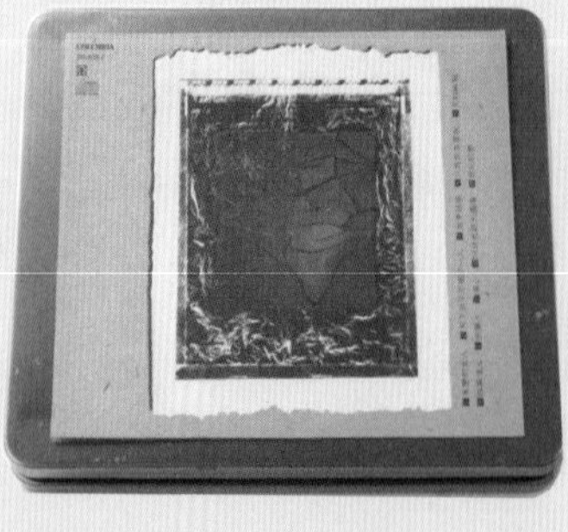

Info

出版商：Sanqueen Ltd./ Columbia
出版年份：1994
監製：杜琪峰 / 鍾志榮 / 馮鏡輝
唱片編號：SML6038.2

Art Direction: 余家安
Graphic Design: 蘇國豪
Computer Graphic: Double-X Workshop Production Ltd.
Photographer: Sam Wong

1994

大碟

01　失戀的女人
[曲：胡偉立 詞：小美　編：Chris Babida（鮑比達）] 3:38

02　天下浪子不獨你一人
[曲／編：黃嘉倩 詞：林夕] 3:56

03　牧羊姑娘
[曲／編：黃嘉倩 詞：潘健康] 4:20

04　只有我在等我
[曲／編：黃嘉倩 詞：林夕] 3:21

05　天知地知
[曲／編：黃嘉倩 詞：林夕] 3:38

06　四等情人
[曲／詞：Howard Killy/ 市原真紀
中文詞：周禮茂　編：甘志偉] 4:40
OT：最後の強がり（市原真紀 /1994/ Mycal Humming Bird）

07　追夢人
[曲／詞：羅大佑 編：黃嘉倩] 3:39
OT：天若有情／青春無悔（袁鳳瑛）
OA：鳳飛飛（追夢人 /1991/ 真善美）

08　偏心
[曲／詞：加藤和彦／北山修
中文詞：林振強 編：甘志偉] 3:35
OT: 白い色は恋人の色（ベッツィ & クリス /1969/Denon）

09　明日也許太遙遠
[曲：梁志城 詞：鍾志榮
編：Chris Babida（鮑比達）] 3:40

10　世紀的夢
[曲：黃嘉倩 詞：潘健康
編：Chris Babida（鮑比達）] 4:43

Gold CD Bonus Track:

11　天下浪子不獨你一人（劇場版）（口白：劉青雲／吳倩蓮）
[曲／編：黃嘉倩 詞：林夕
口白詞：潘健康] 4:35

一九九〇年，一張來自台灣的陌生臉孔，來港以新人姿態夥拍劉德華合演《天若有情》即聲名大噪，瞬間走紅，不單翌年獲提名第十屆香港電影金像獎最佳新演員，片約更如雪花般不絕飛來。一九九四年，吳倩蓮這位港台兩地炙手可熱的女星，更進軍樂壇，並由經理人公司組成 Sanqueen 唱片公司製作，由老闆杜琪峰親任監製，CD 交由 Sony 新力唱片公司發行。

許多人以為這張《天下浪子不獨你一人》專輯，是吳倩蓮首度進軍樂壇之作，但原來她在台灣曾有一段早年的音樂相關歷史。一九八六年，她曾參演庾澄慶的〈傷心歌手〉及〈別走〉MV，兩年後簽約滾石唱片，在趙傳的〈請不要在別人的肩上哭泣〉MV 亮相，之後與徐曉晰和岳玉蓉組成三人少女組合「野餐俱樂部」，在一張滾石為奧運而發行的合輯，推出單曲〈我的年輕屬於你〉。然後，又再在一九八九年滾石的《美麗新世界》合輯中獨唱了一首一九八八年國防部軍事學校招生廣告曲〈我的驕傲，你〉，只是當時她使用了原名吳茜蓮。後來經滾石推薦，被相中為電影《天若有情》女角，轉而離開台灣前往香港發展，成為香港觀眾熟識的吳倩蓮。

回說《天下浪子不獨你一人》這張專輯，由老闆杜琪峰夥拍當時剛有知名度的音樂人鍾志榮合力監製，尚有 Sony 唱片監製馮鏡輝加入。杜琪峰一九七四年在 TVB 電視台出道，一九八〇年轉戰電影，一九八八年後多部導演或監製電影如《八星報喜》、《阿郎的故事》、《天若有情》、《至尊無上 II 之永霸天下》、《審死官》、《東方三俠》及《濟公》成功賣座，即成為票房保證的導演，但作為唱片監製則屬首次。鍾志榮一九九〇年畢業於演藝學院，主修導演，後加入中英劇團擔任演員，復又開始從事話劇的音樂創作。他以得獎作品《邊城》及《遇見 1941 的女孩》為話劇界注意，後以一九九二年為香港話劇團創作《我和春天有個約會》的主題曲及插曲而廣為人知。一九九四年，他的《我和春天有個約會》熱潮餘波未了，加入杜琪峰團隊製作吳倩蓮唱片，其後開始為杜琪峰的電影作品配樂，作品包括《無味神探》、《槍火》及《PTU》等。

《天下浪子不獨你一人》專輯第一主打為〈失戀的女人〉，由胡偉立寫曲、小美填詞。胡偉立是內地來港發展的資深音樂人，之前數年他為劉德華寫了電影主題曲〈一起走過的日子〉而知名，其後也為吳倩蓮主演的電影《天若有情 II 之天長地久》及《天若有情 III 之烽火佳人》配樂寫歌。

第二主打，是專輯的標題歌〈天下浪子不獨你一人〉，也是吳倩蓮數年短暫歌唱生涯中的重要代表作。黃嘉倩在當時屬陌生的名字，出身於電視台配樂，從《現代豪俠傳》開始，為杜琪峰電影作品配樂，歷年作品有《和平飯店》、《呆佬拜壽》、《孤男寡女》、《生命因愛動聽》、《瘦身男女》、《大隻佬》及《天作之盒》等，知名歌曲有〈天下浪子不獨你一人〉、鄭秀文的〈感情線上〉及陳松伶〈生命因你動聽〉等。〈天下浪子不獨你一人〉由林夕填詞，雖然吳倩蓮被批粵語發音不夠正確，但這首歌還是大受歡迎，後來更在加印的金 CD 版，收錄了 Bonus Track 的劇場版。這個特別版，請來影星劉青雲客串，配上口白與吳倩蓮演出一個爭執後重修舊好的愛侶故事，

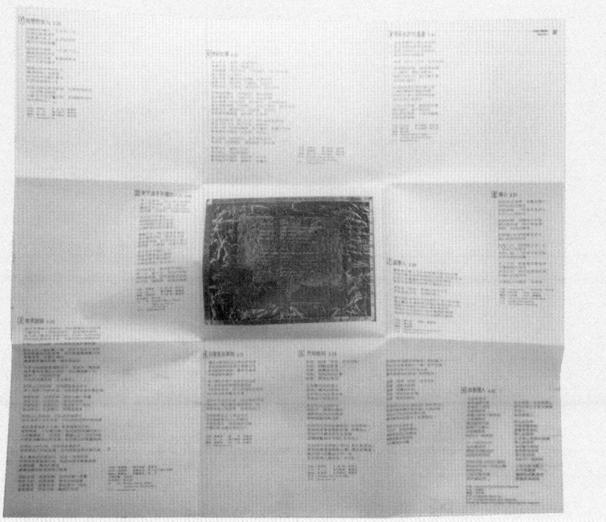

1

2

1
特別設計的牛油紙歌詞紙，當年覺得設計極具新意，但相隔二十五年後，如果樂迷如我已有老花，卻又是另一種感覺。

2
首批《天下浪子不獨你一人》CD，以特製鐵盒包裝，限量面世。盒內除了 CD，還有七張吳倩蓮造型收藏卡、牛油紙歌詞紙、小倩國際歌迷會申請表格、唱片公司歌手及最新唱片宣傳資料及問卷。九十年代 CD 包裝複雜化，跟八十年代相比又是另一個新面目。

《天下浪子不獨你一人》唱片廣告

吳倩蓮早在香港發展前，已在滾石兩張合輯《美麗新世界》、《當我們同在一起》中初試啼聲。

CD 衝破白金銷量後，旋即再推出加入劇場版《天下浪子不獨你一人》的超級金裝珍藏版。

吳倩蓮《失戀的女人》白版宣傳錄音帶。

不過當中的口白，跟電影《天若有情》中吳倩蓮為劉德華執拾家居的一段戲相似，疑是借用電影意念寫成。

黃嘉倩在這張專輯的創作量很高，包辦六首作曲及編曲的作品，其中三首更成為主打歌。〈牧羊姑娘〉同樣由黃嘉倩作曲，並由同是TVB 配樂出身的潘健康填詞，借古與現今作對比，描述一位單純都市人內心的矛盾。編曲加入了戲曲元素，又引入兒童合唱團及男聲獨唱抗戰時期那首同名的中國民歌舊調，此曲寫作野心不少。那把很藝術腔口的男聲名為黃河，早在五十年代已在百代唱片與龔秋霞、姚莉、張露、董佩佩等歌星合唱灌錄唱片。至於黃嘉倩寫的〈天知地知〉，由林夕填詞，充滿着控訴的意味，表現了歌者硬朗的一面，不過作為主打歌而言，它跟〈牧羊姑娘〉都偏離了主流的曲式及題材。

〈追夢人〉經由黃嘉倩改頭換面編曲，恍似是一首新歌，不過原來是羅大佑的作品，跟吳倩蓮也息息相關，因為此曲是由她主演電影《天若有情》的主題曲國語變身。本是袁鳳瑛為電影主唱的國語版主題曲

〈青春無悔〉，但吳倩蓮則主唱了由鳳飛飛主唱的〈追夢人〉短版，這個版本是羅大佑加入了新歌詞，易名為紀念作家三毛的新歌。

由Sony 唱片監製馮鏡輝製作的歌曲有兩首，〈四等情人〉及〈偏心〉均為容易入耳的改編歌，分別由周禮茂及林振強填詞。前者是緊貼一九九四年歌手市原真紀推出單曲的B-Side 歌，至於後者是一九六九年的日本歌曲，充滿了民歌氣息的清新作品。雖是Side Track，卻令人聽得舒服。

一九九四年，時值香港卡拉OK 熱潮高峰，各大唱片公司也紛紛為旗下歌手拍攝自家的原人原聲MV，以作Karaoke LD 銷量及以卡拉OK 中宣傳歌曲之用。一九九四年，由Sony 推出的《新力巨星卡拉OK Music Video 2》，收錄了多首吳倩蓮首張專輯的歌曲，當中〈失戀的女人〉、〈天下浪子不獨你一人〉及〈牧羊姑娘〉更是由歌者親自主演的MV。這個年頭，許多歌手都主攻香港及台灣兩地市場，經歷兩張專輯的吳倩蓮也於一九九五年在台灣發片，當中兩首粵語專輯的歌曲〈天下浪子不獨你一人〉及〈牧

羊姑娘〉，也化身為國語版〈多情的愛人〉及〈牧羊姑娘〉在彼邦面世。該張國語專輯《吳倩蓮的內心戲愛上一個人》在台灣由EMI發行，在香港則仍由Sony新力推出，並以金CD面世。

首張國語專輯《吳倩蓮的內心戲愛上一個人》，使用了兩首粵語的歌曲。這是台灣EMI版，是圖案CD。

Muzikland ～後記～

若說吳倩蓮是一位成功的歌手，相信許多人都會異議，雖然她在電影圈走紅，在樂壇也曾努力發展，但就如潮退留下的，只有點點痕跡的《天下浪子不獨你一人》；後來她更乾脆嫁人，完全脫離星光燦爛的娛樂圈，過着低調的相夫教子的生活。推出首張專輯時，以她在電影圈的知名度及密集宣傳，果然很快被受落，唱片銷量衝破白金數字，在年度音樂頒獎禮中，更橫掃多個新人獎，包括TVB十大勁歌金曲的最受歡迎新人獎（女歌星）金獎、香港電台十大中文金曲的最有前途新人獎女歌手金獎、新城電台的勁爆新登場女歌手金獎、商台903的叱咤樂壇新力軍女歌手銅獎及TVB勁歌金曲第二季季選歌曲獎〈天下浪子不獨你一人〉。不過，她的粵語發音，也備受批評，就如「天下浪子不獨你『泣』人」，又或是音準上，總有種「危危乎」快要走音的不安全感。

然而，這位充滿氣質的女孩，卻成為了Muzikland照單全收的影星及歌手。從一九九四至九七年間，吳倩蓮在香港及台灣共推出了八張專輯，產量不少，若論及唱功，一九九七年專輯的標題歌〈望愛〉，便曾被誤會是林憶蓮，可見她積極努力，可惜這也是她最後的一張專輯。回看首張粵語專輯，與她早期在台灣發展的單曲，可以說是換成另一個人。究其原因，是創作人把許多音樂野心放在這位初試粵語歌的台灣影星身上，太密集與急促的粵語歌詞是致命傷之一，其次是歌曲太多偏門的題材或音樂元素，給歌手造成太重的負擔，歌者的音樂風格落得太複雜而不夠鮮明。除了主打歌〈失戀的女人〉及〈天下浪子不獨你一人〉外，相對由馮鏡輝操刀的兩首改編歌，更適合成為流行唱片中的歌曲……然而，Muzikland還是齊備了吳倩蓮的八張粵語、國語專輯及各個CD版本！這實在是滲透着偶像的魔力！

幕後製作人員名單

Produced by: 杜琪峰 (Track 1-5,7,9-11)/ 鍾志榮 (Track 1-5,7,9-11)/ 馮鏡輝 (Track 6,8)
Recorded by: David William/ Johnny Owen
Mixed by: Owen Johnny/ David
Recorded at: Sony Music Entertainment (Hong Kong) Ltd. Recording Studio
木結他：蘇德華 (Track 1,2)
電子結他：蘇德華 (Track 1,10)
結他：Danny(Track 8)
電子樂器：鮑比達 (Track 1,9,10/ 黃嘉倩 (Track 2,3,4,5)
大提琴：熊宏亮 (Track 2)
和音編排：鮑比達 (Track 2,3,9,10)/ 潘健康 (Track 5)
和音：Donald(Track 2,3,9,10)/ Nancy(Track 2,3,9,10)/ Albert(Track 2,3,10)/ Barry(Track 2)/ Lui Yau Yiu(Track 2,3,9,10)/ Cho Kit Mun(Track 2,3,8,9,10)/ 許紫燕 (Track 4)/ Stephen Ho(Track 5)/ Anna(Track 5)/ May(Track 5)/ Chou Siu Kwan(Track 8)
童聲合音：黃大仙兒童合唱團 (Track 3)
男聲獨音：黃河 (Track 3)
中樂敲擊；梁耀華 (Track 3)
鋼琴：黃嘉倩 (Track 4,7)
手風琴：胡偉立 (Track 5)
低音結他：林志宏 (Track 8)
笛子：譚寶碩 (Track 8)
Marketed and Distributed by Sony Music Entertainment (Hong Kong) Ltd.

Frontcover

92 album

黎明

天地情緣

Backcover

Info

出版商：PolyGram Records Ltd., Hong Kong.
出版年份：1994
監製：陳永明
唱片編號：522-561-2

Design: At-Most-Sphere Image Co Ltd.
Creative: Kamwa Chan
Art Direction: Tom Menzi
Image Director: Jackson Lee
Jacket Production: Ahmmcom Ltd/ Clarino Inc., Canada
Photographer: Olivier Pinchart
IllustrationL Wingyeh Gavel
Hair Styling: George Wong (Headquarters)
Make Up: Gary Ngok
Artist Management: Paciwood Music & Entertainment Ltd

1994

大碟

01 那有一天不想你
[曲／編：林慕德 詞：向雪懷] 4:43

02 不醉舞夜
[曲／詞：Dito/ Jorge Zarath 中文詞：劉卓輝
編：陳澤忠] 3:52
OT: Balé do Amor (Bandabah/1993/
RCA Victor)

03 藍色街燈（電影《都市情緣》插曲）
[曲／詞：邰正宵／黃大軍 改編詞：古倩敏
編：唐奕聰] 5:30
OT: Don't Say GoodBye (邰正宵/1992/飛碟)

04 Goodbye My Love
[曲／詞：陣內大藏 中文詞：劉卓輝
編：方樹樑] 4:25
OT: Oh! Half Moon (陣內大藏/1993/
Fun House)

05 最後的戀愛
[曲／詞：單立文 編：蘇德華] 3:50

06 一段盟誓（電影《都市情緣》主題曲）
[曲／詞：黃品源 改編詞：劉卓輝
編：趙增熹] 4:12
OT: 永遠攏共款 (黃品源/1991/滾石)

07 獻出激情（世界盃 94 主題曲）
[曲：劉諾生 詞：簡寧 編：唐奕聰] 3:38

08 不該再讓你孤單
[曲／詞：吳旭文／十一郎 改編詞：向雪懷
編：趙增熹] 4:02
OT: 寧願時光倒轉 (黎明/1994/Philips)

09 晨曦
[曲：天濛光（黎明）詞：向雪懷
編：劉諾生] 4:20

10 我的親愛還是你
[曲／詞：施盈偉／莎莎 改編詞：劉卓輝
編：唐奕聰] 3:50
OT: 當你孤單你會想起誰 (新少年俱樂部/
1993/名將)

一九八六年，黎明因參加第五屆新秀歌唱大賽獲得季軍而簽約華星，可惜幾年間只在拍劇，華星卻未有替他出唱片的打算。一九九〇年，黎明轉投寶麗金後，推出首張專輯*Leon*，雖然反應一般，幸好推出第二張專輯時，劇集歌〈如果這是情〉受到注意，之後又憑《今生無悔》劇集歌〈對不起、我愛你〉上位；一九九二年與張學友、劉德華和郭富城被傳媒封為「四大天王」，九十年代香港男歌手熱潮正式登場。

《天地情緣》已是黎明推出第十一張粵語專輯了，若把國語專輯也算在內，在四年間，竟達十五張之數，數不盡的三台排行榜冠軍歌，〈對不起、我愛你〉、〈今夜妳會不會來〉、〈我來自北京〉、〈但願不只是朋友〉、〈我的親愛〉、〈願你今夜別離去〉、〈夏日燒着了〉、〈夏日傾情〉和〈不可推搪〉等，一首接一首，可想像他的受歡迎程度。

及至《天地情緣》專輯推出，他更擁有兩首四台冠軍歌（包括新加入的新城電台），讓他在事業高峰，更推上另一頂峰。這張專輯共有十首歌曲，原創歌曲及改編歌幾乎各佔一半，抒情歌及舞曲均有，又收錄了多首電視主題曲，更有廣告歌及國語歌，是非常寶麗金的保險製作模式。

〈那有一天不想你〉是黎明配合和記傳訊產品「天地綫」宣傳的廣告歌，他與童愛玲合演該廣告。最令人難忘是不同年代的「天地綫」廣告，女主角都叫阿 May。現在通訊發達，早在八十年代，和記推出第一代手機，笨重的外形猶如水壺，售價逾二萬元，成為部分人的身份象徵。一九九一年，和記推出簡稱 CT2 的第二代手機，因為只能打出，不能接收電話，須配合傳呼機使用。CT2 不能距離發射台太遠，只能在有限的範圍內使用，比如坐車時，訊號不能從一個發射台轉到另一個發射台，便會斷線就是了。雖然不算方便，但價錢只是二千多元，遠比水壺大哥大親民。和記就是看準這年輕消費群，配合偶像歌手的廣告，大肆宣傳；唱片公司也為黎明拍攝原裝 MV，使得歌迷在 Karaoke 大唱特唱。在電訊公司、唱片公司及歌手相互配合下，取得共贏之利。

結果，〈那有一天不想你〉取得商台 903、RTHK、新城 997 及 TVB 勁歌金曲流行榜榜首，全數

蟬聯兩週。在年度的頒獎禮，更取得十二個大獎，包括 TVB 的十大勁歌金曲和金曲金獎、RTHK 的十大中文金曲和全球華人至尊金曲獎、商台 903 的我最喜愛的歌曲大獎、叱咤樂壇至尊歌曲大獎、我最喜愛的創作歌曲、至尊創作歌曲大獎；新城電台的「新城勁爆頒獎禮」的年度歌曲大獎、大學生眼中最受歡迎歌曲及「金曲台金心情歌頒獎禮」的本地金心情歌金獎；還有「十大電視廣告頒獎典禮」的電視廣告歌曲大獎。

此曲由林慕德作曲編曲，向雪懷填詞；稍後寶麗金推出《那有一天不想你》EP，收錄此曲的 Mexico Mix，其實那是蘇德華編曲的版本，轉為 Flamenco 節奏，多了異國風情的浪漫。同年十一月，黎明在台灣推出《我的真心獻給你》專輯時，再主唱了何啟弘填詞的國語版，可惜迴響遠遠不及粵語原版。

第二主打〈藍色街燈〉，本是在台灣發展成功的香港歌手部正宵的國語歌，由他與台灣著名音樂人王大軍合寫。此曲由古倩敏填詞，她是香港民歌歌手出身，在黎明上一張專輯《夢幻古堡》包辦了六首詞

首批《天地情緣》CD 屬長條形特別設計，隨碟附送二十頁精美照片的寫真集，可愛與深情兼備，粉絲豈不歡喜若狂？

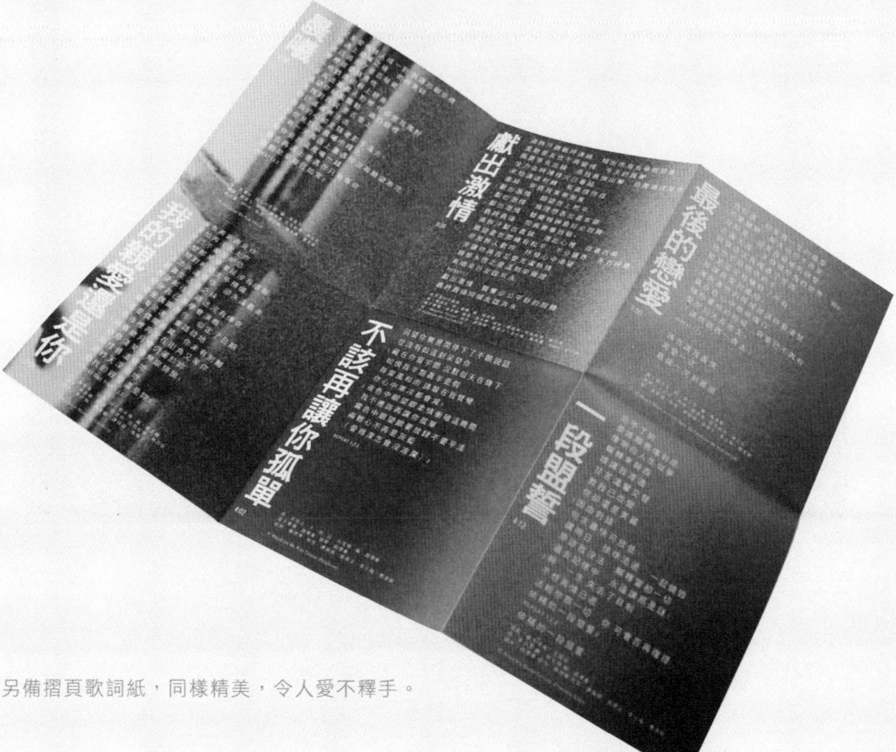

另備摺頁歌詞紙，同樣精美，令人愛不釋手。

推出了十五張專輯的黎明，在〈那有一天不想你〉MV 的形象，也揭開了成熟的一頁，更流露多少性感。

作，其中也改編了邰正宵的〈深愛着你〉，成為黎明的流行之作〈愛情影畫戲〉。兩首原曲均屬邰正宵效力飛碟時期的作品，但一九九三年他改投與寶麗金關係密切的福茂唱片，其專輯也由香港新藝寶發行，備受力捧。〈藍色街燈〉成績雖然不如〈那有一天不想你〉強勁，但也取得四台的流行榜冠軍，成績也是非常出眾。

〈一段盟誓〉同屬台灣歌改編，更特別因為那是一首台語歌，由黃品源創作主唱的〈永遠攏共款〉，由劉卓輝寫上粵語新詞。改編此曲，或許因為新藝寶代理了福茂及簽下好幾家台灣及新加坡製作公司，預備在香港國語歌市場大展掌腳有關，其中包括黃品源所屬的友善的狗音樂製作有限公司，這家公司由黃韻玲的夫婿沈光遠與羅紘武共同成立。原來〈一段盟誓〉與〈藍色街燈〉同屬黎明和吳倩蓮合演《都市情緣》的電影歌，筆者雖曾看過，但留下的記憶只有當時收藏的電影劇照明信片，保存至今。

主題曲尚有一九九四年世界盃主題曲〈獻出激情〉，由劉諾生作曲，寶麗金大員簡寧作詞，屬一

首很勵志的歌曲。沒聽多年，對副歌有點印象。多謝歌曲的副題，原來一九九四年是世界盃，相信球迷對〈獻出激情〉會多點熟悉感。

第三主打〈不醉舞夜〉屬一首拉丁風情的改編舞曲，其實歌曲水準只屬一般，但在爆紅偶像歌手演繹下，即取得 TVB 勁歌金曲冠軍，在商台 903 及 RTHK 分別取得第七及第九。最後一首主打也很特別，因為〈最後的戀愛〉取自四個月前在台灣發行的《為我停留》國語專輯，在此粵語專輯再度收錄。雖然是國語歌，卻由香港音樂人單立文包辦曲詞，並由蘇德華編曲，有着 Blue Jeans 樂隊的音樂成份，但卻很有台灣流行曲感覺，這會不會令人思覺失調？但筆者挺喜歡〈最後的戀愛〉，不錯聽！同樣取自《為我停留》專輯，尚有〈不該再讓你孤單〉，不過那是向雪懷填詞的粵語版變身，並由趙增熹重新編曲。

提起日本創作歌手陣內大藏，很自然會想到跳唱歌手張立基，但原來黎明也曾改編他的歌曲。*Oh! Half Moon* 由劉卓輝填詞，帶來了黎明的 *Goodbye My Love*，但此曲欠缺陣內大藏神曲的流行元素。〈我

的親愛還是你〉源自新少年俱樂部的〈當你孤單你會想起誰〉，改編後，原曲的少男情懷已昇華為一首深情的戀曲。千禧年後，大馬歌手張棟樑翻唱了原曲，一下子網絡在熱烈討論着誰是新少年俱樂部，這好像是黎明一首老歌……大夥兒樂迷都好像在失憶狀態。

黎明從第一張專輯開始，就有不少歌曲跟自己的名字拉上關係，包括〈赤色黎明〉、〈人在黎明〉、〈黎明前的浪漫〉、〈深秋的黎明〉，在《我的感覺》專輯開始，黎明更以筆名「天濛光」寫歌，有〈我的感覺〉、〈因你在此〉、〈我的感覺是場夢〉、〈我的另一半〉、〈內疚〉、〈熱舞一族〉、〈願你清楚我的心〉等，這種曲線宣傳其實非常成功，也很特別，不曉得是誰想的點子。在這張專輯，天濛光也寫了一首〈晨曦〉。

album 92

Muzikland ～後記～

寫這張《天地情緣》專輯時，勾起了不少那年頭的回憶。筆者雖然使用和記電訊的傳呼機，但沒有使用 CT2 天地綫，卻用了對家其士步步通。為着不跟隨大夥兒的潮流，硬要有自我風格，這或許也是自己的性格，但其實是跟從了好友的介紹而使用步步通。

相信許多人對阿 May 的廣告尚記憶猶深，但屈指一算那已是二十六年前的事，或許不少人之後也經過了 Nokia 年代，再轉用 iPhone 或 Android 的智能手機。當時的我們，又怎會想到通訊的火速發展？現在就算跟遠洋的朋友，都可隨時 WhatsApps、通長途、分享訊息、影片，甚至視像。那麼遠一下子變成這麼近。但人際關係呢？卻隨時落得這麼近那麼遠？尤其大家同桌吃飯，卻各自滑手機的時候。

自黎明推出第二張粵語專輯《親近你》，我就開始收藏他的 CD 及 Remix EP，直至 Sony 年代。寶麗金推出的黎明專輯，我更是國、粵語齊備。回想九十年代，我聽四大天王，也聽得很狠。但現在重溫，有些歌曲竟然有點陌生，或許因為沒聽很久了。

這幾十年流經 Muzikland 的音樂，也實在太多太多。

一九九四年，也是筆者跟朋友瘋唱 Karaoke 的年代，一星期總有幾個晚上，相約吃晚飯再唱K，那些青春的輕狂歲月，也讓人懷念。筆者除了買 CD，也喜歡收藏原裝 MV 的 Karaoke，首選當然是《寶麗金超級巨星原裝 MV Karaoke》。這晚花了許多力氣，努力回憶〈那有一天不想你〉的 Karaoke 到底是怎樣的？當年經常跟朋友熱唱，現在卻怎麼想不起來了？還是翻來 LD，才勾起久違的回憶，竟是一個性感的濕水 MV。

1

2

1
除了長條形特別設計，寶麗金稍後也推出了一個傳統包裝簡約版的《天地情緣》。

2
原來簡約版的《天地情緣》的歌詞冊跟長條形版是不一樣的。

幕後製作人員名單

Producer: Leo Chan
Assistant Producer: Ronnie Ng
電子樂器：林慕德 (1)/ 陳澤忠 (2)/ 唐奕聰 (3,7)/ 方樹樑 (4)/ 趙增熹 (8)
鍵琴：林慕德 (1)/ 唐奕聰 (3,7,10)/ 丁志光 (5)/ 趙增熹 (6,8)/ 劉諾生 (9)
結他：陳國平 (1)/ 蘇德華 (1-6,8,-9)/ 鄧建明 (3,7,10)
低音結他：林志宏 (5,9-10)/ 盛日華 (7)
鼓：陳偉強 (5)/ Melchior Sarreal (7)
色士風：Wink(9)
和音：雷有耀 (1)/ Barry(1)/ 李小梅 (1,3-10/ 陳美鳳 (1,4,7,9)/ 張偉文 (3-4,6,8,10)/ 譚錫禧 (3-8,10)/ 曹潔敏 (3,5-6,8-10) / Danny(7)/ 周小君 (7)
Mixing: Ronnie Ng/ Leo Chan
Recording Engineer: Ronnie Ng/ Cheung/ Tempo Ho
Digital Mastering: Clement Pong/ Ronnie Ng
Digital Recording & Mastering
Marketed by: PolyGram Records Ltd., Hong Kong/Singapore/Malaysia.

寶麗金再下一城推出的《那有一天不想你》EP，除了標題歌的 Mexico Mix，也特別收錄了三首舊作。

EP

01　那有一天不想你（Mexico Mix）
［曲：林慕德 詞：向雪懷 編：蘇德華］3:44

02　我會像你一樣傻
［曲／詞：國安修二／田口俊 中文詞：劉卓輝
編：鮑比達］4:00
OT: 針のない時計（國安修二 /1991/Sony）

03　一夜傾情
［曲／詞：玉置浩二 中文詞：劉卓輝
編：盧東尼］4:21
OT: 戀の予感（安全地帶 /1984/Kitty）

04　我的情人
［曲／詞：小蟲 中文詞：劉卓輝
編：唐奕聰］4:49
OT: 我的情人（巫奇 /1992/ 滾石）

幕後製作人員名單

Producer: Leo Chan
Assistant Producer: Ronnie Ng
Mixing: Ronnie Ng/ Leo Chan
Recording Engineer: Ronnie Ng/ Cheung/ Tempo Ho
Digital Mastering: Clement Pong/ Ronnie Ng
Design: At-Most-Sphere Image Co Ltd.
Creative: Kamwa Chan
Art Direction: Tom Menzi
Image Director: Jackson Lee
Jacket Production: Ahmmcom Ltd/ Clarino Inc., Canada
Photographer: Olivier Pinchart
Hair Styling: George Wong (Headquarters)
Make Up: Gary Ngok
Artist Management: Paciwood Music & Entertainment Ltd
(P) 1994 Track 1/ (P)1993 Track 4, (P)1992 Track 2, 3
Marketed by: PolyGram Records Ltd., Hong Kong/Singapore/Malaysia.

93 album

Frontcover

李蕙敏

秘密

Backcover

Info

出版商：Rock In Company
出版年份：1995
監製：麥皓輪、葉建華
唱片編號：NTR-CD-005

Image Direction: Amanda Lee
Art Direction: Wally Lee
Jacket Production: Symmetry Design Hse. Ltd
Photo Retouching: Picture Inductries Ltd.
Photographer: Chris Cheung
Hair Style: Steve Mather (From : Headquaters)
Make-up Artist: AH Bee

1995

大碟

01 **Hello Again**
1:47

02 **藍色傘下等**
[曲：Keith Yip 詞：張美賢 編：麥皓輪] 4:11

03 **（你沒有）好結果**
[曲：Keith Yip/ 麥皓輪 詞：黃偉文 編：麥皓輪] 4:12

04 **秘密**
[曲 / 編：麥皓輪 詞：李敏] 3:18

05 **快樂加冰**
[曲：Keith Yip / 麥皓輪 詞：李敏 編：麥皓輪] 3:49

06 **重演我與你**
[曲：黃文廣 詞：張美賢 編：麥皓輪] 4:20

07 **活得比你好 (Blues Version)**
[曲：Keith Yip 詞：黃偉文 編：麥皓輪] 4:05

08 **牽掛你忘了哀傷**
[曲：李蕙敏 / 馮偉基 詞：張美賢 編：馮偉基] 3:48

09 **深宵的倒影**
[曲：譚詠麟 詞：黃文廣 編：麥皓輪] 3:48

10 **大勢所趨**
[曲：王路明 / 馮偉基 詞：李敏 編：馮偉基] 4:05

11 **創世情**
[曲：羅以 詞：Nick 編：郭嘉多] 4:08

12 **Goodbye Again**
2:12

一九九二年，Echo女子組合解散後，兩位成員各自發展，區海倫轉戰電視台擔任節目主持，至於李蕙敏也在商業電台擔任DJ，與黃偉文搭檔，一起主持《娛樂性騷擾》，備受好評，也大受歡迎。一九九四年，李蕙敏再度與唱片公司簽約，加盟樂意唱片推出*Debut*專輯，圖在樂壇再度出發。

一九九五年的《秘密》，已是李蕙敏的第三張專輯，在此之前憑上一張專輯的歌曲〈活得比你好〉而日漸走紅。這首是好友黃偉文初步入填詞界的佳作，兩人的合作算是相識於微時，本是一首失戀後發奮自強的勉勵歌，但李惠敏展現唱功，令人刮目相看，再不是偶像式跳唱組合中的高妹。

來到《秘密》中的〈（你沒有）好結果〉，黃偉文的詞峰更鋭利，挑戰當時的道德觀，用惡毒咀咒回應被遺棄的感情。原歌名沒有括號，就是〈你沒有好結果〉，但唱片公司認為過分直接的歌名，樂迷未必受落，計劃選用〈好結果〉，但黃偉文又不想捨棄原名的意思，最終便加了括號。結果樂迷們非常受落。雖然在三個傳媒商台、RTHK及TVB的流行榜只取得兩個第三及第八，但在年度頒獎禮，卻使得李蕙敏橫掃多個重要獎項，包括商台的叱咤樂壇女歌手銅獎、TVB 勁歌金曲的傑出表現獎金獎及十大勁歌金曲，還有 RTHK 的十大中文金曲和最佳中文流行歌詞獎。李蕙敏經此一曲，事業即步上青雲，此曲由樂意唱片老闆 Keith Yip 及麥皓輪一起作曲監製。Keith Yip 中文名叫葉建華。

〈（你沒有）好結果〉其實是《秘密》專輯的第二主打，第一首主打是專輯的同名標題歌，〈秘密〉調子輕快，曾在商台與 RTHK 的流行榜分別取得第三及第九位。樂意唱片屬本地的小型的華資唱片，或許因為資本所限，所以較少採用版權費昂貴的改編歌，但這也讓他們自成一格，建立自己的製作班子。老闆 Keith Yip 與監製麥皓輪主力作曲，他們捧紅的組合夢劇院，也走出了一位創作才女李敏寫詞，此外還有一位由樂意唱片提拔的新詞人張美賢。〈秘密〉由麥皓輪與李敏合作，在李蕙敏下一張專輯《我為我生存》，監製再製作了一個較搖滾味道的 Cream Mix。

第三主打是〈牽掛你忘了哀傷〉，一首有點 Bossa Nova 的 Light Jazz 調子，想不到是李蕙敏的創作，跟她合寫的是馮偉基，並由張美賢填詞。這首歌在流行榜成績平平，或許因為〈（你沒有）好結果〉實在太受歡迎，所以未為樂迷注意。但論歌曲水準，非常不俗，是好舒服的 Side Track。馮偉基在此跟王路明合力貢獻了另一首創作〈大勢所趨〉，並為以上兩曲編曲。

第四主打〈藍色傘下等〉由 Keith Yip、麥皓輪和張美賢合力打造，雖是一首中板抒情歌，但沒有〈（你沒有）好結果〉的咬牙切齒，它突顯了歌者一把好美的嗓子，歌名也很浪漫！此曲的成績是這張專輯所有主打歌中最好的，在商台取得第七，但在 RTHK 成冠，為李蕙敏單飛後繼 *This Is Love* 後第二支冠軍歌。最後一首〈快樂加冰〉由 Keith Yip、麥皓輪和李敏合作，只取得商台歡心，但可惜流行榜成績跟〈牽掛你忘了哀傷〉一樣，可能更少人注意。這首歌的結他 Solo 非常特別，很有七十年代 Santana 的影子。

喜愛時裝的李蕙敏，在造型上也很花本，有說她當時花費在時裝上達數百萬，但後來她澄清，那只是誇張的宣傳話題，但用上百萬是有的。事實上，她也是 Fashion Queen 的料子。

從《橫濱別戀》、《秘密》到《我為我生存》，每張專輯都收錄了一首上一張專輯主打歌的特別版，這製作模式也很特別。

幾首主打之後，也來談談其他的歌曲。樂意唱片的製作，很喜歡在專輯頭尾加入序幕音樂及結尾曲，這種做法，在他們旗下的夢劇院、彭羚的唱片都很常見，有時我想，這會不會是老闆或監製技癢？因為這其實跟歌手拉不上甚麼關係的，在《秘密》專輯，便有一分鐘多的〈（你沒有）好結果〉作為引子 *Hello Again*，結尾也有兩分鐘多的 *Goodbye Again* 作結。上一張專輯爆紅的〈活得比你好〉，在這裏出現了一個 Blue Version。原版由 Keith Yip 和麥皓輪共同編曲，新版由麥皓輪獨自操刀。但這不是 Remix，因為連李蕙敏的唱法也不同，是新錄或之前棄用的版本？不管如何，這裏就多了一首 Bonus Track 般的主打歌。這個做法也重複出現在李蕙敏的下一張專輯，收錄了新版本的〈秘密〉。

上文說到樂意唱片是本地獨立製作，但李惠敏的專輯，不時有好朋友相助，而且都是別家公司的天王級大牌。上次，劉德華為她的〈戀愛動詞〉填詞，這次有譚詠麟作曲的〈深宵的倒影〉，往後還有 Beyond 成員黃家強為她寫了〈其實〉。〈深宵的

倒影〉的水準是不錯的，屬大路的詠麟式悲情歌，跟幾首主打相比，曲式略嫌太舊，但如換上由創作人親自主唱，可能又是一首大熱了。這歌由黃文廣填詞，他也是樂意製作班子的其中一員，首於一九八九年填詞作品獲唱片公司出版，後來為彭羚的 *Let's Stay Awhile* 及〈三人世界〉填詞，口碑不俗，在這時期最為人熟識的作品，首推商業二台叱咤 903 舉辦之「源源創作加油站」的冠軍參賽歌〈無止境的心痛〉，並由張學友灌錄推出。一九九五年，曾初試啼聲，在一張雜錦合輯中親自演繹該曲，可惜跟歌神力碰，水準只能強差人意。據香港音樂創作人協會在二〇一六年的描述，從出道起算，黃文廣作品累積達二百多首。在這，他也為李蕙敏寫了一首〈重演我與你〉。

在《秘密》專輯，有一首好特別，但又不為人注意的作品：〈創世情〉由羅以作曲、一名簡稱 Nick 的人填詞，由郭嘉多編曲，透露了這歌有宗教背景，因為郭嘉多是創作福音歌的活躍份子。在一張流行專輯，出現這樣的歌，非常神奇，但這歌沒有用上很宗教意味用詞，或許一般樂迷也沒察覺呢！

樂意唱片雖是本地獨立小型唱片公司，我得說他們的編曲製作都有點陽春味，甚至錄音也會很單薄，若限於製作成本，其實也無可厚非。但這家公司，卻在有限資源下，培育了不少出色的歌手、有名的組合，更甚還有許多幕後製作人，為樂壇的台前幕後擔任了小搖籃的角色。

彭羚便是由他們打造，再由EMI力捧推上為九十年代天后。夢劇院受許多當年的文青追捧，至今仍津津樂道，當中成員李敏更成為出色的詞人、作家，甚至是編劇及導演多元化的才女。尚有張美賢，從開初為樂意的彭羚、李蕙敏填詞，到往後跟陳奕迅、梁漢文、鄭秀文等合作，是炙手可熱的詞人，近年仍活躍為新一代歌手如鍾嘉欣、許廷鏗、鄭俊弘、胡鴻鈞、何雁詩、菊梓喬等寫詞。至於與老闆Keith Yip並肩作戰的麥皓輪，近年則效力環星唱片，並常為他們的演唱會擔任音樂總監。說到李蕙敏，則是他們親手打造，成績最驕人的女歌手。

那幾年，李蕙敏真的很紅，從《橫濱別戀》開始受到注意，接力的《秘密》專輯，取得IFPI唱片銷量兩週冠軍，最終在榜內停留了十四週之久。與《其實》專輯，從白金銷量晉身為雙白金，及至一九九七年的《愛恨交纏 新曲＋精選17首》，這張四白金銷量的專輯，更是把她那幾年間的好歌一網打盡，這些都可見李蕙敏的努力，一張專輯比一張更成功。其實，她的首張*Debut*專輯，銷量也成金，只是成績不及往後的亮麗，較少人談及。可惜，一九九七年當她轉為效力實力強大的寶麗金，本應有更好的發展，奈何寶麗金被環球收購出現變動，那兩年令她人氣急挫。早前，她接受有線電視專訪，原來她也曾簽約梅艷芳的製作公司，可惜對方未幾患病身故，她的事業從高峰滑落，再經歷一波三折。雖然有評論，自〈（你沒有）好結果〉取得空前成功後，她一直重複唱着怨婦曲調，但論唱功及摩登的時裝造型，她實在是一位可更具光芒的唱將天后，有時不得不說：時也、命也！

幕後製作人員名單

Producer: 麥皓輪 (1-11)/ Keith Yip (3,6,10)
Assistant Producers: 王路明 / 馮偉基
Music Recording: 麥皓輪 / 王路明 / 馮偉基
Vocal Recording: 麥皓輪
Guitar: 大象 / 麥皓輪
Saxophone: Phil
Keyboard & Programming: 麥皓輪 / 馮偉基
Backing Vocal: 路明 / 馮偉基 / Winnie Au
Executive Producer: Yu Sin Man
All tracks recorded and mixed at Rock In Studio in 1995
發行商：Nice Track Records Production Ltd.

94 album

Frontcover

黃耀明

愈夜愈美麗

Backcover

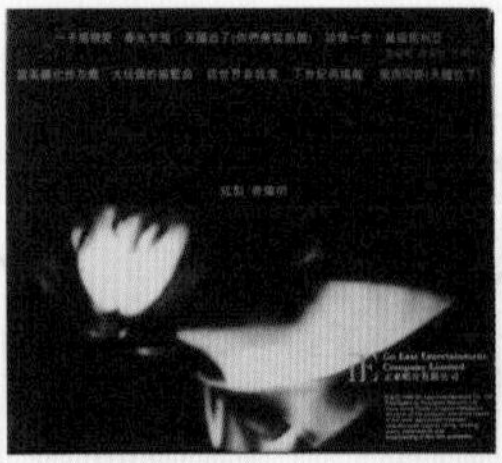

Info

出版商：Go East Entertainment Co., Ltd.　監製：黃耀明
出版年份：1995　唱片編號：H95003-2

攝影：Sam Wong
美術指導：陳裕光
平面設計：陳輝雄 / 呂時鵬（模擬城市）
化妝：Zing of Zing Production
髮型：Boffy of Orient 4
宣傳策劃：Sam Kong（電視部）/ Andy Lai（電台部）
宣傳：Todd Yu/ Anson Kwok
平面製作統籌：Deki Lee

1995

大碟

01 **一千場戀愛**
［曲／編：蔡德才 詞：周耀輝］5:28

02 **春光乍洩**
［曲：黃耀明／蔡德才 詞：林夕 編：蔡德才］3:56

03 **天國近了（你們應當遊戲）**
［曲：黃耀明／Minimal 詞：林夕
編：Minimal］4:26

04 **談情一世**
［曲／編：黃偉光 詞：周耀輝］3:55

05 **萬福瑪利亞（關淑怡合唱）**
［曲／編：Minimal 詞：周耀輝］3:25

06 **當美麗化作灰塵**
［曲：黃耀明／梁基爵 詞：潘源良
編：梁基爵］4:28

07 **大玩偶的搖籃曲**
［曲：黃耀明／梁基爵 詞：黃偉文
編：梁基爵］4:15

08 **這世界非我家**
［曲／編：黃偉光 詞：林夕］4:05

09 **下世紀再嬉戲**
［曲／編：蔡德才 詞：周耀輝］4:26

10 **風雨同路（天國近了）**
［曲／詞：筒美京平／安井かずみ
中文詞：鄭國江
編：梁基爵］
OT: しあわせの一番星
（淺田美代子 /1974/Epic）4:00
OA: 徐小鳳（1978/CBS Sony）

如果達明一派的音樂屬非主流的話，那麼在寶麗金的打造下，不管是樂隊的名氣或其音樂的覆蓋面，都成功令他們成為香港無人不曉得的主流樂隊。這樂隊合作了五年多後，兩位成員分道揚鑣，成員之一黃耀明加盟羅大佑主理的音樂工廠及滾石單飛。經歷兩年多，推出過三張專輯後，黃重返寶麗金，加盟旗下正東，推出《愈夜愈美麗》專輯，並以此在香港及台灣重新出發。

這張專輯跟達明一派或黃耀明過往專輯一樣，主力走原創路線，故此十首作品，本地創作佔九首，剩下一首是改編，但嚴格來説是一首翻唱曲。第一首主打歌是黃耀明與蔡德才拍檔的作品〈春光乍洩〉，並由林夕寫詞，走歐陸風格，旋律有點像英國 Blur 樂隊的作品 *To The End*。這種雷同巧合，其實也不是第一次，早在達明一派年代的〈禁色〉或〈忘記他是她〉都分別有 David Sylvian、Brian Eno 作品的影子，甚至黃耀明之後的〈人山人海〉也跟 Underworld 的 *Born Slippy* 有幾分類同。

對於這個課題，筆者幾年前有幸跟達明一派做過一個訪問，他們提及其音樂深受英倫風影響，在創作時都取了許多 Reference，故此有些歌曲受影響下，就會出現這種狀況。為此，我對他們的音樂多了幾分了解。或者，許多人第一時間就會說是抄歌，但以達明一派或黃耀明對音樂要求那麼高，倒不如說他們因崇拜某一種音樂，而作出近似的製作以作致敬吧，這跟一般音樂人為求快捷又有商業效果的抄襲，非常不一樣。這歌原名〈春光〉，是林夕跟黃耀明看畢電影《情留半天》（*Before Sunrise*）後觸發靈感的詞作，認為愛要及時，但黃耀明嫌歌名過分老氣，於是歌詞經過五度修改後，成為大家最終聽到的〈春光乍洩〉。此曲分別在商台 903 及新城 997 流行榜成冠，在 TVB 勁歌金曲攀上第三位，這是黃耀明獨立發展後第二度取得冠軍歌。這首歌延續的故事很長，因為在台灣版，他主唱了由林夕再度填寫的國語版及一個粵語版的 Guitar Mix，稍後在《5餅2魚》EP，更一口氣收錄了一覽無遺吉他 Mix 版（即 Guitar Mix）、歐洲舞曲 Mix 版及愈夜愈美麗中國風味 Mix 版，每個版本都很不一樣，這樣算起來〈春光乍洩〉共有五個版本。但這故事還有後續，因為二〇〇二年黃耀明和張國榮合作 *Crossover*EP，黃耀明監製了張國榮主唱的版本。

第二主打〈萬福瑪利亞〉請來寶麗金的關淑怡跨刀合唱，雖說不同廠牌，其實還不是同一家公司？此曲再度在商台 903 年摘下冠軍，在 RTHK 及 TVB 勁歌金曲分別取得第六及第四。關淑怡在一九九三年《The Story of Shirley 真假情話》專輯，演變了一種新唱腔，其虛聲唱法混和黃耀明獨特嗓子，融入這福音氣息的曲調，頓生一種很飄渺的化學作用，末段關淑怡更加入自家創作的 Ad-Lips，猶如凡人與女神的對歌。這曲由 Minimal 作曲、周耀輝寫詞。Minimal 由亞里安與李端嫻組成，李端嫻由黃耀明帶入行，兩人在《愈夜愈美麗》第一次合作，她也是香港少數的女錄音師；至於亞里安早年曾任《音樂一週》及《豁達音樂誌向》副編輯，後來跟李端嫻同屬人山人海一份子，既從事音樂評論及創作，也是電台 DJ，可惜於二〇二〇年二月二十四日不幸英年早逝。至於周耀輝，是黃耀明在達明年代已開始合作的詞人，他曾公

《愈夜愈美麗》專輯的延伸《5 餅 2 魚》EP，除了收錄〈小王子〉、〈忘不了的你〉、〈夏娃的第八天〉等新曲，也收錄了四個版本〈春光乍洩〉及一個原創重唱版的〈萬福瑪利亞〉，是一個輕快獨唱版。

開承認跟周耀輝感情非常深厚，更直稱對方是最了解他和價值觀最相似的好友之一。事隔二十四年後，黃耀明新歌〈婚內情〉（與關淑怡合唱），仍顯得黃、周二人有用不盡的化學作用。〈萬福瑪利亞〉在《5餅2魚》EP，收錄了一個原創重唱版，疑似是一個Demo。

揭開這專輯的序幕曲〈一千場戀愛〉屬第三首主打歌，但翻查不出流行榜資料，不過當時正東有為這歌拍攝原裝 MV/Karaoke，可見對它的重視。〈一千場戀愛〉由蔡德才作曲編曲，配上周耀輝的歌詞，令到這場戀愛很神秘詭異，曲式如英倫樂隊 Portishead 年前的作品 *Sour Time*，很 Trip-Hop 的曲風，甚至很實驗性。

最後一首主打歌〈天國近了〉只出現在商台 903 第二位。商台對某些歌手特別偏愛，譬如說黃耀明、林憶蓮、彭羚等。不是說其歌曲不好，而是除了他們的主流主打歌以外，其他歌曲會被更多發掘推廣。〈天國近了（你們應當遊戲）〉由黃耀明與 Minimal 合力作曲，林夕寫詞。黃耀明曾在訪問中，直認他是基督徒。〈天國近了（你們應當遊戲）〉，其實取自聖經馬太福音「天國近了，你們應當悔改」，但意識卻充滿着跟宗教末世的相反思維。

如果這張專輯的標題，在「愈夜愈美麗」這選擇以外，可能便是「天國近了」。因為當中歌曲，除了〈天國近了（你們應當遊戲）〉之外，舊歌翻唱的〈風雨同路〉也多了副題「天國近了」，當專輯在台灣發行時，這曲的國語版名為〈天國近了（薔薇泡沫）〉，所以是我想多了麼？〈風雨同路〉原是一九七四年日本歌手淺田美代子的單曲，在香港不見經傳，但四年後經由鄭國江填上中文歌詞，也成為了夜總會歌星徐小鳳加盟 CBS/Sony 首張專輯的標題歌。它不僅讓徐小鳳知名度大增，更讓她從夜店駐唱的形象大大改變，從此主唱了許多屬她原唱的粵語歌曲。本來一首燦爛明媚的勵志歌，在黃耀明改造下，多了電子，也多了大時代末世情懷，畢竟專輯推出兩年後，也就是香港回歸的日子，將來如何？誰也不能保證，也不敢確定。結尾的一段 March，洋溢着英國軍兵步操的感覺。至於台灣版，這歌由林奕華、Military Snare 和李端嫻聯合填詞，反成為專輯的序幕曲〈天國近了（薔薇泡沫）〉。

〈談情一世〉由 Art Gallery 成員黃偉光作曲、編曲，並由周耀輝填詞。早在黃耀明首張單飛專輯《信望愛》，黃偉光已貢獻過作品〈愛到死〉和〈舞吧舞吧舞吧〉，相隔一張專輯，這次再度合作了〈談情一世〉及〈這世界非我家〉。細聽後者，用了中阮及三弦，融入在電子樂器中，極具玩味！

在這張專輯，黃耀明寫了三首旋律，都是跟人合寫的作品，除了與蔡德才譜寫〈春光乍洩〉之外，〈當美麗化作灰塵〉與〈大玩偶的搖籃曲〉便是跟獨立樂團 Multiplex 成員梁基爵合作，他又名 Gaybird，往後更以此名成為一人組合。〈當美麗化作灰塵〉有着急促的節奏，配上彭湃的電子樂器，好 Grand，好有電影配樂感覺。至於〈大玩偶的搖籃曲〉則急轉換為平靜的 Lullaby，但電子編曲帶來好 Raw 的感覺，不像小孩子的搖籃曲，因為那是給愛侶的安眠曲，由黃偉文填詞，他跟黃耀明首次合作。

Muzikland ～後記～

從達明一派年代，就很喜歡黃耀明與劉以達了，他們的音樂就是從主流音樂以外帶來不一樣的新鮮感。往後他倆各自發展，筆者依舊追隨，直至如今。達明年代，可以說由劉以達的音樂作主導，但其實黃耀明的角色也不只於主唱，或偶然寫幾首曲子，而是在製作意念上擔演了很重要的角色。達明解散後，無疑黃耀明在音樂上的角色重了，幸好他有一班好朋友出手相助，往後更組成人山人海班底，形成非常強烈風格的音樂製作團隊。

黃耀明以往習慣跟劉以達合作，在音樂工廠時期，轉而與蔡德才搭檔，是他的一個音樂實驗期。第二張專輯加入老闆羅大佑監製，在非主流的音樂風格上添加了商業流行元素。但這樣的改變，卻減退了黃耀明個人色彩，只是一個觀望期。一九九五年的《愈夜愈美麗》專輯，是黃耀明製作得心應手的序幕，吸取了前兩張專輯的經驗，加入Art Galley、Multiplex和Minimal相助，使得音樂上更多元化、更精緻。在往後那麼多黃耀明專輯之中，我仍最愛這一張，事隔多年重溫，仍覺當中每一首作品都那麼耐聽。

《愈夜愈美麗》也是黃耀明獲獎最多的專輯，以〈春光乍洩〉於一九九五年度獲得四台聯頒音樂大獎——CASH最佳中文流行歌曲獎、商台903叱咤樂壇至尊歌曲大獎、RTHK的最佳中文（流行）歌曲獎（與蔡得才共得）及最佳原創歌曲獎、TVB的十大勁歌金曲獎，還有新城電台的傳媒大獎——作曲家、香港勁爆編曲獎（兩獎均與蔡得才共得）、香港勁爆香港人創作歌曲獎——銀獎（與蔡得才、林夕共得）及香港勁爆民歌小調獎。

一九九七年，黃耀明推出首張翻唱專輯《人山人海》，把他人的代表作，都用自家風格覆蓋，非常出色。可惜往後太多翻唱，愈聽愈悶。他的專輯，我仍購買支持，但鍾愛的程度，可能已不復當年了。

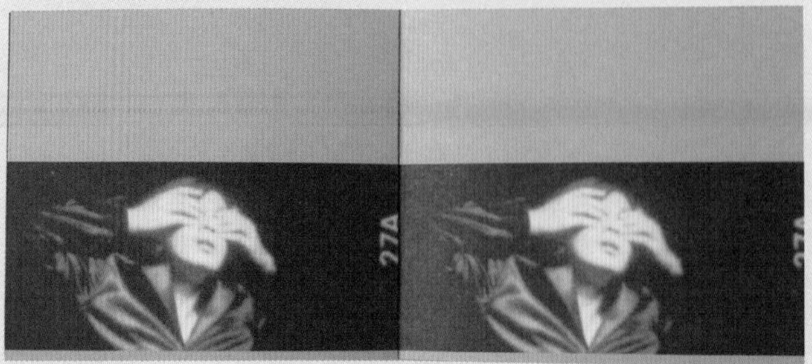

沉鬱色調的歌詞紙，展現着淒美的末世情懷。

幕後製作人員名單

監製：黃耀明
聯合監製 / 編曲：蔡德才 (1-2,9)/ 黃偉光 (4,8)/ Minimal (3,5)/ 梁基爵 (6-7,10)
所有樂器：蔡德才 (1-2)/ Minimal(3,5)/ 黃偉光 (4,8)/ 梁基爵 (6-7,10)
結他：王勝燊 (3)
Electric Guitar: 李家強 (7)
E-Bow Guitar: 李家強 (7)
鍵琴：李端嫻 (4,8)
中阮：盧良成 (8-9)
三弦：盧良成 (8-9)
琵琶：于逸堯 (9)
Military Snare: 李端嫻)(10)
配唱：蔡德才 (4,8)/ 李端嫻 (9)
和聲：盧志新 (3)/ 于逸堯 (3)/ 郭占美 (3)/ 郭家賜 (3)/ 王勝燊 (3)/ 歐陽永康 (3)
錄音：李端嫻 / 何志偉 / 陳西敏 (4)/ 陳偉賢 (3)
混音：朱偉文 (1,3,5-6,8,10)
錄音室：唐樓 / Q Sound (3-4)
母帶後期處理：Peterson Wong@Ultimate One
鳴謝：Winnie Lau/ 李端嫻 / 關淑怡
特別鳴謝：林奕華 / 關錦鵬 / 陳裕光
Distributed by PolyGram Records Ltd., Hong Kong/ Taiwan/ Singapore/ Malaysia

台版的《愈夜愈美麗》，多了〈風雨同路（天國近了）〉的國語版本〈天國近了（薔薇泡沫）〉作為序曲。

出版商：Go East Entertainment Co., Ltd.
出版年份：1995
監製：黃耀明
唱片編號：H96008-2

大碟

01 天國近了（薔薇泡沫）（國語）
［曲／詞：筒美京平／安井かずみ
中文詞：林奕華／Military Snare/ 李端嫻
編：梁基爵］3:53
OT: しあわせの一番星
（淺田美代子 /1974/ Epic）

02 春光乍洩（國語）
［曲：黃耀明／蔡德才 詞：林夕
編：蔡德才］4:23

03 萬福瑪利亞（關淑怡合唱）
［曲／編：Minimal 詞：周耀輝］3:25

04 談情一世
［曲／編：黃偉光 詞：周耀輝］3:55

05 下世紀再嬉戲
［曲／編：蔡德才 詞：周耀輝］4:26

06 一千場戀愛
［曲／編：蔡德才 詞：周耀輝］5:28

07 當美麗化作灰塵
［曲：黃耀明／梁基爵 詞：潘源良
編：梁基爵］4:28

08 這世界非我家
［曲／編：黃偉光 詞：林夕］4:05

09 春光乍洩（Guitar Mix）
［曲：黃耀明／蔡德才 詞：林夕］3:46

10 天國近了（你們應當遊戲）
［曲：黃耀明／Minimal 詞：林夕
編：Minimal］4:26

幕後製作人員名單

聯合監製／編曲：蔡德才 (2,5,6,10)/ 黃偉光 (4,9)/ Minimal (3,11)/ 梁基爵 (1,7,8)
錄音：李端嫻／何志偉／陳西敏 (4)/ 陳偉賢 (11)
混音：朱偉文 (1,3,6,7,9,11)/ 袁家揚 (2,8)/ 李端嫻 (1,4,5,10)
錄音室：唐樓／Q Sound (4,11)
母帶後期處理：Peterson Wong@Ultimate One
攝影：Sam Wong
美術指導：陳裕光
平面設計：陳輝雄／呂時鵬（模擬城市）
化妝：Zing of Zing Production
髮型：Boffy of Orient 4
宣傳策劃：Sam Kong（電視部）/ Andy Lai(電台部）
宣傳：Todd Yu/ Anson Kwok
平面製作統籌：Deki Lee
鳴謝：Winnie Lau/ 李端嫻／關淑怡
特別鳴謝：林奕華／關錦鵬／陳裕光
Distributed by PolyGram Records Ltd., Hong Kong/ Taiwan/ Singapore/ Malaysia

95

album

Frontcover

劉以達

麻木

Backcover

Info

出版商：非池中
出版年份：1996
監製：劉以達
唱片編號：MUS006-2

Art Direction: Lo Chi Wai
Photography: Jacky Wong (Cat Production House)
Graphic Design & Artwork Production: Eunice Chong (Ulysses Design)

1996

大碟

01 **一額汗［主唱：劉以達］**
［曲／編：劉以達 詞：周耀輝］

02 **流星［主唱：王菲］**
［曲／編：劉以達 詞：周耀輝］

03 **我的天［主唱：胡蓓蔚］**
［曲／詞／編：劉以達］

04 **變身［主唱：黃秋生］**
［曲／詞／編：劉以達］

05 **愛恩斯坦與普羅米修斯的夢［主唱：劉以達］**
［曲／編：劉以達 詞：黃秋生］

06 **繾綣 28800BPS［主唱：關淑怡］**
［曲：劉以達 詞：梁翹柏
編：劉以達／駱亦莊／高沛珊］

07 **流淚的銀河［主唱：中島花代］**
［曲／編：劉以達 詞：中島花代］

08 **Aijahan Ai Duniya（唉世界唉人類）［主唱：艾斯卡（灰狼）］**
［曲／編：劉以達 詞：艾斯卡（灰狼）］

09 **了了［主唱：胡蓓蔚］**
［曲／編：劉以達 詞：劉卓輝］

10 **Fancy Nightmares of Water Bearer［主唱：劉以達］**
［曲／編：劉以達 詞：劉以達／陳守樸］

11 **大圓滿［主唱：浩瀚］**
［曲／編：劉以達 詞：浩瀚］

● 一九九〇年，當達明一派推出《不一樣的記憶》及舉辦過三場《我愛你達明一派演唱會》後，兩位成員便各自單飛。黃耀明加盟羅大佑的音樂工廠，以 Solo Artist 的姿態繼續發展；至於劉以達以電影配樂為主，另又組成了劉以達與夢。一九九五年，兩人先後回歸寶麗金，但改簽旗下正東及非池中。非池中是寶麗金年代，在主流音樂製作以外，開拓的一個實驗音樂製作品牌，成立於一九九五年，屬正東旗下，橫跨寶麗金與環球兩代，曾簽下的歌手包括鄭鈞、胡蓓蔚及之後的黃貫中，還有為組團十週年復合的達明一派等。

在達明一派年代，劉以達以音樂製作為主，主唱都交由黃耀明負責，雖然也曾主唱〈排名不分先後左右忠奸（無大無細超）〉，但純屬 Gimmick，算不得認真，或者在劉以達與夢時期，他也唱過〈「植」民地〉及〈與你同眠〉，大概樂迷都曉得劉以達的唱功去到甚麼水平。

《麻木》專輯以劉以達排頭牌，賣點是他的音樂才華，但實際上由不同歌手演繹他負責製作的全新作品，可以說是一張群星拱照劉以達的新歌合輯。雖然劉以達曾組過劉以達與夢，但音樂風格仍走達明一派時期的英倫電子風，可以說是男女混合版的達明一派。經歷幾年，劉以達在《痲木》專輯混合民族風與搖滾音樂，展現了他在音樂的新貌，所以《痲木》專輯極具創意！很有新鮮感！在歌詞冊的首頁，由經營當時寶麗金的陳少寶，寫下了這一段序言，透露了他成立非池中廠牌及推出《痲木》專輯的本意：

這是一個甚麼都要 High 的年代，以前夢想能成真已經很 High，今日最高境界莫過於夢想成真之時，還以為自己仍在做夢，一時間分不清夢與真。非池中的誕生絕對有這種感覺。除了要多謝歌手、樂隊、幕後的工作朋友等等；我希望大家細心去咀嚼這張劉以達個人大碟，因為它無疑是 High 得很出色的作品，實屬非池中之物。

在《痲木》專輯，除了劉以達主唱的三首歌外，出現的客席歌手有寶麗金的關淑怡、新藝寶的王菲，另有幾位外援，包括《音樂一週》旗下的胡蓓蔚、獨立時代的黃秋生、日本新人中島花代、國內 Zoom Music 的艾斯卡和自覺樂隊的浩翰。

劉以達親自主唱的歌有〈一額汗〉、〈愛恩斯坦與普羅米修斯的夢〉及 *Fancy Nightmares of Water Bearer*。〈一額汗〉由達明一派時期老拍檔周耀輝寫詞，歌名是廣東話，意思是捏一把汗的意思，談及環保課題。以搖滾為主調，劉以達混入中國風，更親自演奏二胡及阮，非常特別。豐富的音樂配上壓迫緊促的節奏，為歌者轉移視線，彌補唱功的不足，若是現場演出，觀眾也會為他「一額汗」。這歌另有英語版本 *Starfish*，在編曲及主唱方式都跟〈一額汗〉有點不一樣，但只收錄在日本推出的《痲痺》專輯。

〈愛恩斯坦與普羅米修斯的夢〉名字怪怪的，由黃秋生寫詞。普羅米修斯（Prometheus）是古希臘神話中，最具智慧的神明之一，有先見之明的意思。他與女神雅典娜（Athena）創造了人類，用泥土雕塑出人的形狀，並由雅典娜注入靈魂，教曉了人類知識。當時至高無上天神宙斯（Zeús）禁止人類用火，普羅米修斯眼見人類生活困苦，於是幫人類從光明之神阿波羅（Apollō）偷取了火種而被宙斯折磨懲罰。愛

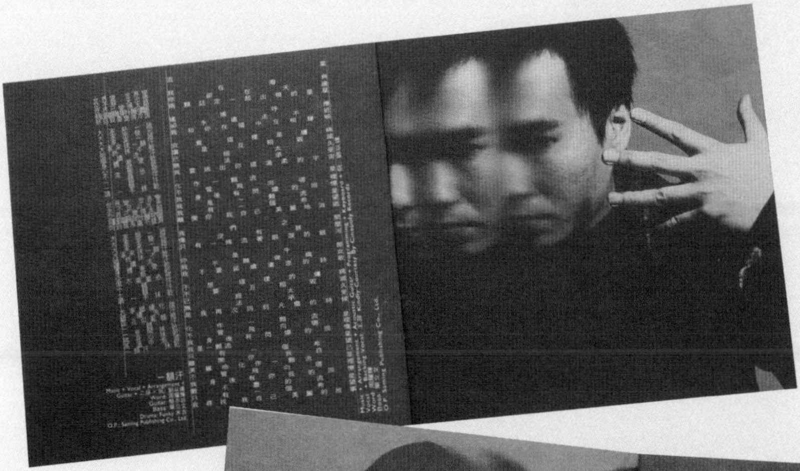

劉以達每次公開亮相，都並不多言，甚至表現較為緊張。唱片公司把他塑造為一個很有想法、蠻 Cool 的形象。

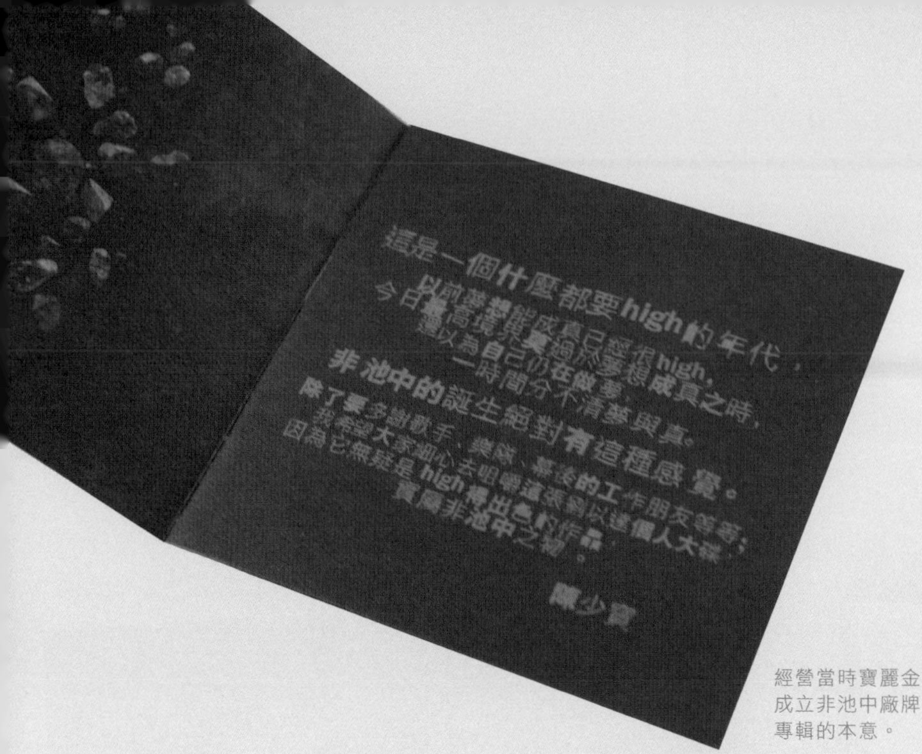

經營當時寶麗金的陳少寶，透露成立非池中廠牌及推出《麻木》專輯的本意。

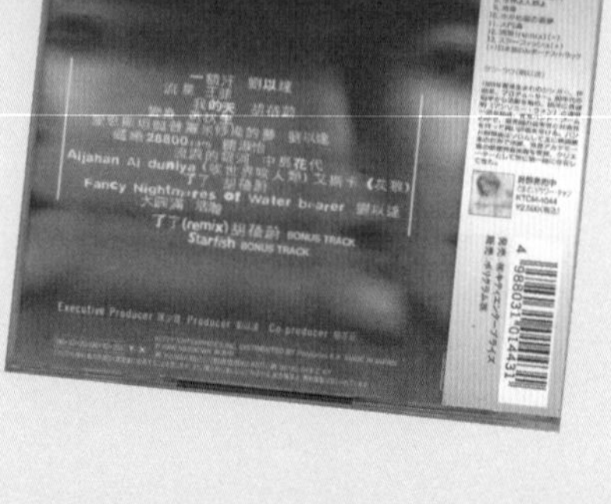

《麻木》專輯在日本推出時名為《麻痺》，比香港版多了〈了了 Remix〉及 *Starfish* 兩首 Bonus Track。

恩斯坦是二十世紀偉大的科學家，除發展相對論，也於一九二一年發現了光電效應的原理而獲得諾貝爾物理學獎。不妨在這背景上探討這到底是一個怎樣的夢。一九九六年六月上映的電影《三個受傷的警察》由劉以達及多位樂手組成的劉以達官立小學配樂，〈愛恩斯坦與普羅米修斯的夢〉成為該電影的片尾曲，在配樂上也聽到〈一額汗〉的曲調。

Fancy Nightmares of Water Bearer 由劉以達夥同陳守樸合力填詞，陳守樸是資深樂評人。由劉以達以英語主唱，配上由周影京劇腔的國語唱段（其實有點像鬼叫），非常神怪，但足堪玩味，令人腦海裏閃過一些超現實的爆笑電影。周影是九十年代初的寶麗金歌手，可惜發展並不如意，這時候她已轉職電視節目主持，當中包括 Channel V 的 VJ。

《麻木》專輯雖然音樂性很強，創作意念非常新穎，但實際上是很非主流的實驗專輯，當中邀來寶麗金及新藝寶兩張皇牌客席主唱，為專輯添上商業元素，其實也是一個銷售的計算。關淑怡於一九八九年出道，由偶像歌手再發展為個性獨特的仙氣歌手。

一九九四年是她事業很重要的一年，〈纏綣星光下〉唱功受到肯定，更首度連環獲取四台排行榜冠軍。〈纏綣 28800BPS〉由梁翹柏填詞，為周禮茂詞作的〈纏綣星光下〉寫了延續篇，「BPS」是網絡傳輸速度，將愛侶間的纏綿引入到新科技的網絡世界。這歌與〈愛恩斯坦與普羅米修斯的夢〉Non-Stop 地承接着，由古代神話延續到未來，由劉以達與官立小學成員駱亦莊、高沛珊合力編曲，迷幻得有點像達明一派，歌者的氣息唱法，也為歌曲增添了飄渺感。關淑怡稍後也與達明一派另一成員黃耀明合唱了〈萬福瑪利亞〉。

王菲跟關淑怡同樣是一九八九年出道，但分別效力寶麗金兩個不同廠牌，兩人各有所長，也各具特色。一九九四年，她的個人音樂風格更加明顯，也引用了 Cocteau Twins 式的 4AD 曲風。〈流星〉是周耀輝填詞的國語作品，先出現在王菲的 *Di-Dar* 專輯，由 Adrian Chan 陳偉文編曲，這次由劉以達親自上陣，新編曲使得全曲脫胎換骨，煥然一新。新藝寶稍後也以劉的版本為王菲拍下 MV。

〈流星〉在這張專輯中，又出現了中島花代主唱及親自填詞的變身日語版〈流淚的銀河〉，但劉以達卻用了不相同的編曲。中島花代的名字不見經傳，嚴格來說她不算歌手，以藝妓出身，之後涉及多方面的藝術表演，包括音樂，很難定位，於一九九五年推出首張專輯。因為筆者也見過非池中代理的 CD，相信她也是計劃中被引入香港的對象。她在一九九六年推出的《花代 VS ブラックドッグ／サヨナラララ》，便有一首〈流星（レオシン）〉，有可能就是〈流淚的銀河〉，但也可能是另一版本，因為《痲木》專輯內，〈流淚的銀河〉有另一日語副題「涙でできた天の川」，看來又不像同一歌詞的版本。〈流淚的銀河〉跟〈流星〉展現不一樣的風格，中島花代先以多部合音清唱開始，然後才轉入歌曲，劉以達也減去〈流星〉較複雜的編曲，突出了歌者的主音。中島花代恍似童音的歌唱方式，使得〈流淚的銀河〉很有宮崎駿的動畫電影感覺。

黃秋生在這裏與劉以達有一個像交換生方式的交流，他為劉以達主唱的〈愛恩斯坦與普羅米修斯的夢〉寫詞，反過來劉以達把包辦了曲詞編的〈變身〉交由他主唱。黃秋生出身於電視藝員訓練班及演藝學院，後加入 TVB 再轉投電影界。一九九三年以《八仙飯店之人肉叉燒包》變態殺手一角走紅，並榮升影帝。一九九五年開始涉足音樂推出專輯，但作品不多，不屬他的發展重點。仕這，他是獨立時代製作借來客串的歌手。

在《痲木》專輯包裝上有一張小小的紅色貼紙，寫上「96 年技術性新人胡蓓蔚．了了」。胡蓓蔚在上海長大，自小是合唱團成員，也曾學習歌劇，後來往美國進修聲樂。她跟劉以達早在一九九四年已合作，兩人和上海和平飯店的老爵士樂團，灌錄了變身的爵士專輯《今天明天後天》。一九九六年稍後，胡蓓蔚在香港加盟非池中，以新人姿態預備重新出發，所以出現於《痲木》專輯，唱片公司也藉此在試市場水溫。可惜雖受注目，但是出版一張專輯《就係胡蓓蔚》後，成績強差人意，便轉職電視台。一九九六年與單立文交往，並於二〇〇八年結婚，成為現在大家熟識的豹嫂。先說〈了了〉，由周耀輝寫的國語歌詞，是一首配上中樂樂器的搖滾作品，劉以達更親自加入琵琶伴奏，這大概也是《今天明天後天》模式的延續。筆者當年曾看過這首歌曲的現場演出，場面有點混亂，琵琶的伴奏完全被搖滾樂蓋過了，但錄音室版本實在精采。這曲出現了像唸唱的迷幻 Remix 版本，但只收錄於日本版的《痲痺》專輯。〈我的天〉由劉以達填詞，風格恍似羅大佑的《衣錦還鄉八兩金》電影配樂，滲着非常濃烈的鄉土味。

最後要提的是國內音樂人參與的歌曲，包括艾斯卡和自覺樂隊的浩翰，各自參與主唱的〈Aijahan Ai Duniya（唉世界唉人類）〉和〈大圓滿〉。早於八十年代末，香港開始朝國內看，引入國內樂隊或歌手，但只有崔健最成功，然後便是王虹，但她就算乾脆來港發展，由達明一派監製唱片，也很快消失了。之後台灣滾石又引進唐朝樂隊、竇唯、張楚、何勇等，雖經大力宣傳，但也只是曇花一現。一九九五年至一九九六年間，在臨近九七的日子，唱片公司再積極打通國內市場，正東藉紅星生產社，推出了三張《紅星一、二、三號》合輯，收錄國內音樂人作品，可惜也折翼而歸。艾斯卡曾出現在《紅星三號》，收錄作品有〈變法〉，在這裏演唱由自己寫詞的〈Aijahan Ai Duniya（唉世界唉人類）〉，很有塞外的民歌曲風。至於浩翰來自自覺樂隊，但他們只有數首單曲，沒有推出過專集，玩的是佛教搖滾，怪不得〈大圓滿〉充滿禪味。後來浩瀚也出家了，自覺樂隊也隨之解散。此曲註明獻給以色列總理 Yitzhak Rabin。

相信喜歡達明一派的樂迷，很自然也喜歡黃耀明和劉以達。雖然兩人分開發展後，風格已各自改變，就算之後數度合體，也回不了當年的達明味道，但樂迷對他們的支持度，好像從沒有降溫。劉以達較黃耀明少作品面世，因為他需要歌手客席幫忙，而參與的人也影響了他的歌曲水準，譬如說劉以達與夢，就是因為女主唱大大降低了歌曲的可聽性，若由他親自主唱，那就更壞事了。但回到他的音樂部分，精采的作品展現他的多才多藝，這次劉以達加入大量的阮、大鑼、鈸鑼、新疆琴及三弦等中樂伴奏，突出與搖滾樂的不和諧感，卻又那麼迷人，起了一個好棒的化學作用。還看今天香港的樂壇，不管是音樂人的創意或唱片公司對非主流音樂的支持度，可能再也無機會發生了。

《麻木》專輯脫離了達明一派的英倫曲風，走民族搖滾路線，其實有點回到劉以達早期 Tats Lau 原點。他在一九八四年參與結他雜誌推出的《香港》合輯，灌錄了純音樂作品〈紅衛兵〉與〈中國女孩〉，只是當時使用了鼓機，使得音樂帶了點電子音樂風格。這次由大公司重新策劃打造，效果也特別亮麗，由同屬寶系的主流大歌手參與，擴闊了劉以達的樂迷層面，但又不會游移到譚詠麟〈刺客〉或徐小鳳〈一縷情絲〉般的主流商業味道。專輯也順道推薦新人胡蓓蔚，作首度亮相，起相互幫忙的作用。對於外借的藝人，又可隨時擦出火花，富新鮮感，甚至起用日本或國內音樂人，會為將來的發行作鋪排，可見這一張專輯在製作或發行，都有唱片公司深思熟慮的考量及計劃。二〇〇一年，正東再以相同方程式為劉以達製作《水底樂園》，可惜口碑已不及《麻木》了。

幕後製作人員名單

Executive Producer: 陳少寶
Producers: 劉以達
Co-Producer: 駱亦莊
Guitar: 劉以達 (1)/ 駱亦莊 (1,3-5,11)/ 李嘉強 (6)
Acoustic Guitar: 劉以達 (2,7-8)
E-Bow Guitar: 劉以達 (8)
Programming: 劉以達 (2-3,7,10)
Keyboard: 劉以達 (2)
Keyboard Programming: 劉以達 (6)
Rhythm Programming: 駱亦莊 (6)/ 高沛珊 (6)
二胡：劉以達 (1,5,9,11)/ 黃淑佩 (11)
三弦：劉以達 (10)
阮：劉以達 (1-3,7-8,10)
喀什熱瓦普（新疆琴）：劉以達 (8)
Fuzz Wah: 劉以達 (7)
Bass: 單立文 (1,4-5,7-9,11)/ 大堂鼓 (4)/ 劉以達 (10)
Drums: Funky 末吉 (1,5,11)/ 劉效松 (3)/ Laurel Chung (10)
Organ: 劉以達 (11)
撞鈴：劉以達 (11)
Percussion: 劉效松 (3)
大鑼：劉效松 (4)
手鼓：劉效松 (4)
Backing Vocal: 胡蓓蔚 (3,9)/ 劉以達 (5,9)/ Tim Leung (9)/ 周影 (10)
Additional Dialogue: 高沛珊 (10)
A&R, Concepts: 陳守樸 (Red Cat Entertainment Co., Ltd)
Production Assistant: 高沛珊
Recording Engineers: David Chow/ Sam Ho/ Ronny Ng/ Clement Pong (Dragon Studio)/ 魏志明 (Studio Tang Lou)
Mixing Engineers: 黃紀華 / 魏志明 / David Chow
Artist Management: Sam Jor (Music Week International Ltd)/ Red Cat Entertainment Co. Ltd.
Distributed By: Polygram Records Ltd, Hong Kong/ Taiwan/ Singapore/ Malaysia
Marketed by: Go East Entertainemnt Ltd. (Hong Kong)
Special Thanks to Veronica Lee/ Klass Glenewinkal/ 周耀輝 / 呂錦堅 / 李嘉強 / Vanjoe Lai/ Monique Au/ 陳藝鳴 / 張睿玲 / 李志剛 / Queeny Sia/ Thomas Chung (GIG)/ Ronny Lau (Music Union)/ Veronica Chan (Music Union)/ Tim Leung/ Tony Ho/ Karen Mok/ Joseph Ip/ Alvin Leung/ Alan Leung/ 車淑梅 / 周影 / Vincent Ma/ Masayoshi Okawa (Media Remoras, Inc.)/ 霍兆麟 / 馬銳洸 / Jackson Wong/ 井上佳也 (Funky Co.)/ 歐立冰 (Funky Co.)/ 杜文惠 / D-Mop/ Flora Kwong/ 沈慶 / 鍾澤明 / Funky 末吉 / 單立文 / 胡蓓蔚 Appears Through The Courtesy Of Music Week International Ltd.

96

album

Frontcover

張國榮

紅

Backcover

Info

出版商：滾石 [香港] 有限公司
發行日期：1996 年 11 月
監製：段鍾潭、鍾少康
唱片編號：ROD 5132

化粧：Eunice Wong
髮型：Kim Robionson [Le Salon Orient]
攝影：Lawrence Ching
美術指導：奚仲文
封套設計：Wing Shya Of Double X Workshop
封套製作：Ellen Selbie Of Doublex Workshop

1996

大碟

01 Prologue［紅］
0:12

02 偷情
［曲／編：C. Y. Kong（江志仁）詞：林夕］4:56

03 有心人
［曲：張國榮 詞：林夕
編：Alex San（辛偉力）］5:11

04 還有誰
［曲：黃偉年 詞：林夕
編：Alex San（辛偉力）］3:24

05 談情說愛
［曲／編：C. Y. Kong（江志仁）詞：林夕］3:52

06 你我之間
［曲／編：Alex San（辛偉力）詞：林夕］4:10

07 怨男
［曲／編：陳輝陽 詞：林夕］3:40

08 怪你過份美麗
［曲／編：唐奕聰 詞：林夕］4:55

09 不想擁抱我的人
［曲：陳小霞 詞：林夕
編：Adrian Chan（陳偉文）］3:51

10 意猶未盡
［曲：張國榮 詞：林夕
編：Alex San（辛偉力）］3:42

11 紅
［曲：張國榮 詞：林夕
編：C. Y. Kong（江志仁）］4:42

一九九〇年一月二十二日，當張國榮舉行過三十三場張國榮告別樂壇演唱會後，也就正式封咪，稍後由寶麗金推出的《張國榮告別樂壇演唱會》現場錄音專輯，也是他告別樂壇的最後唱片。話說引退，不過後來又稱會留在電影圈，然後又因技癢，只會在電影中高歌，不會推出唱片云云……

終於一九九五年舉行記者招待會，張國榮宣佈復出樂壇。有說原因是有感當時的歌手唱歌的時候都不在唱，而且他個人心裏沒想過唱歌是假的，甚至承認自己是反悔，跟六年前的想法不一樣，現在想要把唱片顧好……於是張國榮加盟滾石，推出復出專輯《寵愛》。往後幾年間，張國榮推出了三張專輯及一張EP，但最令我喜歡的，只有一張充滿野性誘惑的專輯——《紅》。

專輯開首由一段短短的*Prologue*開始，其實那是結尾曲〈紅〉的旋律，然後轉入歌曲〈偷情〉。充滿迷離的十二秒旋律，恍似揭開輕紗，一窺裏頭一對男女，正在偷偷摸摸的搞甚麼鬼，很有電影的畫面感。如果可以光明磊落，誰情願閃躲？不管偷歡或偷情？更或是偷心？誘惑到你屏住呼吸，甚至不能自拔。在MV中，邀來莫文蔚與黃家諾配成一對演出，劇情交代的偷情更大膽，到底張國榮鎖定的目標是莫？還是黃？這個只是下集劇情，原來還有上集〈紅〉。〈紅〉同樣由這三個人一起演出，莫文蔚性感現身，誘惑着張國榮一起墜進情慾之中，末段有裸露的黃家諾與莫文蔚相擁，鏡頭又快速閃過張國榮的出現，恍似一個又複雜又微妙的三角，結果玩火的莫文蔚，似被其餘兩人棄諸門外。玻璃碎片喻為的憤怒，跟那洗手盤那血水呈現的「紅」，會不就是玩火帶來的悲劇？

〈怪你過份美麗〉是另一種不倫之情，由張國榮、名模馬慧詩與影星舒淇粉墨登場。職場中的男角戀上美麗而成熟的女老闆，微妙的關係使他事業扶搖直上，但未幾偷吃了年輕的性感女神舒淇，結果被解僱致打回原形，現實是否被兩個女人玩弄了？結尾的馬賽克舉中指畫面，交代了男角的憤怒。

重歸樂壇的張國榮，可以說已豁了出去，並不如走紅時當偶像歌手顧忌那麼多。三首歌曲觸及不單只是三角戀，而是更直接的情慾，比起香港過去樂壇的愛慾描寫都大膽直接，MV更是實體影像化呈現當中的細節。後來，張國榮在《跨越97演唱會》為母親及摯友獻歌出櫃，〈紅〉與〈偷情〉的男男曖昧關係更是不言而喻。

CD上沒有註明，但情深款款的〈有心人〉原來是電影《金枝玉葉2》的主題曲，這部電影由陳可辛監製及導演，張國榮與袁詠儀主演，第二集由梅艷芳換了上集的劉嘉玲，兩集均有濃濃的同性情愫。〈有心人〉跟〈紅〉同由張國榮作曲，另〈意猶未盡〉也是他的作品。

這裏出現幾首均很Acoustic的清新小品，如〈意猶未盡〉和〈還有誰〉。〈意猶未盡〉主要由Joey Tang一把結他伴奏，配合幾位合音，很簡潔的編曲，實在令人好舒服。由黃偉年作曲的〈還有誰〉，張國榮用上耳語式的演繹方式，結他主奏仍落在Joey Tang手裏，間或幾聲的鋼琴Fill In，為歌曲畫龍點睛，稍後加入String Session，整首歌的編曲很有鋪排，很有層次。黃偉年曾組過邊界及Purple Heart樂隊，

褪出紅色火柴套後，內裏是傳統 CD 包裝，封面使用了張國榮的側面照片。

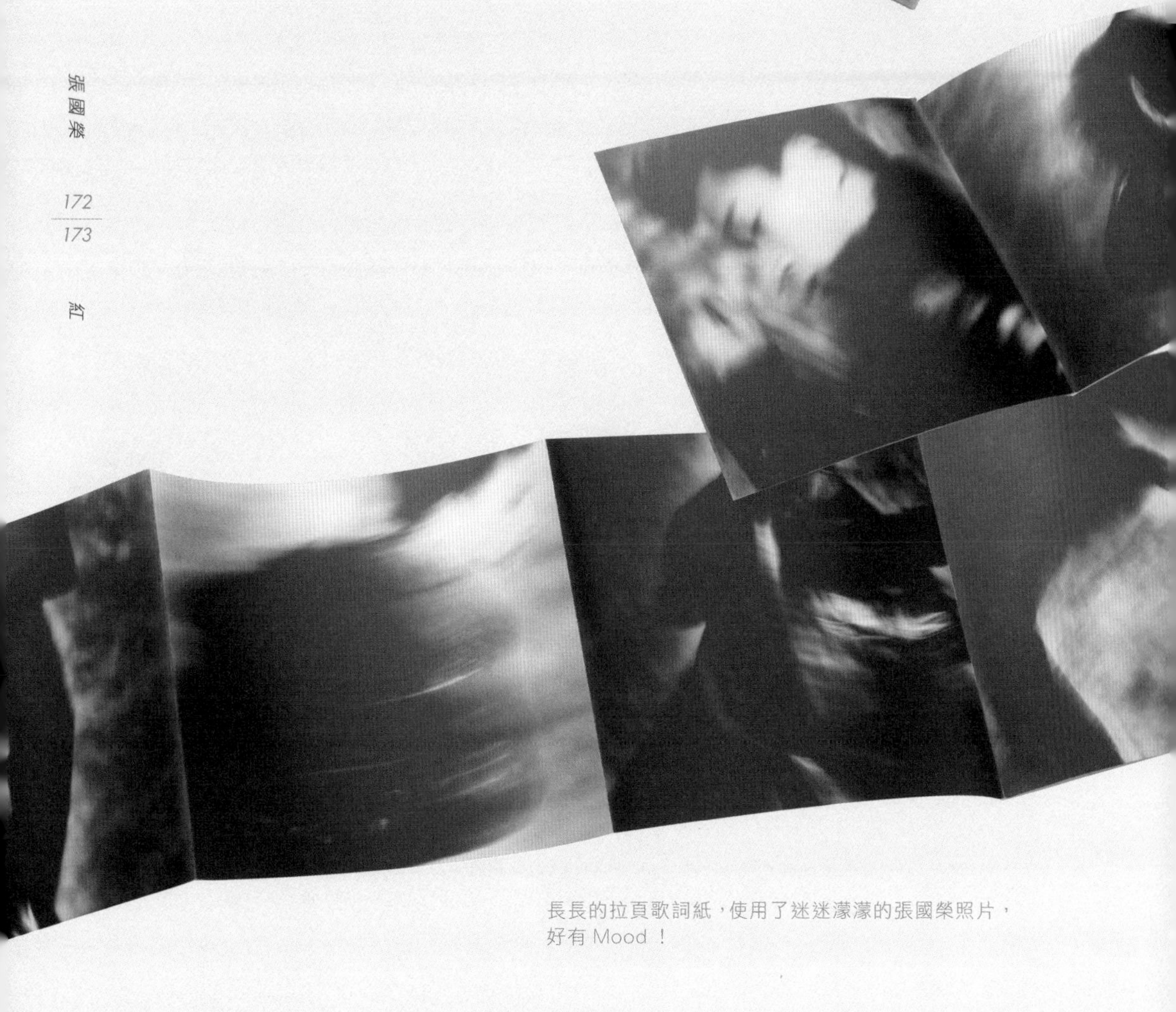

長長的拉頁歌詞紙，使用了迷迷濛濛的張國榮照片，好有 Mood ！

隨 LD 附送的特級珍藏版 97 Legend 鐳射年曆！怎樣鐳射？其實就是封面那閃閃亮的 Legend Leslie 字體。

Legend Leslie Laser Disc 一面是 MV、一面是 Karaoke。

滾石推出的 *Legend Leslie* Laser Disc。收錄了原裝禁忌 MV，毫無刪剪，也沒有馬賽克。

以一九九四年為林憶蓮主唱電影《晚九朝五》主題曲〈願〉打出知名度。

〈你我之間〉由 Alex San（辛偉力）作曲、編曲，這位馬來西亞音樂人以一九九四年為王菲《胡思亂想》中幾首改編歌重新編曲獲得知名度，接下來便是一九九六年由彭羚主唱的香港電影金像獎最佳電影主題曲得獎歌〈完全因你〉而成名，往後環球年代，他再與張國榮合作了〈小明星〉，都是很動人的作品。Alex San 在這裏編了三首歌，包括親自上陣，以真實的 Grand Piano 伴奏的〈你我之間〉，亮點還 Ted Lo 的真樂器 String Session，伴着歌者循序漸進的感情發揮，呢喃着一段到摸不清的，到底是朋友或是愛侶的霧裏關係。

〈談情說愛〉屬 C. Y. Kong（江志仁）的作品，英倫式的搖滾樂，令人醒神，MV 用上由張國榮主演的《色情男女》電影畫面，其實跟電影無關，片中也未曾出現此曲的片段。與張國榮合演的有莫文蔚和舒淇，或多或少延伸了《紅》專輯幾支 MV 的合作。

〈怨男〉由陳輝陽作曲，帶點爵士的輕快拉丁作品，瘋狂的 MV 打着 Boys Just Wanna Have Fun 的主題，有着一點點《春光乍洩》電影畫面的回應。由經紀陳、老森、地盤老細、骨精強、茶水超人、卡士榮和差佬 Ben，一班「姣到出汁」的怨男解放演出，原來是奚仲文構思的題材，再由張文幹導演執導。

台灣知名創作人陳小霞，早於八十年代初時發表第一首作品〈春夏秋冬〉，經歷校園民歌再轉入流行曲的年代，為無數台灣歌手譜歌。九十年代初，其作品漸受香港歌手改編使用，幾年後更直接為香港歌手寫歌，包括粵語歌作品，不過合作的詞人主要是林夕。〈不想擁抱我的人〉便是陳小霞與林夕的合作。曾不想擁抱我的人遊遍星辰，如今竟這麼近……即使當年被深深傷害過，滿是遺憾的過去，如今還是情願重新接受這段舊情。這首 Side Track，聽說這是許多粉絲喜歡的私房歌。

《紅》是張國榮繼 *Final Encounter*，相隔七年後的首張全粵語專輯，是樂迷渴求已久之作。當中的歌曲在流行榜沒有留下甚麼痕跡，只因為當時明確地不送派台歌，但《紅》仍獲得白金唱片銷量佳績。這張專輯由老拍檔梁榮駿監製，他跟張國榮在新藝寶已合作無間，之後在環球年代兩人更合組 Apex Music Production，另外所有歌詞只出自林夕一人之手。滾石為了宣傳《紅》，不惜成本推出一面 MV、一面 Karaoke 的 Video Laser Disc 專集 *Legend Leslie*，當中包括四支全新 MV〈紅〉、〈偷情〉、〈怪你過份美麗〉及〈怨男〉，配上電影片段的〈有心人〉、*Twist & Shout*、〈談情説愛〉、〈談戀愛〉、原裝國語 MV〈當真就好〉（與陳淑樺合唱）、*From Now On*（與林憶蓮合唱），尚有一段名為 *Eternal Red* 的「Leslie Live 97 Coming Soon」預告片段。

《紅》因應國際市場，在日本推出了本土版，但曲目中加入了爵士老歌翻唱 *Boulevard Of Broken Dreams*，另滾石也在日本推出 *Love With All My Heart*EP CD，收錄了〈有心人〉及〈談情説愛〉。但《紅》的故事未完，因為近年黑膠唱片回歸，不時為這 CD 推出了七吋紅膠、七吋圖案膠及十二吋紅膠唱片。近日更再推十二吋粉紅膠，但這個無疑已遠離主題了。

日本版的《紅》棄用了原裝純紅色設計，用了歌詞冊做封面，另多收錄了一首英語歌 *Boulevard Of Broken Dreams*。

Muzikland ～後記～

筆者很喜歡張國榮嗎？其實沒有！但這張《紅》專輯，卻讓我愛不釋手，甚至遠勝張國榮所有專輯。一九九五年當他宣佈復出，正如他所言，是一個反悔，其實這也沒甚麼太不了，他肯再出來唱，粉絲一定歡喜若狂。但當他復出的首張唱片《寵愛》，恍似是電影歌集，但實際卻是拉雜成軍的專輯，就令我感到不是味兒。《紅》讓他真正回歸香港樂壇，是一張完整的粵語專輯。紅色紙套，配合紅色字體撞色設計。不用看清楚標題，就已經告訴你這張專輯叫《紅》，甚至連張國榮的照片也毋須秀出來，這設計實在太酷太酷了。

過去當紅的張國榮，不管在歌曲意識或形像包裝，都給人不羈印象，但在《紅》，他已無後顧之憂，連三級片《色情男女》，更或是同志電影《春光乍洩》也拍了，所有東西都去得很盡。《紅》可以說是超越了過去香港所有唱片的道德底線，但最重要是它不低俗。儘管所有歌曲沒有統一地連去同一主題，但光用〈紅〉、〈偷情〉及〈怪你過份美麗〉，再加上一段 *Prologue*，即有一個很強的電影感，爆發禁忌主題。那種誘惑未必人人會付諸行動，但卻解禁了人心底隱藏的野性或慾望，就是這張專輯迷人的地方。所以往後的推出多款的密紋唱片，我一點都不介意。尤其配火紅 Vinyl 版，更能配對歌曲的意念。Cool！

二〇一四年推出的《紅》Red Vinyl 大碟。

96 album

二〇一五年推出的《紅》7 吋 Red Vinyl EP，Side A 收錄了 *Prologue* 和〈紅〉，使得「紅」更一氣呵成，至於 Side B 收錄了〈有心人〉和〈怪你過份美麗〉。

二〇一七年推出的《紅》7 吋 Picture Vinyl EP，Side A 一氣呵成包括了 *Prologue*、〈偷情〉和〈紅〉，讓這個誘惑主題完整呈現，至於 Side B 收錄了〈有心人〉和〈意猶未盡〉，讓三首張國榮的創作特別相聚於一張細碟中。

幕後製作人員名單

發行人：段鍾潭
Recording Engineers: Adrian (2,-11)/ John (2-11)/ Jerry (2-5,7,9-10/ Jerry [Studi S&R] (6,8,11)/ Geen [Tang Lou] (6,8,11)/ Randy [Tang Lou] (6,8,11)/ Wai (8)
Recording Studio: Studio S&R (2-9,11)/ Tang Lou (6,8,11)
Programming: C.Y. Kong (2,5,11)/ Alex San (3-4,6,9-10/ Keith Chan (7)/ Gary Tong (8)
Guitar Solo: Alex San (6)
Guitar: Joey Tang (2,4,9-10)/ Adrian Chan (5,11)/ Lee Kwong Hung (8)
Guitar EFX: Adrian Chan (1)
Bass: Lam Chi Wang (3-5)
Grand Piano: Alex San (6)
Strings: Tulloch Sound Orchestra (6,8-9,11)
Strings Arranged & Conducted: Ted Lo (6,11)/ Keith Chan (8-9)
Background Vocal: Leslie Cheung (2)/ Adrian Chan (2)/ Albert (3,7-8,10)/ Nancy (3)/ Jacky (3,8,10)/ Isabella (3)/ Patrick Lui (5,7-8,10)/ May (8,10)
Mixed by: Adrian Chan (2,4,7)/ John Lin (3,5,8,10)/ Bryan Choy (6)/ David Liong Jr.(9)
Mixing Studio: Studio S&R (2-5,7-11)/ Avon Studio (6)
統籌：黃達輝 / 黃文輝
製作 / 專案統籌：黃文輝 / 莫茗淙
製作人：梁榮駿
製作行政：張菊菊
製作助理：林泳頤
專案：胡偉基 / 劉綺華
母帶後期處理：John Lin
母帶後期處理錄音室：Studio S&R
企宣統籌：李永雄
企劃：黃鳳鳴
媒體統籌：連暉
媒體執行：哈寶媚 / 張文珊 / 王麗文 / 簡文狄
MTV 導演：張文幹
特別鳴謝：Kim Robionson [Le Salon Orient]

Frontcover

97

album

李克勤

當找到你

Backcover

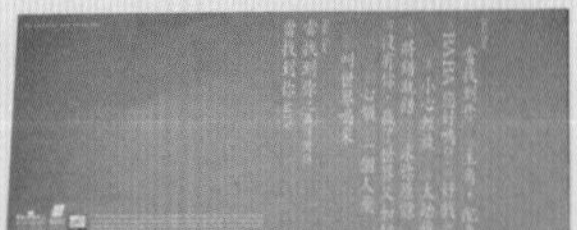

Info

出版商：Music Impact Entertainment (HK) Ltd.
出版年份：1996
監製：江港生、梁榮駿、Double C Music Group
唱片編號：74321-392592

Image & Art Direction: Joel Chu（朱祖兒）
Photography: Lawrence Ching
Jacket Production: Mina Tsang
Hair Styling: Jacky Ma of Headquarters
Make-up: Eunice Wong of Kesalan Patharan

1996

大碟

01 當找到你
［曲 / 編：楊雲驃 詞：林振強］3:20

02 主角．配角
［曲：倫永亮 詞：林振強
編：Richard Yuen（袁卓繁）］4:28

03 Ba Ba 您好嗎？
［曲 / 編：C.Y. Kong（江志仁）
詞：林振強 / C.Y. Kong（江志仁）］4:20

04 好戲之人
［曲 / 詞：張宇 / 何啟弘 改編詞：林振強
編：Alex San（辛偉力）］3:43
OT: 留你留得好苦（張宇 /1993/Kolin）

05 小心輕放
［曲：雷頌德 詞：黃偉文
編：Peter Kam（金培達）］4:02

06 太幼稚
［曲：褚鎮東 詞：李敏
編：Chris Babida（鮑比達）］4:49

07 將錯就錯
［曲 / 編：Alex San（辛偉力）詞：林夕］4:15

08 求你原諒
［曲：李偲菘 詞：克勤（李克勤）
編：Robert Seng（成建南）］4:26

09 沒有你．贏了世界又如何
［曲：巫啟賢 詞：林振強
編：江港生 / Robert Seng（成建南）］3:48

10 心領
［曲：蔡一智 詞：林夕 編：王雙駿］4:40

11 一個人飛
［曲 / 編：陳輝陽 詞：張美賢］4:33

12 叫世界喝采（劉德華合唱）（1996 無綫奧運主題曲）
［曲：黃英華 詞：林夕 編：劉諾生 / Robert Seng（成建南）/ 江港生］3:22

VCD

01 當找到你之「真」情對話

02 當找到你 MTV

一九八五年，李克勤因為歌唱比賽得獎而獲得寶麗金一紙合約，自一九八六年推出首張 EP《李克勤〈誰願分手〉》，及到一九九六年的《當找到你》，十年間也從寶麗金轉會到星光，然後再加盟藝能動音。《當找到你》便是李克勤首張藝能動音專輯了。

這張專輯由兩位監製合力製作，江港生是主力，監製了七首歌曲，當中三首成為主打歌，梁榮駿製作了四首，剩下一首則由蔡一智與王雙駿組成的 Double C Music Group 負責。經歷過星光年代，李克勤在新公司重新出發，可以說不容有失，標題歌〈當找到你〉不負所托，為克勤帶來首支四台冠軍歌，這首歌由楊雲驃作曲及編曲，林振強寫詞，曲式有點舊，但勝在夠溫馨，樂迷對情歌永遠都不會嫌多的。根據文案的克勤鳴謝文，這首歌很可能差點兒由周慧敏來唱。

我一直以為第二主打〈沒有你．贏了世界又如何〉是一首改編歌，因為跟優客李林的〈輸了你贏了世界又如何〉有相似的歌名，同樣也是主打歌，致使我有這個美麗的誤會。事實上，〈沒有你．贏了世界又如何〉由巫啟賢作曲配林振強的詞作，不單兩者的旋律是兩碼子的事，連曲式也不一樣。副歌那密集的歌詞，有點像〈紅日〉，非常難唱，但這會難倒克勤麼？巫啟賢在一九九三年加盟EMI後，未幾以一首舊作〈太傻〉而走紅，往後他除了出唱片，也在香港為不同歌手寫歌及製作。當時除了彭羚、楊采妮、劉德華監製寫歌，還為李克勤寫了〈沒有你．贏了世界又如何〉。二十一年後，兩人因國內蒙面歌王比賽而再次碰頭，巫啟賢因認不出蒙面參賽者李克勤的聲音，而被認為造假。不管如何，在新聞宣傳層面，確掀起了話題，引起大家關注。〈沒有你．贏了世界又如何〉在RTHK取得第四，在TVB勁歌金曲則取得第五。

筆者喜歡〈當找到你〉，也喜歡〈一個人飛〉，陳輝陽的曲子，配上張美賢的歌詞，瀰漫着一份成熟的寂寞。除了要抒發歌中感覺，那一個放在高音的「飛」，也是極度難唱，「飛」本來己難發音，在高音階要拖長音便更難了。一九九年，陳輝陽剛為王菲寫了〈暗湧〉，還未算很有知名度，但兩三年後已晉身炙手可熱音樂人之列了。〈一個人飛〉較好的成績，只在TVB勁歌金曲取得第七位，但這是筆者喜歡之作。

不難發現，林振強在這專輯身負重任，克勤也在文案使用了過百字表達對他的感謝，更以「作為一個男人，很少如此欣賞另一個男人」來形容。除了兩首主打，林振強尚有〈主角．配角〉、〈Ba Ba 您好嗎？〉及〈好戲之人〉，貢獻多達五首。〈主角．配角〉由倫永亮作曲，是他手到拿來的R&B抒情歌，歌詞流露不能當主角，仍願意為對方擔任配角，那種寂寞其實跟〈一個人飛〉很相似。〈好戲之人〉是專輯內唯一的改編歌，取自台灣創作歌手張宇的初期的舊作〈留你留得好苦〉。張宇以〈用心良苦〉走紅，也以此為香港人認識，〈留你留得好苦〉就是這時期的歌曲。張宇擅寫一些中版的Pop Rock，他的沙啞嗓子，也添上了獨有的滄桑味，改編後的〈好戲之人〉雖然少了這種特質，但仍不失為一首上佳的作品，聽說這是克勤非常喜歡的歌。〈Ba Ba 您好嗎？〉是C.Y. Kong的輕搖擺之作，竟發現作詞一欄，

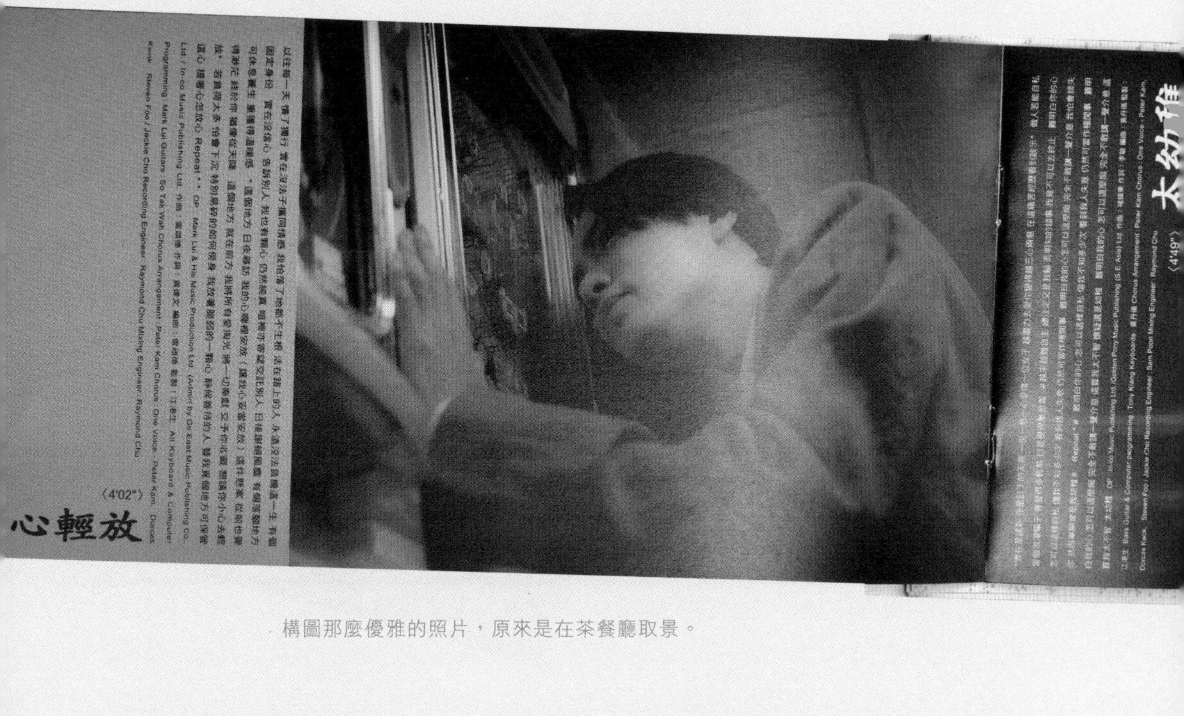

· 構圖那麼優雅的照片，原來是在茶餐廳取景。

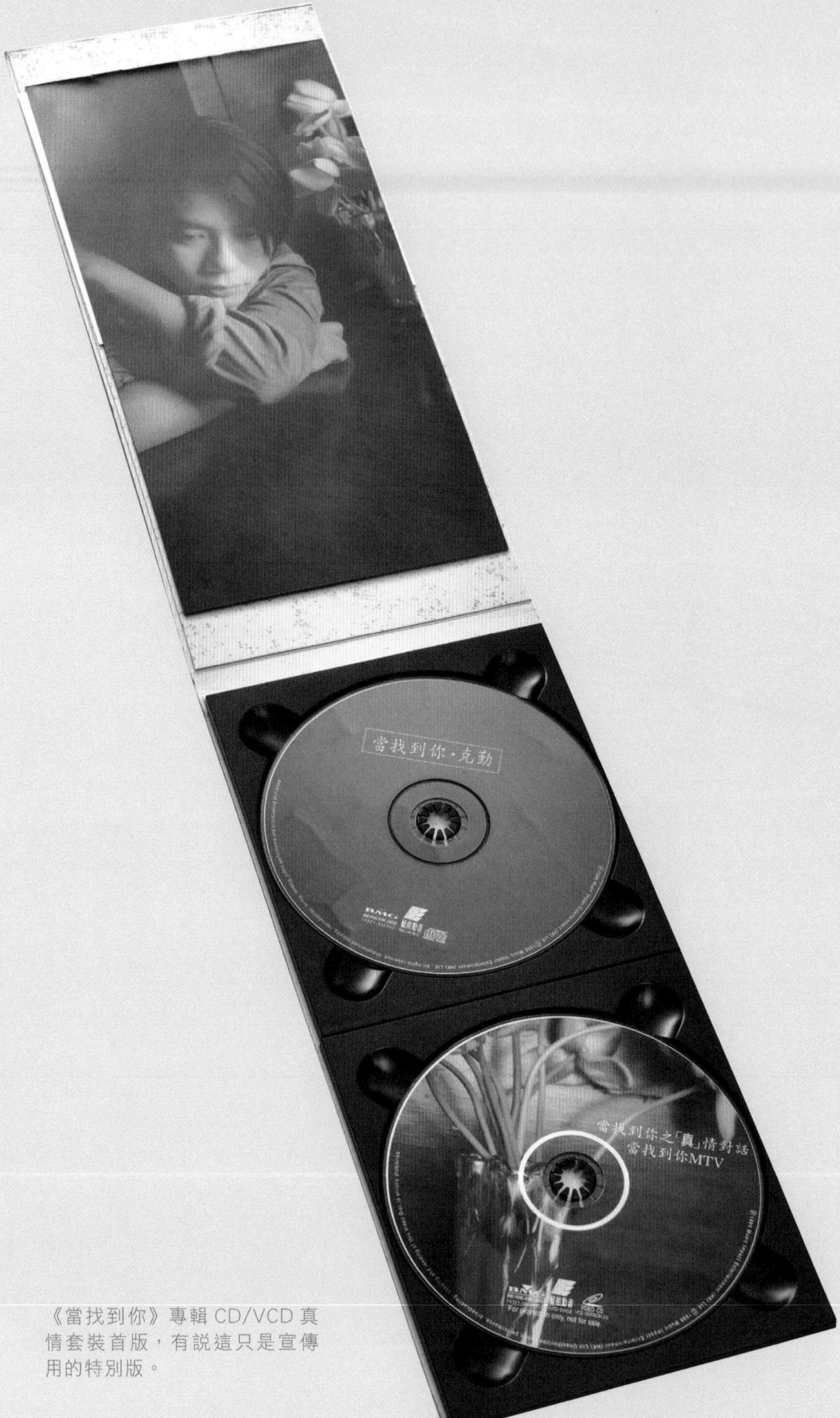

《當找到你》專輯 CD/VCD 真情套裝首版，有說這只是宣傳用的特別版。

林振強旁也有他的名字，令人意外。雖然C.Y. Kong以作曲、編曲為主，但也不時觸及歌詞創作。早在一九九二年，他便曾為克勤包辦曲詞編三職寫了〈敷衍〉，後來二〇〇七年再一手包辦了歌曲*Twins*。起初沒細心留意〈Ba Ba您好嗎？〉的歌詞，還以為是「爸爸，您好嗎？」，令我誤會一場。但不斷的唱着「Ba Ba」，好容易洗腦！

〈求你原諒〉是新加坡音樂人李偲菘的創作，他早於八十年代已出道，約於一九九四年因林憶蓮和張學友都分別唱過他的歌，而漸為香港製作人賞識。幾年後，克勤的〈飛花〉和〈不知不覺愛上你〉，也是他的作品。〈求你原諒〉由克勤親自填詞，但卻令人有由張學友演唱的幻想。由馬來西亞音樂人Alex San作的〈將錯就錯〉，帶有些許藍調元素，經常穿插色士風的伴奏或Fill in，很有特色。它跟〈心領〉同由林夕負責歌詞。後者由寶麗金舊隊友蔡一智作曲，但旋律略嫌平淡。

〈叫世界喝采〉由克勤與劉德華合唱，劉德華同期剛巧也推出《在乎你》專輯。當時TVB需要一首

中文的奧運主題曲，唱片公司找來了這一首相應曲式的作品，由林夕填詞。李克勤和劉德華當時分別被TVB委任為奧運之星和奧運大使，一同前往美國亞特蘭大奧運會採訪，但當他倆加入港隊參加升旗禮時發生了小風波，港協會長沙理士（A. de O. Sales）認為此舉不當，而把他們驅逐離場。〈叫世界喝采〉由黃英華作曲，他以電影配樂為主，一九九四年的電影《梁祝》，令他榮獲第十四屆香港電影金像獎最佳電影配樂。

《當找到你》最初推出附有VCD的「真情套裝」長版，附加一支MV及一段克勤自述的影片。當樂迷曾嫌棄黑膠唱片體積太大而難於收藏，轉投CD的懷抱，但CD發展多年，唱片公司又不時擴大包裝，務求塞進更多文案或寫真內容。這樣的長條包裝在那幾年，還有周華健的《有弦相聚》、杜德偉《未變過》、劉德華《情未鳥》等，唱片公司都為包裝別出心裁。稍後藝能動音再推出火柴套的單碟版。克勤的形象由朱祖兒負責，據行內人告知，封套及寫真照片是在土瓜灣一家茶餐廳取景。

最受人注目的李克勤，首推寶麗金年代，但藝能動音展現他另一面的成熟魅力。

某年，筆者參加了一個演藝興趣班，導師解釋何謂演技時，也談到李克勤。當然，他不是演戲為主的演員，本來跟演技的課題拉不上甚麼關係，但她評論到克勤能把歌唱好，但欠缺感情。當時，我正沉醉於克勤在寶麗金一連串流行歌，想也沒想過他的演繹有甚麼問題，直到〈當找到你〉和〈一個人飛〉的出現，才勾起了這個徘徊在腦海中幾年的回憶，克勤演繹這兩首歌，真的比以前多了感情發揮。克勤當時也透露，在前一年的美國之行，正值他的演唱進入迷惘期，但在當地得到一些很好的音樂人教導他，啟發了他怎樣處理歌曲。難怪，這張專輯的歌曲，讓他融入了真摯情感，使得在感情發揮上步進另一層次。

《當找到你》算不上是一張很具流行質素的專輯，但當中使用了許多不同音樂人的作品，在現今看來已是巨星匯聚的製作。不曉得是刻意，或過於整體化，太多水準平均的作品，換來了統一感，是一張令人聽得好舒服的專輯，卻容易顯得沉悶，因為得視乎聽者的心態。至於筆者，則喜歡那種絲絲的寂寞色調，勾起內心的情感。

在《當找到你》附贈的VCD，有一段〈當找到你之「真」情對話〉，克勤透露他跟寶麗金猶如初戀一樣，相遇、發展感情、甚至擦出火花；但日子久了，少了來往而分手。他跟星光，屬一見鍾情，但之後發現合不來而分手。《當找到你》是他加盟藝能動音的首張專輯，他期望能與它天長地久，白頭到老云云……

平裝版的《當找到你》專輯。

幕後製作人員名單

Producer: Tony Kiang (1,2,5,6,8,11-12)/ Alvin Leong (3-4,7,10)/ Double C Music Group (9)
Guitar: Albert Young (1)/ Jim Kettle (2)/ So Tak Wah (5,8-9)/ Danny Leung (10,12)/ Adrian (11)
Strings Ensemble: Wong Wai Ming' s Group (1)
Drums: Melchoir Sarreal (1,7)
Bass Guitar: Lam Chi Wang (1,4,7,11)
All Keyboards & Computer Programming: Richard Yuen (2)/ Alex San(4,7)/ Mark Lui (5)/ Robert Seng (8-9,12)/ Tony Kiang (9,12)/ Carl Wong (10)/ Keith Chan (11)/ John Landon (12)
Keyboards: 黃丹儀 (6)
All Instruments: C.Y. Kong (3)
Bass Guitar & Programming: Tony Kiang (6)
Saxophone: Vastine T. Pettis (7)
Chorus Arrangement: Peter Kam (1-2,5-6,9)/ Tam Sik Hay (12)
Chorus: One Voice (Peter Kam. Dorcas Kwok. Steven Foo (1-2,5-7,9)/ Jackie Cho (1-2,5-7,9,12)/ Albert Lui (4,7,10)/ Danny Cheng (4,7)/ Jackie Cho (4,7,10)/ Nancy Chan (4,7,10)/ Tam Sik Hay (10,12)/ Chow Siu Kwan (12)/ Danny Cheung (12)
Recording Engineer: R&B Studio [Raymond Chu(1-2,5,7,9)/ Sam Poon(6)]/ Studio S&R [Adrian Chan(3,7,11)/ John Lin(11)/ Wai (4)]/ O-Sound [Lee Wai Ming (10,12)]
Mixing Engineer: R&B Studio [Raymond Chu (1,2,5,6,7,9)]/ Studio S&P [John Lin (4,11)/ Adrian Chan(3,7)]/ O-Sound Studio [Frankie Hung (10)/ Ngai Chi Ming (12)]
Special Thanks: Billy So of Oriental Heroes
Marketed by Hong Kong: Music Impact Entertainment (HK) Ltd/ Taiwan: Music Impact Ltd/ Singapore: **Music Impact Private Ltd/ Malaysia:** Music Impact Sdn. Bhd. Distributed by BMG Ltd. (Hong Kong/ **Taiwan/ Singapore. Maylaysia) Hong Kong:** BMG (Hiong Konf) Ltd. 9/F,m Kai It Building, 58 Pak Tai Street, Tokwawan, Kowloon.

98 album

Frontcover

鄭秀文

我們的主題曲

Backcover

Info

出版商：Warner Music (Hong Kong) Ltd,
A Warner Group Company.
出版年份：1997
監製：李進
唱片編號：3984-200240-2

Album Concept: Sammi Cheng
Art Direction: Thomas Chan of Ant Associates
Photographer: Cheung Man Wah
Makeup: Zing of Zing Productions Limited
Hair Styling: Billy Choi of Beijing Hair Culture
Graphic Design: Mo Yi Zing Si Chi Kwong

1997

大碟

01 **非男非女**
[曲 / 編：黃尚偉 詞：周禮茂] 3:08

02 **我們的主題曲（電影《愛你愛到殺死你》主題曲）**
[曲：吳國敬 詞：黃偉文
編：鄧建明 / 陳匡榮] 3:35

03 **愛有甚麼用（電影《愛你愛到殺死你》插曲）**
[曲 / 編：黃尚偉 詞：黃偉文] 3:19

04 **唉聲嘆氣**
[曲 / 詞：Roberto Buti/ Cheope
中文詞：林夕 編：王利名 / 譚志偉] 4:23
OT: Un giorno senza te
(Laura Pausini/1996/Warner)

05 **情變**
[曲：黎允文 詞：梁芷珊 編：鍾世英] 3:31

06 **最後一次（電影《愛你愛到殺死你》插曲）**
[曲：陳偉堅 詞：林夕 編：王利名] 3:47

07 **關心**
[曲：林蒙 詞：小美 編：唐奕聰] 4:03

08 **女人本色（TVB 電視劇《陀槍師姐》主題曲）**
[曲 / 編：譚志偉 / 史丹利 詞：亞里安] 3:21

09 **一夜成名**
[曲：丁偉斌 詞：黃偉文 編：唐奕聰] 4:40

10 **偶遇**
[曲：李雅燊 詞：鄭國江 編：唐奕聰] 3:01
OA: 林志美 (1984/CBS Sony)

11 **不過…**
[曲：陳小霞 詞：李敏
編：王利名 / 譚志偉] 3:36

12 **非男非女（Remix）**
[曲：黃尚偉 詞：周禮茂 編：黃尚偉] 3:00

鄭秀文於一九八八年新秀歌唱比賽獲季軍而簽約華星唱片，兩年後完成中學課程，正式出道並推出個人專輯 *Sammi*。首張專輯即取得金唱片銷量，可以說是邁向成功的第一步，加上個人努力與唱片公司力捧，與許志安、郭富城及梁漢文合唱的〈火熱動感 La La La〉，配合香煙贊助商 Red Hot Hits 的強勁宣傳，使得歌曲街知巷聞，也為鄭秀文開拓了勁歌熱舞的歌路風格。同期，她也在 TVB 接拍電視劇，務求更入屋；接二連三的大熱歌曲如〈Chotto 等等〉、〈大報復〉、〈叮噹〉、〈十誡〉、〈熱愛島〉、〈失憶〉、〈其實你心裏有沒有我〉及〈薩拉熱窩的羅密歐與茱麗葉〉等，更是讓人熱切期待每首新歌的降臨。這位百變小天后更於一九九三年起，榮登 TVB 十大勁歌金曲最受歡迎女歌手五強之列。但筆者開始喜歡她，還是待華納年代的《我們的主題曲》專輯才開始，也是她真正榮登為天后的年代。

這張專輯共有四首主打歌，但耐聽的好歌其實比主打歌的數量更多，致使整張專輯好歌滿滿，非常動聽。〈非男非女〉以迷離氣氛編曲作開始，配合中版節奏及鄭秀文帶點冷冷的唱腔，好 Cool！同性戀在那年代還有點禁忌，周禮茂選取了較容易為人接受的中性題材。此曲由黃尚偉包辦作曲、編曲及監製，甚至製作了加入中東風味 Remix 版本，這特別版加重了合唱的效果，比原版更豐富，也使人禁不住邊聽邊跟合音一起哼唱，我更喜愛這個版本。雖是 Remix，但比原版略短，令人意猶未盡，有反覆 Loop 住聽的衝動。〈非男非女〉取得三台排行榜冠軍，可惜在商台 903 只取得第三，但仍不減我對它的喜愛。華納稍後也推出原版加 Karaoke 的三吋 CD，光聽音樂版也是讚的。

標題歌〈我們的主題曲〉屬第二主打，它由吳國敬作曲、黃偉文寫詞，很有 Band Sound 的搖滾味。吳國敬除了出道的搖滾 Debut〈玩火〉及稍後主唱倫永亮作品〈我說過要你快樂〉最令人熟悉，可惜發展一直半紅不黑。但轉向幕後，卻有不少好作品面世，除了〈我們的主題曲〉之外，還有鄭秀文的〈親密關係〉、蘇永康〈越吻越傷心〉、許志安〈真心真意〉、陳慧琳〈對你太在乎〉、張學友〈我應該〉、張柏芝〈任何天氣〉等，成績比他任主唱人要好。〈我們的主題曲〉取得四台排行榜冠軍，是鄭秀文第四度取得同等的佳績，它也於年度頒獎禮取得新城精選 104「金心情歌頒獎禮」十大本地金心情歌、有線「YMC 至尊榜總選」至尊最愛廣東歌和 RTHK「十大中文金曲頒獎音樂會」十大中文金曲。同年，華納推出《最後一次》三吋 CD，收錄了此由 David Ling Jr. 所編的「生活愉快版」，跳躍的節奏換來輕鬆的感覺，但破壞了原曲的美感；兩年後，鄭秀文的《我應該得到》國語專輯的香港版，收錄了同名國語版。

〈最後一次〉是鄭秀文手到拿來的抒情好歌，由陳偉堅作曲、林夕寫詞。陳偉堅知名的作品不算多，但跟鄭秀文有多首合拍之作，前作〈不拖不欠〉及〈加爾各答的天使——德蘭修女〉，均令人難忘。這歌雖然在流行榜成績平平，也不及〈我們的主題曲〉搶耳，但非常耐聽，而華納也為此曲推出三吋 CD。兩歌配合電影《愛你愛到殺死你》的情節發展，好有畫面；前者是片中鄭秀文與黎明開始交往的浪漫曲，後者是女主角承受瘋狂歌迷刺殺危機，致使在首個個

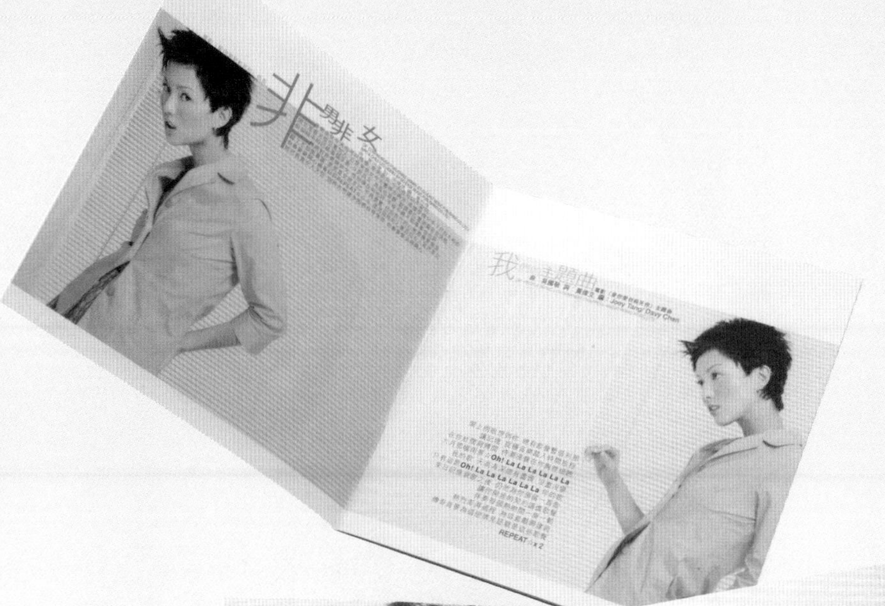

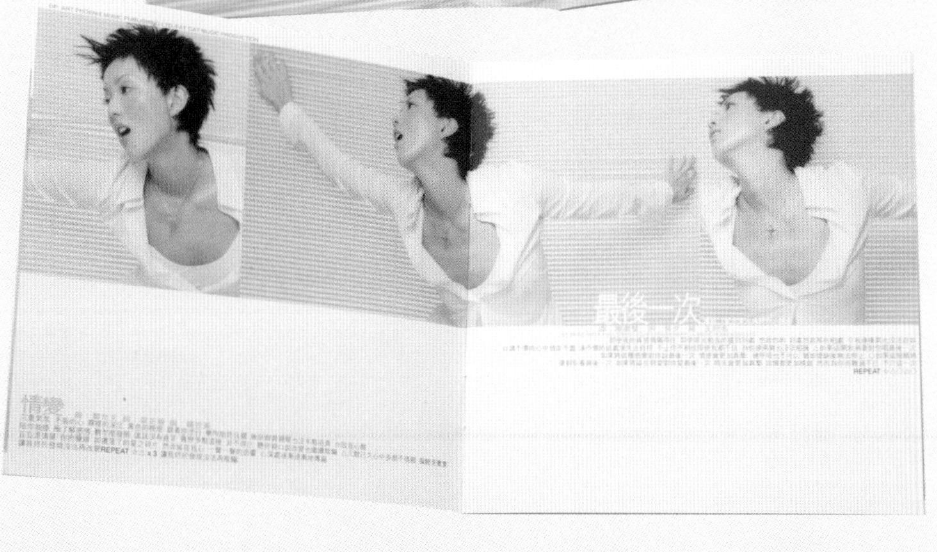

簡約的形象及歌詞書設計，令筆者愛不釋手。

人Mini Concert中，幾乎以〈最後一次〉為事業作結，替劇情增添感人的不捨效果。至於〈愛有甚麼用〉雖也是該電影插曲，但只用作女主角簽唱會的穿插歌曲，跟劇情拉不上甚麼關係；在該電影也出現過〈非男非女〉，只是在CD內沒有註明跟電影相關。

〈一夜成名〉屬商台的個人推介，雖然在四個傳媒電台中，只取得他們903流行榜第二位，強烈的節奏，配合舞台效果十足的歌詞，是優秀的演唱會主題曲，鄭秀文同類歌曲有前作〈X派對〉及之後的〈星「秀」傳說（Everyone is a Superstar）〉、〈發熱發亮〉和〈螢光粉紅〉等，但個人認為〈一夜成名〉如作為演唱會主題曲更討好。作曲人丁偉斌曾為鄭秀文寫過〈星「秀」傳說（Everyone is a Superstar）〉、〈表演時間〉、〈荒漠甘泉〉及〈原始武器〉等，主唱他的作品較多的有Cookies、Shine；其他合作歌手則有薛凱琪、鄭希怡和藍奕邦。

〈唉聲歎氣〉改編自法語作品*Un giorno senza te*，我經常覺得不為太多人明白的歐洲語言，其歌曲若改編為粵語或國語，都會倍增親切感，甚至比原唱的演繹多添一份細膩，如關淑怡的〈繾綣星光下〉、陳慧嫻的〈傻女〉，或這裏的〈唉聲歎氣〉都給我同一感覺。〈唉聲歎氣〉是我在主打歌以外非常喜愛之選，華納也為此曲拍下Karaoke MV。該年，資深歌手陳潔靈曾公開批評新一代歌手唱歌常有懶音，報界即把被批評對象跟火紅的鄭秀文拉上關係。事實上，當時鄭秀文的唱腔，這問題確比出道時嚴重，或許以此確立一個Signature唱腔，不過事後她確實在這方面做出改善。

〈女人本色〉是另一首為大眾熟悉的歌曲，因為它是TVB時裝警匪電視劇《陀槍師姐》的主題曲，由譚志偉與監製史丹利作曲、人山人海成員亞里安寫詞。因《陀槍師姐》劇集大受歡迎，TVB改為系列，及至二〇一〇年共開拍了五次，前四套均由鄭秀文主唱主題曲。或許因為我不愛看劇集，總覺〈女人本色〉比老套劇情要酷得多了，沒有劇情牽累，歌曲給人想像空間更多，但劇集歌確為專輯帶來一首唱片公司不用主動宣傳的入屋歌曲，實在何樂而不為。

現今唱片公司流行推出Hi-Fi碟，但實際上根本只是一堆翻唱到爛的口水歌，不及以前年代歌手翻唱舊歌帶來的新鮮感，甚至隨時為歌曲添上再流行的新生命。〈偶遇〉原是八十年代歌手林志美為電影《少女日記》主唱的主題曲，由當時她所屬的CBS/Sony唱片公司主理人及監製李雅桑（李添）所寫，歌詞是七八十年代炙手可熱的詞人鄭國江執筆，充滿少女情懷的夢幻。鄭秀文嗓子比較實在，更具現代感的情緒流露。她過去翻唱舊歌的例子也有〈一水隔天涯〉及〈問我〉，但以〈偶遇〉最得我心。

〈情變〉是前小島樂隊成員黎允文的作品，由才女作家梁芷珊寫一份很傷感的詞。黎允文前後經歷過兩代的小島樂隊及天織堂，往後多為電影配樂，他的流行曲作品不多，但間有佳作。〈不過〉是台灣創作才女陳小霞寫的，她為歌手們譜寫了許多不落俗套卻又很動人之作，其中版歌曲更經常成為點石成金的流行歌。兩曲雖然不屬主打，但為專輯帶來更多耐聽的元素。〈關心〉可能是全碟中我印象最淺的歌，但對滿籃子好歌的專輯來說，實在沒甚麼關係。

Muzikland
～後記～

早在華星年代，筆者也買過鄭秀文*Holiday*、*Never Too Late*、《Red Hot Hits火熱動感》及《大報復》等專輯。但談不上真的喜愛，大概也是人聽我聽，到Karaoke會熱唱的歌曲，有些流行之作如〈其實你心裏有沒有我〉、〈非一般愛火〉、〈火熱動感La La La〉及〈熱愛島〉等，我更是提不起半點興趣。當她離開舊東家時，華星唱片公司推出了《是時候新舊對照18首（新曲＋精選）》及《不要新舊對照17首（新曲＋精選）》，盡收其幾年間等熱門之最，非常熱賣，在我的音樂朋友圈中，都幾乎人人有一張在手。加盟華納的《捨不得你》也沒有得到我的歡心，但稍後的〈小心女人〉、〈放不低〉及〈不拖不欠〉是我對她改觀的轉捩點，但未幾又因為〈X派對〉或Nike眉毛形象令我冷卻下來。

當鄭秀文推出〈我們的主題曲〉專輯時，剛巧另一部門一位與我合作的同事買了，而我在公司有一面工作、一面聽歌的習慣，所以就問她借來聽聽。聽畢一次，感覺不錯，也就再播一次，順道錄在MD

《鄭秀文最好混音精選》及《華納非常有效Remix 16首》分別收錄了〈我們的主題曲（生活愉快版）〉及〈非男非女（Remix）〉。

（MiniDisc）中，但同事納悶為何我聽了一個多小時那麼久，也就跑過來追還。事實上當時，我買碟不少，縱然已把歌錄下了，未幾還是買了CD；而我也從《我們的主題曲》專輯，開始了購買鄭秀文粵語專輯的習慣至今。

鄭秀文的歌在Karaoke都是許多人搶咪高峰的爭唱之選，甚至可以說她有許多抒情歌都屬K歌一類，但我感覺跟一般K歌很不一樣，尤其在副歌起伏，都很容易令人留下深刻印象，卻絕不是只為討好Karaoke而製作的千篇一律之作。當然，在一九九六年起，她的事業發展除了音樂，也在電影投下重心，賣座的電影換來超強人氣及炙手可熱的電影歌，令她歌影兩面相得益彰。近年，她雖然減產，由於她的個人信仰、對人生的積極態度及處理婚姻危機等，都讓人對她喜愛程度有增無減，更何況出道二十年，她仍是唱片銷量保證的一線歌手及演唱會門票秒殺的天后。

華納為鄭秀文推出《我們的主題曲卡拉OK精選LD》，除了收錄專輯內〈我們的主題曲〉、〈非男非女〉、〈唉聲嘆氣〉、〈情變〉、〈最後一次〉、〈愛有甚麼用〉、〈偶遇〉及十七首舊作，讓粉絲收藏及在Karaoke唱過夠，為大碟多收另一面宣傳之效。

華納為《我們的主題曲》專輯推出了許多版本，包括稍後的CD+VCD特別版，追加了〈唉聲嘆氣〉及前國語專輯歌曲〈口紅〉兩支MV；另也在台灣、新加坡、韓國推出當地版，可見唱片公司對這張專輯的信心及重視程度。

幕後製作人員名單

Executive Producer: 李進
Producers: 史丹利 (2,4-12)/ 黃尚偉 (1,3)
Keyboard & Programming: Conrad Wong (1,3,12)/ 王利名 (4,6)/ 譚志偉 (4)/ 鍾世英 (5)/ Gary Tong(7,9,10)/ Perry Tam(8,11)/ Raymond Wong(11)
Drum: Davy Chan (2)
Bass: 何俊傑 (2)
Guitar: So Tak Wah(1,12)/ 神童 (3)/ 王利名 (4)/ 鍾世英 (5)/ Joey Tang(6,7,8,10)/ Raymond Wong(8,11)
Trumpet: Ernesto Herrera(1,12)
String: Tulloch Sound Recording Studio (2,5,6,9,11)/ Q-Sound Studio (Rob)/ Avon Studio (Sunny) (4,5,11)/ Avon Studio (Sum)(7)
Chorus: Patrick/ Albert(1,3,6,8,12)/ Nancy(1,3,6,8,9,12)/ Jackie(1,3,9,12)/ Isabella (6)/ Danny(6,8)/ Eddie(9)/ Patrick(9)
Recording Studio: Conrad Studio (Gara) (1,3,12)/ Avon Studio (Sunny) (1,3,4,12)/ GM Studio(Raymond)(4)/ Tong Lau Studio(Ming)(9)/ Avon Studio (John) (9)/ Tong Lau Studio(堅)(10)
Recording Engineers: Sunny/ David Sum/ 堅 / 亞明 / 銘 / Ako/ Gara/ Rob/ 雄 / Raymond Wong/ John
Mixing Engineers: David Ling Jr./ K. Y. Yuen
Agent: FM Management Ltd.
Marketing: Sandy Lai/ Wallace Hung
Promotions: Joyvia Luk/ Frances Chan/ Alice Lee/ Wallace Wai/ Letitia Leung
Public Affairs & Artiste Development Divison: Polly Pang/ Kitty Pang/ Joanna Chan
Creative & Post Production: Maria Lo/ Kam Hung
Special Thanks: Marianne Wong/ Vangie/ Elinor Yan

從《我們的主題曲》專輯衍生出來的兩張三吋CD，其中《最後一次》這一張收錄了特別版的〈我們的主題曲〉。

《非男非女》三吋 CD

01 **非男非女**
[曲：黃尚偉 詞：周禮茂 編：黃尚偉] 3:08

02 **非男非女（Karaoke）**
[曲：黃尚偉 詞：周禮茂 編：黃尚偉] 3:08

監製：史丹利
Keyboard & Programming: Conrad Wong
Guitar: So Tak Wah
Trumpet: Ernesto Herrera
Chorus: Patrick/ Albert/ Nancy/ Jackie
Recording Studio: Conrad Studio (Gara)/ Avon Studio (Sunny)
唱片編號：3984-20059-2
出版商：Warner Music (Hong Kong) Ltd, A Warner Group Company.
出版年份：1997

《最後一次》三吋 CD

01 **最後一次**
[曲：陳偉堅 詞：林夕 編：王利名] 3:49

02 **我們的主題曲（生活愉快版）**
[曲：吳國敬 詞：黃偉文 編：David Ling Jr.] 3:51

監製：史丹利
Keyboard & Programming: 王利名 (1)
Guitar: Joey Tang(1)
String: Tulloch Sound(1)
Chorus: Albert(1)/ Nancy(1)/ Danny(1)/ Isabella(1)
唱片編號：3984-20729-2
出版商：Warner Music (Hong Kong) Ltd, A Warner Group Company.
出版年份：1997

album

99

Frontcover

郭富城

愛的呼喚

Backcover

Info

出版商：Warner Music Hong Kong Ltd. A Warner Music Group Company.
出版年份：1997
監製：小美
唱片編號：0630-19629-2

Album & Cover Concept: 小美
Production Co-ordinator: Sugar Tong/ Eden Sung/ Garly Chan/ Chow Chu Fai
Image: Workshop Image by Siu May
Photographer: 張文華
Wardrobe: Vivienne Tam/ Green Peace/ 上海灘 / Lane Crawford
Design & Art Production: Acorn Design
Art Director: Frank Chan
Designer: Jim Leung
Make Up: May Akehurst De Visme
Hair Stylist: Ben Lee (Il Colpo/ Archrtech Studio)

1997

大碟

01 愛的呼喚
［曲／編：譚國政 詞：小美］3:51

02 有效日期
［曲／編：譚國政 詞：林夕］3:16

03 複製靈魂
［曲／編：譚國政 詞：小美］3:50

04 是最好人生
［曲／編：黃尚偉 詞：小美］3:35

05 戰鼓
［曲／編：Joey Tang（鄧建明）／
C. Y. Kong （江志仁）詞：林振強］4:06

06 我抱歉
［曲／編：伍樂城 詞：林夕］3:40

07 在懷念妳（還需勇氣）
［曲／詞：Marti Sharron/ Albert Hammond
改編詞：小美 編：廿力］5:12
OT: Just Walk Away (Celine Dion/1995/Epic)

08 花
［曲／編：C. Y. Kong （江志仁）詞：黃偉文］4:35

09 心頭好
［曲／編：金小兵 詞：林夕］3:51

10 生日禮物
［曲：黃文廣 詞：林夕 編：鍾世英］3:52

11 愛的呼喚（國語版）
［曲／詞：譚國政／小美
改編詞：小美 編：譚國政］3:51

12 分享愛Remix (Santana Bom Bom Mix)
［曲／編：譚國政 詞：何啟弘］4:30

13 分享愛 Remix (Amazing Mix)
［曲／編：譚國政 詞：何啟弘］3:11

本是TVB舞蹈員的郭富城，輾轉間成為藝員。一九九〇年，因為一支台灣光陽機車廣告，憑着俊朗的外型、濕漉頭髮及迷人的微笑，令萬千少女為之傾倒，一夜間成為台灣家傳戶曉的廣告新星。同年九月，首張國語專輯《對你愛不完》大賣六十萬張，這股人氣，讓他紅回香港來。未幾，更被傳媒把他與張學友、劉德華和黎明譽為「四大天王」。一九九七年的《愛的呼喚》已是他出道以來第三十張專輯了。

九十年代初，和記天地綫和其士步步通推出的第二代手提電話爭個你死我活，雖然和記以黎明為主角的廣告及廣告歌大收旺場，但科技迅速發展，一九九六年已進入普及的雙向（即能打出又能接收）手提電話世界。一九九六年，CSL成立了One2Free流動通訊網絡，於一九九七年六月邀請郭富城拍攝香港政權移交為題的廣告，並主唱了該支廣告主題曲〈愛的呼喚〉。

還有人記得當時One2Free的廣告分四集嗎？郭富城飾演記者Roy，要在重要採訪與挽留在機場離開在即的愛人Ivy（蒙嘉慧）之間作出抉擇，片尾有匯應通提供，讓觀眾以「自由易」為Roy決定下一支廣告的劇情，還有機會免費任選手機及全年免費通話。第二集是Roy正開始與新歡Gigi交往，享受自由天地，結果離港的Ivy回電，那麼Roy是否要在Gigi面前接聽電話呢？片尾順道宣傳流動通訊服務，試完上台還有優惠。第三集是Roy選擇了Gigi，拒絕與Ivy復合；第四集就是Roy展開與Gigi未完的故事。唱片公司推出的MV，可完整地欣賞到整個故事劇情。這支動聽的廣告歌〈愛的呼喚〉，由譚國政作曲，小美填詞。譚國政早期為飛圖卡拉OK編曲，後來在寶麗金發表第一首作品，便是為草蜢的〈忘情森巴舞〉編曲，他與楊振龍和Patrick Delay組成的團隊，構成了九十年代的香港樂壇很重要的方塊。他與郭富城第一次合作始於一九九四年的〈鐵幕誘惑〉，即為他換來第一首四台冠軍歌，接下來〈望鄉〉、〈失憶（諒解）備忘錄〉、〈化裝舞會〉、〈分享愛〉等，均是冠軍力作。〈愛的呼喚〉改走抒情路線，配合不惜成本的龐大廣告宣傳，不用片刻即成為了郭富城深入民心之作。此曲分別在TVB勁歌金曲及RTHK成冠，可惜在商台903僅得第二。專輯內也搶先收錄了國語版，同由小美負責歌詞。特別一提，郭富城首次升任馬主，其愛駒便命名為「愛的呼喚」，自二〇一二年起出賽，累積獎金達二百二十萬元，於二〇一六年退役。

這張專輯的第一主打，其實不是標題歌〈愛的呼喚〉，華納先以一首快歌〈有效日期〉作主打，它由譚國政作曲、林夕寫詞。內容可以放在一對愛侶身上，但其實跟臨近香港回歸的社會氣氛很貼近。郭富城不但換上新唱腔，好Cool，同時在MV中也梳了一個很懷舊的傻仔頭髮型，很突出，但確實浪費了他的一張俊臉。在MV裏，用了許多很香港地道的環境照片，為郭富城的動作配上背景，相信導演是想更形象化地展現歌詞內容。郭富城那幾年密集式地勇奪各大流行榜冠軍，〈有效日期〉也不負大眾所望，成為他另一首四台冠軍歌。華納稍後推出了Remix版，收錄在《華納非常有效Remix 16首》合輯，並以這歌為賣點。把原曲換上很Heavy Rock的節奏，同時也把他的聲音Synthesize化，是一個很特別的版本。

《愛的呼喚》的包裝頗為複雜，除了火柴盒紙套，膠盒再有不同的封面及封底，CD 也用上圖案印刷。

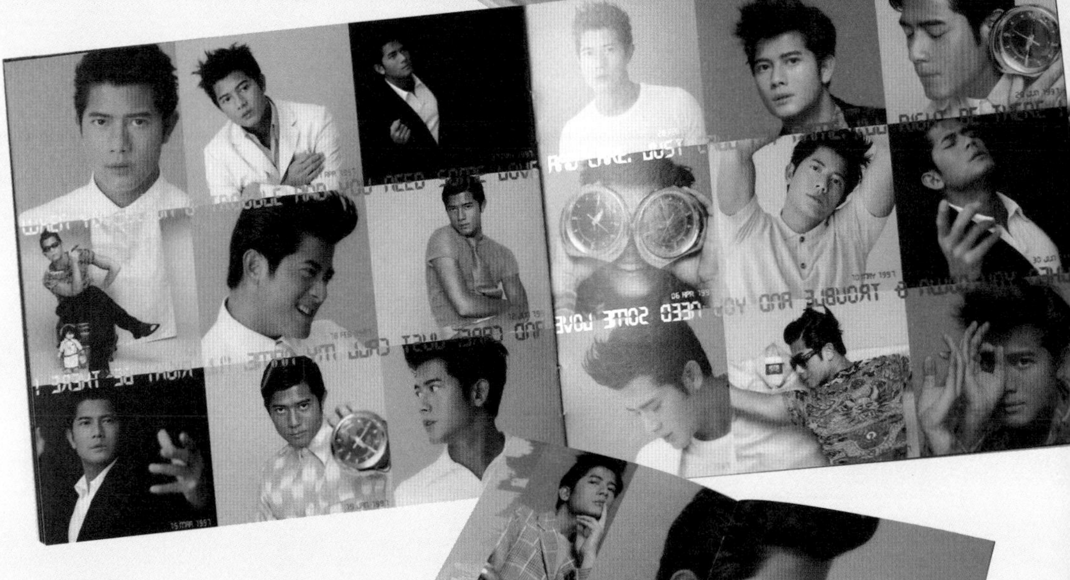

除了歌詞摺頁，還有十二頁精美彩色寫真集，郭富城換上十多個造型。鐵粉一定超愛！

密集式推出唱片，換來一張延伸了另一張，是九十年代港台兩地發展歌手的一種特色，再不是八十年代每張專輯都屬獨立案子般簡單。《誰會記得我》國語專輯裏的〈分享愛〉、《華納非常有效 Remix 16 首》的〈有效日期 Remix〉及本專輯搶先收錄了下一張國語專輯《愛定你》的國語版〈愛的呼喚〉，使得好幾張專輯都有密切關係。

第三首主打〈複製靈魂〉，仍是譚國政的作品，而且跟上述歌曲統統放在 CD 前三首位置，可見譚國政受重任的程度。這首電子作品帶點 Trip-Hop 曲風，編曲非常豐富，由小美填詞，郭富城用了低沉的聲線演繹，活像一個沒有思想主導的靈魂，效果不錯。可惜這曲只換來 RTHK 第十三位，成績平平。MV 請來了影星舒淇客串演出，他倆稍後於電影《風雲：雄霸天下》正式合作。

至於其他歌曲，參與作曲的還有黃尚偉、鄧建明、江志仁、伍樂城、金小兵和黃文廣，除了〈戰鼓〉，其餘均是抒情之作。〈戰鼓〉由鄧建明與江志仁合力創作及編曲，很英倫的曲風，並由林振強寫下非常勵志的歌詞。以鼓聲為主要節奏，配上鄧建明的結他伴奏及合音，令人醒神。由黃尚偉兼任作曲編曲的〈是最好人生〉同樣有點英倫曲風，編曲更有一點點 The Beatles *Strawberry Fields Forever* 的影子，由小美寫下陶醉於愛戀的主題。

〈我抱歉〉由伍樂城作曲，他當時尚是新進的音樂人，先開始編曲，並多為鄭伊健寫歌，同期他也為

小美工作室旗下新人蔡安蕎編曲。〈我抱歉〉雖屬一貫的流行曲曲式，但可聽性甚高，或許因為屬新人的作品，沒有受到重視。〈花〉由江志仁作曲，黃偉文以花命名，但這個花卻不是花卉，而是花費的意思，訴說一段令人傷感的愛戀。另有以〈無止境的心痛〉讓人注意的黃文廣寫了〈生日禮物〉，及金小兵的〈心頭好〉，均由林夕填詞。個人較喜歡後者，一首以結他為主奏的輕鬆作品，雖然郭富城用上慵懶的聲調去演繹，但歌曲卻令人溫暖在心頭。

《愛的呼喚》全碟以原創歌為主，但唯獨一首由小美填詞的〈在懷念妳（還需勇氣）〉是改編歌。懷念不是對方已死去，而是分手後，實在仍放不下。想不到原曲來自加拿大巨肺歌手 Celine Dion。

最後一提是兩首 Bonus Track Remix，同是〈分享愛〉的特別混音。此曲取自郭富城兩個月前推出的國語專輯《誰會記得我》，在 RTHK、新城 997 及 TVB 勁歌金曲均成冠，郭富城當時發片非常密集，在這裏多玩了兩個新混音，大概也為剛推出的國語專輯加一把勁宣傳。Amazing Mix 偏重冷冷的電子編曲，

跟歌曲風熱鬧感有點配不上來；至於 Santana Bom Bom Mix 使用 Carlos Santana 的招牌結他彈奏方法，還有模仿他們早期 *Black Magic Woman/ Oye Coma Va* 的鼓聲及 Organ，極具玩味，跟那 Cha Cha 輕鬆節奏，非常匹配，效果猶勝〈分享愛〉首版。

細心留意，這張專輯除了一大串監製名字，原來也有麥潔文出任 Vocal Producer，還有一位國語老師指導。已貴為天王的他，仍然很努力在唱功上，實在值得為他鼓掌！

Muzikland ～後記～

九十年代四大天王之中，郭富城可能是筆者最少注意的一位，或者因為當時太鍾情於寶麗金的製作及錄音，因為張學友、黎明均是寶麗金歌手，至於劉德華所屬的寶藝星也是寶系的合資公司。以知名度及起跑線，郭富城是最遲那一位。雖然他首張專輯於一九九〇年在台灣甫推出即大賣六十萬張，但回流香港找到唱片公司，已是一九九二年的事，當時其餘三位天王均有一大堆代表作了。但觀乎他幾年間密集的發片程度及流行榜成績，可見他在努力下後來追上，大受歡迎。光由一九九〇年至《愛的呼喚》推出，短短七年間冠軍歌達二十七首，其中同時橫掃各台的冠軍歌，連十隻手指也數不完。

從出道以來，一直都有聽他的歌，當時身在澳門工作的筆者，有次香港好友於週末來訪，竟然帶來郭富城的最新 CD《我是不是該安靜的走開》，我還笑說：「對呀，你該安靜的死開就是了。」友人氣爆！首張專輯的郭富城，唱功實在很幼嫩，後來老牌歌星潘秀瓊還曾批評他的國語，不曉得他在唱甚麼。所以最初，郭富城很偏重舞曲，因為四大天王之中，以他的舞蹈根底最好。他的歌首次喚起我的注意，是一張三吋CD裏的〈望鄉〉，鄉土主題，用上很宮崎駿的久石讓配樂曲式。後來，以個人精選去認識他的歌，我尤喜歡近似電影《危險人物》（*Pulp Fiction*）感覺的《失憶（諒解）備忘錄》，這才發現他的舞曲變化多端，難怪許多朋友都大讚他的演唱會非常精采。至於他的抒情歌，也是一張專輯比一張進步，這張抒情歌較多的《愛的呼喚》更可證明這一點。

幕後製作人員名單

Executive Producer: 小美
Producers: Davy Tam/ 小美 / C. Y. Kong(5,8)/ Conrad Wong(4)/ Aaron Kwok(1-13)
Vocal Producers: Mak Kit Man/ 宋介芬老師(國語指導)
Musicians: Barry Chung/lErVigi/Tony Yapp/ Joey Tang/Danny/titAV Davy Tam/td`FEi Chorus : Barry Chung/ 甘志偉 / Tony Yapp/ Joey Tang/ Danny/ 鍾世英 / Davy Tam/ 金小兵
Chorus: Barry Chung/ Tam Sik Hay/ Silver Koo/ 大 May/ Danny
Special Thanks: Joey Tang (5) 戰鼓和諧與結他伴奏
Studio:
Recording Studio: 唐樓 (5-6, 8-10)/ D&M Studio (1-4,7,11-13)
Mixing Studio: Q Sound (2)/ D&M Studio (1,3-13)
Mixing Engineer: Frankie - Q Sound (2)/ Beta Soul - D&M Studio (1,3-13)
Mastering: Anthony (Avon Studio)
Promotion: Radio - Joyvia Luk/ Alice Lee/ Letitia Leung
T.V. - Frances Chan/ Wallace Wai
Marketing: Sandy Lai/ Wallace Hung
Post Production: Maria Lo
Choreographer: Sunny Wong
Asst. Choreo: Franky Chow
Articles: 席清漣
Management: 小美工作室 (First Strong Workshop Ltd)
Consultant: Frankie Lee

Frontcover

100 album

盧巧音

不需要… 完美得可怕

Backcover

Info

出版商：Columbia/Sony Music Entertainment (Hong Kong) Ltd
出版年份：1998
監製：陳輝陽
唱片編號：SML 6058.2

Concepts: Garman Fong/ Candy Lo
Image Direction: Concept Team Productions Ltd.
Art Direction: Garman Fong/ Chantal Cansier
Styling: Candy Lo/ Esther Leung
Photography: Guy Bertrand
Hair & Makeup: Denise Toms
Cover & Jacket: Marc & Chantal Design Ltd.

1998

Tracklist

EP

01　800 伴
［曲 / 編：Keith Chan（陳輝陽）
詞：Wyman Wong（黃偉文）］3:38

02　自戀影院
［曲 / 編：Keith Chan（陳輝陽）
詞：Wyman Wong（黃偉文）］3:38

03　垃圾
［曲：Keith Chan（陳輝陽）
詞：Wyman Wong（黃偉文）
編：Ted Lo/ Keith Chan］3:42

04　沮喪
［曲：Jonathan Lee（李伯健）
詞：Wyman Wong（黃偉文）
編：Pete Lewis］3:20

05　唱你
［曲：Keith Chan（陳輝陽）/ Candy Lo（盧巧音）
詞：Wyman Wong（黃偉文）
編：Keith Chan］3:42

在音樂雜誌尚有號召力的年代，每當遇上週年號，大大小小唱片公司都會紛紛送上祝賀廣告，順道宣傳新唱片，又或是「曬冷」旗下有些甚麼歌手，有時甚至會給新簽新人首度曝光。我已忘了確實的年份，Sony 唱片公司在某一份音樂雜誌的祝賀廣告，就包括了一個很陌生的名字—— Candy Lo。

那個年代，儘管新人有洋名，但都以中文作為官方名字。一個簡單又平淡不過的名字，到底這位 Candy Lo 是何許人呢？後來，Sony 推出了她的首張 EP，才曉得 Candy Lo 名叫盧巧音。

盧巧音是一位七十後的歌手，童年時雙親都忙於工作，連姊姊為了幫忙生計，也早就出外謀生，家裏大多剩下她一個。藉着收音機播放，八十年代流行 New Romantic，也就是盧巧音最初接觸的音樂。九十年代，她常為 Black & Blue 樂隊合音及打搖鼓；後來乾脆加入成為一員，使得這隊由 Charles Chan、Brian、朱仔及楓四個男孩子組成的獨立樂隊，演變為一男一女雙主唱的樂隊。Black & Blue 先後於一九九五年及一九九六年推出了 *Hope In Just One*

Day 及《藍與黑》兩張專輯，分別由 Anodize 樂隊的鼓手 Davy Chan（陳匡榮）及台灣音樂人林強監製。當時，《藍與黑》由 Sony 唱片發行，Charles Chan 也在該公司 A&R 部門工作，職責是為公司尋找有潛質的歌手，於是未幾盧巧音似是順理成章簽約 Sony 作獨立發展，並於一九九八年推出《不需要…完美得可怕》EP。

《不需要…完美得可怕》標題取自〈垃圾〉一曲的歌詞，由陳輝陽與盧巧音聯合監製。年前陳輝陽為王菲寫了一首〈暗湧〉，並於一九九七年與余力姬及太極的御用詞人因葵合組過余力機構樂隊。不管台前或幕後均沒有甚麼名氣，於是就只能以五首歌的 EP 形式製作，陳輝陽寫了四首歌，全碟由黃偉文寫詞；可是一張 EP 竟然有四首主打歌，這實屬很罕見，但細心留意流行榜紀錄，不難發現商台特別為盧巧音加力，她更取得一九九八年商業電台「叱咤樂壇流行榜頒獎典禮」叱咤樂壇生力軍金獎。

〈800 伴〉在商台 903 流行榜取得第六位，名字取材於日本百貨公司 Yaohan 八佰伴，它早於一九三〇年在日本初賣水果為業，八十年代著名日劇《おしん》（即《阿信的故事》），就是記述這家百貨店老闆娘和田加津的生平故事。至於香港八佰伴於一九八四年開業，及至一九九七年全線結業，是香港人一個集體回憶。歌曲談及雖有好友八百個，但遇到寂寞晚上時，卻落得孤單一個。有人試過滑自己的手機時，聯絡簿的朋友雖多，Facebook 好友數千，卻在困境或寂寞時，沒找到一個合適的朋友幫忙或相伴麼？調子屬輕快的 Band Sound，卻沒半點寂寞氛圍，屬自嘲式的諷刺。

若喜歡英國樂隊 Portishead，對〈自戀影院〉的 Trip-Hop 曲式自然不會陌生，但此曲加入了 Latin 的 Flamenco 音樂元素。「想盡慶，何用世間證明，愈繁華愈冷清，這夜我寂寞但高興，我孤身隻影，銀幕照出雙倍感情，就此不必再用，自己與別人換愛情」；表面上好像是自我獨陶醉，但配上急促呼吸音效，令人想到更誘惑、想入非非的一面，或許就是一九八六年電影《九個半星期》（*9½ Weeks*）女主角 Kim Basinger 按着幻燈機，愈按愈興奮的一幕吧。

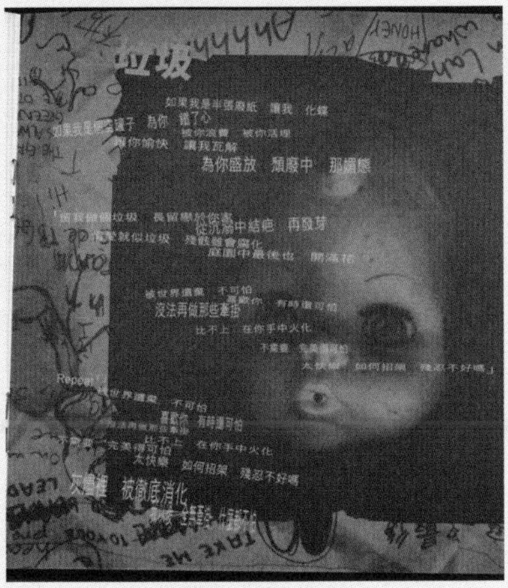

翻開歌詞冊〈垃圾〉一頁，原來跟 MV 表達的意思是互相呼應的。

《不需要…完美得可怕》EP 的歌詞冊，藏着一股深沉的感覺。

〈垃圾〉MV 畫面，讓人了解到它不止於慘情歌那麼簡單。

在 Studio 拍下錄音情況的〈自戀影院〉MV，不時有盧巧音的大頭照。我得承認，她的美，也是吸引我注意的一個因素。

〈自戀影院〉分別在商台 903 及新城 997 的流行榜取得第三及第四。

〈垃圾〉是筆者最初接觸盧巧音，一聽就喜歡到不得了的歌曲，甚至愛那令人沉溺的頹廢。據說這歌的成功，讓作曲人陳輝陽非常迷戀製作時它的旋律及音效，所以他跟黃偉文約定，以〈垃圾〉的音效，再跟不同的女歌手合作，製成垃圾系列五部曲。不過，事到如今，只有四首面世，分別是〈垃圾〉、一九九九年高雪嵐（後來改用真名傅珮嘉，近年再改傅又宣）的〈絕〉、二〇〇〇年彭羚和黃耀明合唱的〈漩渦〉，以及二〇一〇年容祖兒的〈破相〉。明明被愛人遺棄，但仍情願成為愛人家裏的空罐子、半張廢紙，更或是垃圾，是一種已陷入自暴自棄，更或是自毀的痴戀。若說這只是一首失戀的慘情歌，但看畢方加文和方偉忠導演的 MV，會令人有更意想不到的詮譯。MV 由盧巧音親自主演，身處凌亂的故居中，在恍似回憶的片段裏，出現一個正在撕廢紙的小女孩，又有旋轉木馬及八米厘放映機，這就有另一種解讀——家暴；這實在比遭受愛侶遺棄更震撼！〈垃圾〉是這 EP 的主打歌中成績最好的歌曲，分別在商台 903 及新城 997 的流行榜取得第三及第二。盧巧音稍後於一九九九年的《貼近》專輯，演唱了分別由劉志遠及周耀輝重新編曲及填詞的國語版〈麻醉〉，但效果遠比原曲〈垃圾〉遜色。

〈唱你〉加入了盧巧音，跟陳輝陽一起作曲，每人都有自己的故事，由自己唱、隨便唱、胡亂唱，或由人代唱，若想唱的話，那麼自己的故事就可以唱成樂章。這可能是 EP 中最勵志正面的歌曲，但這也是唯一沒有成為主打的歌曲。

最後要提的，碟中唯一不屬陳輝陽作品的〈沮喪〉，由 Jonathan Lee 作曲。起初看到這洋名，還以為是李宗盛的作品，但又記不起是哪首李氏作品原作，後來才曉得那是另有其人。這位 Jonathan Lee 名叫李伯健，他的作品不多，之後曾主唱過他作品的有楊千嬅、羅嘉良、彭佳慧、張智霖、林依輪、容祖兒、方皓玟和梁詠琪等。〈沮喪〉曾攀到商台 903 流行榜第十四位。

Muzikland ～後記～

最初看到雜誌廣告預告新人 Candy Lo，實在沒有留下多少好感，或許唱片公司想給人留下簡單易記的名字，但我覺得名字太平凡了，欠缺獨特性，至少也應讓人先認識她的中文名吧？陷於這種陌生的抗拒感，完全因為我沒有聽過 Black & Blue。後來，因為她的〈好心分手〉太紅了，滾石突然推出〈盧巧音 My Collection〉，才曉得那一堆歌曲就是 Black & Blue 時期的錄音。盧巧音在完全不知情下，對此曾有點微言，怎麼連知會一聲也欠奉。二〇〇八年初，盧巧音與 Black & Blue 在藝穗會舉行了一場復合演唱會，似乎這些瑣碎事，沒有影響團員間彼此的友情。盧巧音曾在訪問中談及，若給她回到以前，她會選擇一九六九越戰之後的年代，又或是九十年代 Rave Party 出現前她組團的年代，可見她對 Black & Blue 有幾分懷念。

筆者對於〈垃圾〉有着一見鍾情的偏愛，乃因旋律動聽，而那慘情的歌詞，也入心入肺。瞄一下 Musicians 名單，竟然邀來 HKPO（香港管弦樂團）的成員演奏，連古典音樂小提琴家都肯出手相助流行音樂，可見這位新人殊不簡單（至少當時我這樣想）。盧巧音獨特的嗓子，也是深深吸引我的原因。若你聆聽她在 Black & Blue 時期的作品，她的嗓音介乎 Sinéad O'Connor 與 The Cranberries 樂隊主音 Dolores O'Riordan，確實迷人，就算往後她的成功單飛，仍蓋不過她出身樂團的獨特性。在《不需要⋯完美得可怕》EP 中，可見她的高度參與，包括寫歌、合音編排、演奏，甚至還有造型及製作概念構思等。雖然我很喜歡盧巧音，但我得說她並不是唱功好的歌手，好幾次見她上電視宣傳，又是在演唱會唱〈垃圾〉，也欠缺細膩的感情，間或還會走音，我也會有點失望；但在錄音室版本，卻在淡然間流露着悲傷，使被感動的人產生共鳴之餘，不能自拔。若跟之後的〈好心分手〉比較，我直認我更愛〈垃圾〉，而她的獨特嗓音也讓我此後追隨着她每一張專輯。

一九九八年，盧巧音推出首張專輯 *Miao...*，新歌白版碟《不如睡一睡》，特別收錄了〈垃圾〉一曲。跟 EP 中的版本，沒有不一樣，就是因為太喜歡這首歌，而想收藏這張 Promotion Single。記得當天，還專程跟公司請了兩個小時假，上班前到尖沙咀 Sony 的辦公室索取。

盧巧音未單飛前，兩張所屬 Black & Blue 樂隊的專輯 *Hope in Just One Day*（左）和《藍與黑》（中）。最右一張是她憑〈好心分手〉爆紅後，由滾石推出的《盧巧音 My Collection》，收錄她在 Black & Blue 樂隊主唱的舊作。

幕後製作人員名單

All songs produced: Keith Chan（陳輝陽）
Co-produced: Candy Lo
Background Vocals: Candy Lo (1-5)
Rhythm GTR: Candy Lo (1)/ Yin (4)
Chorus GTR: Yan Ng (3,5)
Acoustic & Distortion: Yin (1)
Drums: June (1,4)
Drum Programming: Hidetake Yamakaw (1)
Bass: Ho Chun Kit (1,3-5)
Treated Samples: Keith Chan(1,3,4)/ Yan Ng(5)
Treated Bass: Yan (2)
Harp: Ann Wong (3)
All Syn Programming: Pete Lewis (1,4)/ Keith Chan (1,3,5)
Chorus Arrangement: Pete Lewis(1)/ Candy Lo (1,2,4-5)/ Keith Chan (2,4-5)
Strings: Hong Kong String Quartet (2)/ Memebers of Hong Kong Philharmonic (First Violin: Wong Sze-Hang) (3,5)
String Arranged & Conducted by Keith Chan (2)/ Ted Lo(3,5)
Mixed by KY (1,4)/ 5913 1367 2799(2)/ Noise Control (3,5)
MV Production: Concept Team Productions Ltd.
All tracks recorded and mixed at Tang Lou
Tracking and Vocal Engineer: Owen Lui
Executive Producer: Sonya Ho-Asjoe
A&R Director: Vincent Ma
A&R. Chan Sau Pok/ Charles Chan
Promotion: Peter Jeng/ Philip Tam/ Wong Kwok Wai/ Andy Liu/ Beatrice Li/ Belle Lok Management: Sole Entertainment Ltd.
To contact Candy, email at soleent@netfront.net

Special thanks to:
Tim & his family, Tammy & Thomas, Keith, Ka Yeung, Uncle Kin, Vincent, Peter, Philip, Ah B, Money & Z, Denise Toms, Garman, Sonya, Randy, Yin, Paul Wong, Don Ding, Wyman, Christ Yip, Miranda & John, Yan, Ida, Judy & Ben, Joe & Christy, Teresa Fok, Fung, Charles, Brian, Chu, Edmund, Jojo Hu & her body guard, sis Carrie, bro Edwin, Pa & Ma, Alice, Alvin, Tina Worsley, Michael, Emile, Shun, Ming, Kelly & Bill, Ivy, Ms Mary Leung, Ms Helen Wong, Ki Yan, Luckyman, the Excreman, Ronnie, Even & Ms Hung Wing-Sheung

Thanks to all at Sony Music and Tang Lou

Thanks to all musicians involved

Extra thanks to Ted Lo and members of the Hong Kong Philharmonic for strings conduction and orchestration

Frontcover

101

album

陳奕迅

天佑愛人

Backcover

Info

出版商：Capital Artists Ltd.　監製：王紀華、蔡一智
出版年份：1999　唱片編號：CD-42 1281

Art Direction: 蔡一智 for Double C Music Group
Photography: 張文華
Make Up: Zing at Zing Productions
Hair Styling: Helen Wong At Beijing Hair Culture
Graphic Design: K for Double X Workshop
Jacket Production: Double X Workshop
Special Thanks To Ken Of X Game For His Time And The Beautiful Japanese Girl
*Ms Kabo For A Fantastic Snapshot Of The Big Blue Sky

1999

大碟

01 昨日
［曲／編：陳美鳳 詞：林振強］4:23

02 今日
［曲／編：柳重言 詞：林振強］4:30

03 每一個明天
［曲：柳重言 詞：林振強
編：柳重言 / Anthony Chu］4:25

04 眼眉調
［曲：史丹利 詞：周耀輝 編：溫應鴻］5:08

05 一
［曲：謝霆鋒 詞：黃偉文 編：李漢金］4:20

06 第五個現代化
［曲：蔡一智 for Double C Music Group
詞：周耀輝 編：王雙駿 for Double C Music Group］3:24

07 快高長大
［曲：蔡一智 for Double C Music Group
詞：周耀輝 編：王雙駿 for Double C Music Group］3:55

08 如果這一秒鐘你跟我講你不愛我
［曲：蔡一智 for Double C Music Group
詞：黃偉文 編：王雙駿 for Double C Music Group］4:05

09 我的世界末日
［曲／編：王雙駿 for Double C Music Group
詞：周耀輝］5:30

10 貝多芬與我
［曲：Eric Kwok 詞：黃偉文 編：陳嘉樂］3:20

從一九七四年香港的粵語流行曲興起，每個年代都有許多極具代表性的歌手出現，但來到九十年代末，我想陳奕迅會是千禧前我最後喜歡的男歌手。一九九九年，他推出的《天佑愛人》，是一張我愛不釋手的專輯，這也是他的第五張、並且擁有最多主打歌的粵語專輯之一，達五首之數。

《天佑愛人》專輯推出時，早已是CD年代，不過仍有推出錄音帶，跟唱片一樣分A/B Side，才於十首收錄歌曲，顯出一道分水嶺，第一面及第二面分別由王紀華和蔡一智監製。王紀華製作的歌曲，主要使用柳重言的作品，其餘還有陳美鳳、史丹利和謝霆鋒。至於蔡一智，則用了三首自己的作品，另有王雙駿和Eric Kwok（郭偉亮）各一首。

〈昨日〉、〈今日〉和〈每一個明天〉三首歌恍似是三部曲為專輯揭開序幕，全數由林振強寫詞，不難發現這是一個很刻意的安排。〈昨日〉由陳美鳳作曲、編曲，她的名字常見於唱片的合音團，也曾為一連串迪士尼電影擔任幕後代唱，她既作曲，也填詞，但作品少被唱片公司看重為主打歌。林振強配上陳美鳳的輕爵士樂曲調，以輕鬆的心情回望昨天。記得林憶蓮在離開華納前，推出在兩張一動一靜的精選，分別為《回憶總是溫柔的》和《回憶總是跳躍的》，這兩個標題給筆者留下非常深刻的印象。過分懷舊是痛苦的，那是不可能抓回來的時光，若以開心的心情回望，那就成為〈今日〉繼續大踏步向前走的動力，縱使你今日面對困境，倦透了，就如林振強所言：「抬頭吧黑暗過會是晨曦，懷着樂觀總有轉機，今天珍惜今天，逢凝望我心所愛的你，能翱翔天和地……」這份對人生的勉勵，到今天仍讓人非常受用。〈今日〉由柳重言作曲、編曲，在商台 903 取得兩星期冠軍，在 RTHK、新城 997 及 TVB 勁歌金曲分別取得第七、第十及第三。

勉勵加力之後，〈每一個明天〉就是面對未來的期望。開首由兒童合唱團與歌者一起合唱，猶如一首讚頌歌，畫面非常優美。陳奕迅曾在訪問透露，他跟林振強未曾碰過面，但歌裏有一句歌詞「無問獅子雙魚，前面有沒有驚喜」，給他暗藏的想像空間：因為他是獅子座，而當時正跟雙魚座的徐濠縈交往（兩人於二〇〇六年結婚）。〈每一個明天〉由柳重言作曲，並加入褚鎮東一起編曲。柳重言早於一九八八年已有作品面世，但較為人熟悉的創作，要到〈今天等我來〉、〈天下無雙〉及這裏的〈今日〉、〈每一個明天〉才開始，二〇〇一年陳奕迅再主唱的〈單車〉，也是樂迷們力讚的好歌。至於褚鎮東於一九九六年回港，最初為電影配樂，他往後曾憑《大丈夫》（二〇〇三）、《三岔口》（二〇〇五）及《男兒本色》（二〇〇七）三度獲得金馬獎最佳原創電影音樂的提名；他是一位很出色的琴鍵手，編曲作品不下一百首。〈每一個明天〉在商台 903 及 RTHK 均取得冠軍佳績，在新城 997 及 TVB 勁歌金曲則取得第三及第二。華星唱片於一九九六年賣給南華早報集團，不難發現脫離 TVB 姊妹公司關係後，TVB 也沒有把陳奕迅力捧。

〈眼眉調〉由史丹利作曲，並由周耀輝填詞，雖然是使用了輕爵士樂作曲式，歌詞中也出現了十二次「笑」，其實是一首失戀歌，在笑中反射了對舊情的失落，愈笑愈悲、愈笑愈苦。〈一〉由謝霆鋒作曲，黃偉文寫詞。陳奕迅早年和謝霆鋒是好兄弟，私交

CD 設計以藍色配合白雲為主調，有種寄望明天的感覺。標題《天佑愛人》取自〈每一個明天〉的歌詞。

整體的設計也不如往後的複雜，傳統 CD 盒加火柴套，配上歌詞紙摺頁，用上十六張陳奕迅滑水的動感照片。

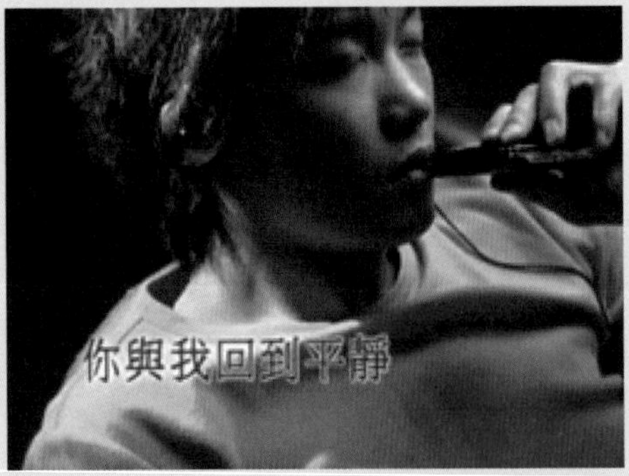

華星為《天佑愛人》專輯拍下了三支 MV，但〈今日〉和〈每一個明天〉卻用上多個共用畫面，不曉得是否在強調兩歌的關係。至於〈貝多芬與我〉的 MV，則較配合歌詞的音樂性，畫面上陳奕迅手持的，是那年代的音樂潮物 MD（MiniDisc），流行於九十年代中至千禧年代初。

甚篤，在下一張專輯《幸福》，也翻唱了對方的 Hit Song〈非走不可〉，及至二〇一五年的《準備中》，兩人再合作了〈起點．終站〉。

五首歌曲後，轉來由草蜢成員蔡一智操刀的部分，他與王雙駿合組 Double C Music Group，因為兩人的洋名分別是 Calvin 和 Carl。剛開始時，蔡一智為草蜢、陳奕迅和梅艷芳等擔任製作，在這張專輯，他貢獻了三首作品〈第五個現代化〉、〈快高長大〉和〈貝多芬與我〉，並由王雙駿同時參與。〈第五個現代化〉是碟中唯一舞曲，衛星通訊方便，微波即興即熱，寫詞的周耀輝於字裏行間質疑愛情是否可被現代化？這歌獲商台 903 青睞，取得冠軍寶座。〈快高長大〉由林夕寫詞，屬一首示愛的冧歌，取得商台 903 排行榜第三位，十九年後林夕再寫了一首同名的〈快高長大〉，由內地歌手汪晨蕊主唱。〈如果這一秒鐘你跟我講你不愛我〉由黃偉文填詞，錄音室版本聽起來較為平淡，但在二〇〇六年 *Get A Life* 演唱會的狂野版本，則顯出這歌的張力，脫胎換骨的新版，令人重新注意這 Side Track。十四字的歌名會讓你一字不漏的記起來麼？至於〈我的世界末日〉，由王雙駿作曲、編曲，並由周耀輝填詞，可惜旋律跟英國樂隊 Super Furry Animals 的 B-Side 歌曲 *Dim Bendith* 相似度奇高，更被視為抄歌事件。

最後一提是由 Eric Kwok（郭偉亮）作曲、黃偉文填詞的〈貝多芬與我〉。Eric Kwok 是現今非常知名的創作人及音樂監製，早在一九九七年與 Jerald（陳哲廬）合組 Snowman，即 Swing 的前身。〈貝多芬與我〉是 Eric Kwok 寫給陳奕迅的第一首歌，雖然只取得商台 903 及新城 997 的第三和第十一位，但歌曲突顯鋼琴和弦樂的伴奏，模仿着貝多芬作品的優美，是不少紛絲喜愛的歌曲。往後 Eric Kwok 也為陳奕迅寫下〈十面埋伏〉、〈夕陽無限好〉、〈最佳損友〉、〈落花流水〉和〈重口味〉等連串好歌，合作無間。二〇一四年，陳奕迅更特別在《我最喜愛的 Eric Kwok 音樂會》為 Eric Kwok 現場演繹〈貝多芬與我〉。

陳奕迅離開華星後，唱片公司為他搞了一個 Remix Project *Eason Chan 'Mixed Up"*，十首重新混音歌曲，包括了由四方果製作的〈貝多芬與我〉。新版跟原曲已是兩碼子的事，但多了一種達明一派或黃耀明的風格。

Muzikland ～後記～

喜歡陳奕迅的歌曲，應該是從一九九七年〈與我常在〉專輯開始，往後就一張一張專輯的追隨，幾乎成為習慣。他幾乎每張專輯都換上不同監製，務求擦出新火花，所以風格也一直在變。其實本系列《香港流行音樂專輯 101》若不是預早設限為千禧年前，我會更喜歡稍後的 *Nothing Really Matters* 及英皇年代的《打得火熱》、*Shall We Dance? Shall We Talk!* 和 *The Easy Ride*。《天佑愛人》在製作上尚有點保守，陳奕迅的演繹也只是往後狂野的開端，這時未能完全散發其嗓音的魅力，〈如果這一秒鐘你跟我講你不愛我〉便是一個好例子。往後的佳作如〈黑夜不再來〉、〈美麗有罪〉、〈打得火熱〉、〈K歌之王〉、*Shall We Talk*、〈單車〉、〈打得火熱〉、〈大開眼戒〉等，都是我超喜歡的歌曲。雖然環球年代，他更爆紅，亦是橫掃四台流行榜冠軍的常客，但個人認為華星後期及英皇年代的陳奕迅最具創意，這些也是筆者在最後 Karaoke 日子常唱的歌曲。

《天佑愛人》另一封面版本；有人說這是初版！

幕後製作人員名單

Producers: 王紀華 (1-5)/ 蔡一智 (6-10) for Double C Music Group
Mastering: Anthony Yeung @Avon Studio
Guitar: 包以正 (1,4)/ Chinese for Double C Music Group(7-8)
Drums: 劉建偉 (4)/ Jun(7)/ Carl Wong for Double C Music Group(9)
Piano: Billy Chan(10)
Additional Orchestration: 褚鎮東 (3)
All Instrumentals: Carl Wong for Double C Music Group(6-8)
All Keyboards: Carl Wong for Double C Music Group (9)
String: Wong Sze Hang Strings Ensemble(10)
String Quartet: Hong Kong Strings Quartet(7)
String Arrangement: Carl Wong for Double C Music Group(7)
String Conudcting: Carl Wong for Double C Music Group(7,10)
Strings Recorodng: John Tang@Avon Studio(10)
All Vocals: Eason (6-7,10)
Recording: Carl Wong@Double C Music Group(6-7,9,10)
Guitars & String Recoridng: John Tang@Avon Studio(7)
Drums Recording: John Tang@Double C Music Group(9)
Vocal Recording: Kenneth Tse@Q-Sound Studio(6,9,10)/ Ming@Tang Lou(7)/ Simon Chan@Q-Sound Stuido(8)
Guitar Recording: John Tang@Avon Studio
Mixing: H.K. Guys at Queen Studio(1-5)/ John Tang(6,-10)/ Veronica Lee@Avon Studio(6,8)/ Carl Wong@Avon Studio (6-9)
Chorus: 細 May(1,3)/ Jackie(1)/ 譚錫禧 (1)/ Jim Lau (2,3,5)/ Peter Kam(3,5)/ Silver(3)/ 黃嘉欣 (3)/ Maria Yim(3)/ 陳煜文 (3)/ 區浩冠 (3)/ Calvin(8)/ Denise(8)/ Marcus(8)/ Wilfred(8)
Studio: D&M(1-7)
Maketed & Distributed by Capital Artists Ltd.
Distributed In USA & Canada by World Laser Inc. 150 Executive Park Blvd., Suite 1200, San Franscisco, CA 94134, USA/ In Malaysia by Equator Music Sdn. Bhd. No. JP1-1 (1st Floor) Jelatek Business Park Jalan Jelatek 1, 54200 Kuala Lumpur, Malaysia

附錄一 101… and MORE！

數不完的巨星唱片

花了差不多四年，全三冊的《香港流行音樂專輯 101》終於大功告成，或者第三冊也剛好在你手中了。從一九七四至一九九九年，短短的二十五年，正好展現香港樂壇最燦爛綻放的日子，也見證了無數歌手此起彼落。若你有無比的耐性，都把三冊的《香港流行音樂專輯 101》讀完，你會發現能挾着最棒的專輯橫跨三冊的歌手，幾乎是零。

曾聽過音樂朋友說，一位歌手最紅的時間大約可維持三年，有些會長達六年，然後有些會靜靜地退下去，即使仍留在樂壇，但創作力也遠不及當年。有些歌手會按效力的唱片公司分階段，最初是萌芽期、然後步入成熟期，再然後……但這確是現實！有些歌手在樂壇時間短短幾年，連發幾張專輯，都讓我愛不釋手，捨不得放低，於是他們恍似一閃而逝。沒辦法，101 的配額實在有限，所以編輯跟我商量，或者可在附錄再挑多些專輯來介紹……這提議我考慮了很久，真的很久（出版第一冊時已有此建議），來到這裏，我就把曾考慮過的專輯都公諸同好吧！

許冠傑
Sam Hui

半斤八両

出版商：Polydor（寶麗多）
出版年份：1976
監製：馮添枝
唱片編號：2427 305

Side A：

半斤八両［電影《半斤八両》主題曲］/ 浪子心聲［電影《半斤八両》插曲］/ 打雀英雄傳 / 梨渦淺笑 / 大家跟住唱 / 有酒今朝醉

Side B：

知音夢裏尋 / 鬼馬大家樂：香港交通歌 + 醫生頌 + 點解要擺酒 + 拍拖安全歌 / 夜半輕私語 / 斷腸夢 / 追求三部曲 / 流水恨

一九七四年，許冠傑推出首張粵語專輯《鬼馬雙星》，以洋化的音樂配合地道的廣東話歌詞，非常破格，也揭開香港粵語流行歌的序幕。但真正讓他闖上高峰的，首屬一九七六年的《半斤八両》。這部電影票房達八百五十三萬，是一九七六年的賣座冠軍，也比前作《鬼馬雙星》及《天才與白痴》更成功。《半斤八両》專輯跟兩張前作一樣，以電影歌帶動唱片，主題曲〈半斤八両〉及插曲〈浪子心聲〉順理成章成為最觸目的歌曲；首次加入黎彼得合力寫歌詞，分擔了許冠傑包辦曲詞的壓力，既有深情，也有鬼馬諧趣曲。兩首爆笑歌曲〈打雀英雄傳〉與〈鬼馬大家樂〉，可以說是現今二次創作的始祖。配合電影及電視台音樂特輯相助宣傳，令許冠傑氣勢如虹。整張唱片每首歌都很高質，難怪得到一九七七年度第一屆香港金唱片頒獎典禮的「百週年紀念大獎」了，這就是後來換了名字的「最暢銷唱片獎」，翌年更勇奪頒獎禮新加添的白金唱片獎。

79 夏日之歌集

出版商：Polydor（寶麗金）
出版年份：1979
監製：馮添枝
唱片編號：2427 321

Side A：

十個女仔／那裏是吾家／
一生中幾許歡笑／
錫曬你／春夢／知心友

Side B：

加價熱潮／何日再相逢／
忍／腐朽化神奇／
催眠曲／說一聲再見

簡單又直接的標題，不管何年何月也會記得那是一九七九年夏天出版的唱片，這時寶麗多已改名寶麗金。

古老 Rock N Roll 改編而來的〈加價熱潮〉大受歡迎，這也證明當時的歌手，音樂植根於五、六十年代。冠軍歌〈加價熱潮〉首個版本搶先收錄在《雄霸樂壇寶麗金》雙唱片集，可以說是雜錦碟新曲＋精選的銷售策略始祖。大碟收錄的新版，歌詞略有改動，諷刺時弊，針針到肉，令人會心微笑。原來一九七九年已有「港女」，〈十個女仔〉就是歷史的見證人。尚有冠軍作〈春夢〉及〈錫晒你〉、〈知心友〉、〈那裏是吾家〉、〈腐朽化神奇〉等好歌，全碟均由許冠傑與黎彼得合力寫詞。一張陪伴筆者整個夏天的白金銷量專輯。

Sam And Friends

出版商：新藝寶
出版年份：1988
監製：關維麟／向雪懷／
楊喬興／鄧錫泉／
梁榮駿／葉廣權／
黃祖輝
唱片編號：CP-1-0016

Side A：

我是太空人／你有你講（佢有佢講）［電影《雞同鴨講》主題曲］／沉默是金（獨唱版本）／這一個日子／神祕女子

Side B：

他的下半生／愉快皆因妳／沉默是金（張國榮合唱）／不速之客／不要問／交織千個心

一九八三年許冠傑揮別寶麗金，加盟新成立的本地公司康藝成音，徹底改變歌路及詞風的《新的開始》給人耀眼的新鮮感，卻告別了許冠傑獨特的音樂風格，或許隱隱覺得有點不妥，於是在下一張《最喜歡你》已見點點風格回歸。一九八五年回歸寶麗金（其實是簽了新藝寶），就像脱下踢死兔，換回輕鬆自然的牛仔褲和Tee一樣。新藝寶年代，無疑許冠傑已重複不了寶麗金的佳績，但仍有一張《Sam And Friends》深得我心。許冠傑動用七位監製，完全開放使用其他音樂人創作，雖然鮮明個人風格已不復再，但時代變了，寫了那麼多年，還有一大堆片約纏身，必須求變。許冠傑寫的兩首歌，只作Side Track角色，其他參與音樂人包括劉以達、張國榮、周啟生、泰迪羅賓、譚詠麟、單立文、Beyond樂隊的黃家駒和黃家強，部分均是在音樂或電影合作的拍檔，但大部分都有寶麗金或新藝寶背景。〈沉默是金〉很有人生哲理，卻不是我杯中茶，情有獨鍾〈我是太空人〉和〈交織千個心〉，乃因當時我沉醉於新一代Band Sound。

葉麗儀
Frances Yip

的士夠生

出版商：EMI 麗歌
出版年份：1976
編曲及指揮：Vic Cristobal
（葛士培）
唱片編號：S-LRHX-1028

Side A：

啼笑姻緣／雙星情歌／
薔薇之戀／叮嚀／
分飛燕／相思洒滿地／
送郎

Side B：

檳城艷／相思淚／
勁草嬌花／斷腸花／
月夜烏啼／新荷花香

一九七四年，葉麗儀與英國 EMI 總公司簽下一紙世界性的唱片合約，除了英國，也包括在日本、香港、台灣及東南亞等地推出唱片。一九七六年的《的士夠生》專輯，雖然全是翻唱歌，卻很破格，由 EMI 專屬的名音樂人 Vic Cristobal 親自編曲及監製。葉麗儀簽了英國合約後，便開始到世界各地演唱，甚少在香港停留，故此 TVB 一連串的劇集歌，她均沒份兒，直到一九八〇年，〈上海灘〉指定由她所唱，才開始轉變。七十年代，葉麗儀為了兼顧香港及東南亞市場，主要灌錄西洋歌曲，至於《難忘名曲》的老歌系列則大受星馬市場歡迎，而香港本土，因為當時流行 Disco，於是想到把經典廣東歌的士高化，《的士夠生》專輯應運而生。這張唱片搜羅許多六十到七十年代的粵語經典，〈啼笑姻緣〉、〈雙星情歌〉、〈薔薇之戀〉、〈檳城艷〉及〈勁草嬌花〉等，均全數大變身。Vic Cristobal 出色的編曲，大樂隊伴奏，令所有歌曲古而不老，歌與歌相連一氣呵成，這不就是 Donna Summer 的 Disco 專集模式嗎？《的士夠生》的成功，也衍生了之後的第二、第三集！

千金一刻

出版商：EMI
出版年份：1982
唱片編號：EMGS 6088

Side A：
天下伴你闖／一封信／
千金一刻／兩心牽／
金色的黃昏／愛的故事

Side B：
小小洞房／月亮是個汽球／
告訴我［無綫電視劇《女黑俠木蘭花》插曲］／陪住你／
粗絨布衫／我相信你／
女黑俠木蘭花［無綫電視劇《女黑俠木蘭花》主題曲］

許多樂迷對葉麗儀，都會因〈上海灘〉、〈紅顏〉或〈女黑俠木蘭花〉等歌曲太紅，而留下其巨肺與豪邁唱腔的印象。事實上，她在EMI的十五年間灌錄過五十多張不同語言的唱片，產量驚人，唱腔也因歌曲需要而多變！一九八二年的《千金一刻》是我首度接觸她細緻唱腔的粵語唱片，劇集《女黑俠木蘭花》的同名主題曲是賣點，但同旋律不同編曲及節奏，甚至換上不同歌詞的〈告訴我〉更有亮點，展現那位女黑俠硬朗，但也有柔情一面；這是顧嘉煇慣常為劇集寫歌的一大特式。歐陸風的〈天下伴你闖〉比德語原作親切，清新怡人，配上勵志歌詞，令人放開胸襟，為加力充滿信心。〈一封信〉證明了葉麗儀也可柔情；洋化的她演繹小調〈兩心牽〉也非常稱職，絕不突兀。尚有古老爵士氣息的〈愛的故事〉、周璇古早老歌〈小小洞房〉，把四十年代的浪漫拉近到八十年代。出道十三年，改編了當年的得獎參賽歌 *You Don't Have To Say You Love Me*，成為中文版的〈我相信你〉，是雋永好歌的另一方式展現。原來〈千金一刻〉是九龍表行的宣傳歌，我是後來買了該張宣傳贈品細碟才知道。

羅文
Roman Tam

家變

出版商：娛樂唱片
出版年份：1977
監製：娛樂唱片
唱片編號：CST-12-29

Side A：
家變［無綫長篇電視劇《家變》主題曲］/ 故夢 / 醉眼看世界 / 明日天涯 / 思憶

Side B：
雨中 / 個個都話愛 / 痛別離 / 背影 / 走得快好世界 / 愛情的代價＋水仙＋鑽石

汪明荃雖然擔演《家變》劇集，但主題曲卻落在羅文手裏，她翌年以女主角身份翻唱。〈家變〉屬顧嘉煇與黃霑的輝黃之作，動聽之餘，一百一十集的劇集把歌曲完全帶入屋。娛樂唱片製作以劇集歌為主打賣點，有時甚至一首就夠了，其他收錄歌曲只作陪襯，但《家變》專輯有不少動聽作品，〈醉眼看世界〉與〈個個都話愛〉由日曲改編，屬七十年代諷刺時弊式的通俗歌，之後羅文也不時在舞台上演唱。幾首國語歌，跟羅文都有密切關係，〈明日天涯〉是一九七三年的電影主題曲，作家依達寫的故事，並兼任填詞，由羅文原唱；〈水仙花〉則是一九七〇年邵氏電影《小煞星》的主題曲，原名〈水仙〉，同樣由羅文原唱。〈愛情的代價〉是泰迪羅賓主演的邵氏電影主題曲，但他所屬的鑽石唱片自唱片面世後很快就賣盤，唱片版流傳度不高；〈鑽石〉是一九六九年邵氏電影《鑽石大盜》主題曲，由主角林沖主唱。兩曲均是羅文尚未走紅時，在原作人王福齡監製下，於一九七二年灌錄唱片的好歌，流傳度較廣，這次在顧嘉煇編曲及指揮樂隊伴奏下，以嶄新面貌示人。至於其他粵語改編曲，不少是盧國沾的手筆。

卉

出版商：EMI
出版年份：1981
監製：黃啟光 / 朱穗萍
唱片編號：EMGS6078

Side A：

梅 / 牡丹 / 水仙 / 山茶 / 桂花 / 曇花 / 菟絲

Side B：

紅棉 / 含笑 / 海棠 / 紫薇 / 紫荊 / 杜鵑

雖然羅文在娛樂唱片以劇集歌走紅，但我最喜歡他在一九七九至八三年的EMI時期，因為每張專輯均創意十足。一九八一年農曆新年期間推出的《卉》，便是一張香港史無前例的概念專輯，集鍾肇峰、黃霑、王福齡、樊小橋、沈其昌、詹惠風、趙文海、林振強、鮑比達和鄭國江等人的創作，譜成一張以花卉作題材的原創大碟。因這合作，鍾肇峰、趙文海和黃霑再為羅文譜寫舞台劇《白蛇傳》的歌曲。整張專輯以中國風音樂為主，雖然只有一首〈紅棉〉流行起來，但這個勇敢製作，配合EMI老總、香港數一數二的錄音師黃啟光的靚錄音，使得這張大碟成為經典。羅文自小在廣州迷上粵劇，故演繹這種古樸典雅情懷的中國風歌曲，非常稱職；稍後更初試啼聲在《舞台上》大碟灌錄短曲〈寶玉成婚〉，一九九七年他更乾脆錄下整張粵曲專輯《首度開鑼》。《卉》之後，幾個乎走不了回頭路，接下來是首張粵語爵士專輯《仲夏夜》及以舞台為主題的《舞台上》大碟，似有源源無窮的製作新想法。

《跳飛機》節目全體小朋友 黃汝燊（辛尼哥哥）

跳飛機歌仔

出版商：Television Enterprises Ltd
出版年份：1977
唱片編號：Nil

Side A：

跳飛機／歡迎歌／
數字歌／口字歌／
誰人要噎怪獸／刷牙歌／
日光歌／雨／嗺水歌／
四季歌／火／生長／
粒粒有勤勞／花草樹／
木做了乜東西／有間小屋

Side B：

皮／小綿羊上山坡／
跳跳笑笑／如何才是好醫生／
郵差叔叔／大掃除／願／
新年歌曲／新年歌曲／
新年歌曲／新年歌曲／
新年歌曲／新年歌曲／
新年歌曲／新年歌曲／
請你記得我

如果有一點年紀的樂迷，還記得早期兒童電視節目《跳飛機》嗎？它由辛尼哥哥跟一班小朋友合力主持，並加入嚴秋華扮演的怪獸角色。節目於一九七六年九月開始播映，非常受歡迎，一九七七年初更為此推出《跳飛機歌仔》兒歌卡帶，這廣告於農曆新年期間在TVB打得好厲害。歌曲由辛尼哥哥編排，但廣告片則由顧嘉煇在錄音室指揮小朋友合唱。盒帶播放長度只有半小時，收錄歌曲卻多達三十二首，每首歌曲只有簡短的幾十秒，歌與歌之間由辛尼哥哥與怪獸及小朋友的對話串連着，藉這些口白教導小朋友知識，非常有意思。除了節目主題曲〈跳飛機〉外，其中〈歡迎歌〉和〈數字歌〉日後都成為兒歌經典了，當中有八首同被命名〈新年歌曲〉，好有新年歡樂氣氛。許多人以為這盒卡帶由華星唱片推出，但實際上卻是TVB，或者因為華星與TVB的緊密關係，又或者因日後第二及第三輯由華星唱片出版，造成誤會。TVB推出這卡帶，相信沒有太長遠計劃，因為盒帶連出版編號都欠奉，更想不到達白金唱片銷量吧！

近代兒歌，已沒有這種富教育意義的天真歌曲，孩童唱歌走音裝天真的嗓音更是令人難受，其實兒童唱歌也可以好動聽的，《跳飛機》就是實例！

陳麗斯
Grace Chan

高歌

出版商：Polydor（寶麗多）
出版年份：1977
監製：鄧錫泉
唱片編號：2427 014

Side A：
歡笑在心中 / 珍惜 /
偶然遇見你 / 夜半輕私語 /
從此從今 / 問我

Side B：
高歌 / 期望 / 明星 /
新希望 / 知音夢裏尋 / 願你

因為電影《跳灰》插曲〈問我〉需要一位女歌手為主角蕭芳芳幕後代唱，於是編劇陳欣健想到在百樂酒店地庫唱民歌的陳麗斯。寶麗多眼見此曲大受歡迎，即簽下了陳麗斯並推出細碟《願你》，並把新版本〈問我〉收錄在B Side；一九七七年更為她推出首張個人專輯《高歌》。以一張七十年代的粵語專輯來說，雖然不少是日本改編歌，但加上新歌及翻唱曲，質量其實很高，寫〈問我〉的黎小田更貢獻了〈珍惜〉、〈從此從今〉和〈高歌〉等多首旋律。〈高歌〉的詞作很特別，出自電視藝員陳美琪的手筆，然而這也是唯一的公開作品。許多人認識〈明星〉，乃因葉德嫻和張國榮，原唱人其實是張瑪莉，歌名原稱〈當你見到天上星星〉，是她主演佳藝電視劇集《明星》的主題曲。她的版本傳唱度不高，陳麗斯的新版倒是有點迴響，只是不及後來葉德嫻的版本那麼流行。翻唱歌方面有女聲版的許冠傑歌曲〈夜半輕私語〉和〈知音夢裏尋〉。其他改編歌有日劇《猛龍特警隊》及《赤い疑惑》旋律而來的〈願你〉和〈期待〉，還有同是改編山口百惠歌曲的〈歡笑在心中〉，是當年的流行之作。

鄭少秋、汪明荃

Adam Cheng/Liza Wang

粵語新年歌創作一直不多，幾乎都是源自七十年代的創作。一九七七年由螢幕情侶鄭少秋和汪明荃灌錄的《歡樂年年》，可能是香港首張以喜慶為題的粵語唱片，當中更有多首關聖佑全新創作如標題歌〈歡樂年年〉和〈迎春花〉，另有傳統中樂或國語時代曲改編而來的〈新春頌獻〉、〈拜年〉、〈祝福〉和〈新春行大運〉等，歌詞都是當時老派詞人羅寶生、龐秋華等人的傑作，至於盧國沾填了一首〈歡呼春天〉。另翻唱了流行一時的商台歌曲〈祝壽曲〉和〈祝婚曲〉。唱片由風行唱片老闆鍾錦沛監製、關聖佑包辦所有歌曲編曲，雖然是七十年代樂隊伴奏錄音，但現在聽來仍很雅緻，與娛樂唱片錄音相近。歌曲分配由鄭少秋和汪明荃合唱或各自獨唱；當年甫推出，即取得金唱片銷量，時至今日不但已成經典，CD更是長年暢銷！

歡樂年年

出版商：風行唱片
出版年份：1977
監製：鍾錦沛
唱片編號：FHLP 805

Side A：

歡樂年年（汪明荃＋鄭少秋）/
新春頌獻（鄭少秋）/
迎春花（汪明荃）/
拜年（鄭少秋）/
花市（鄭少秋）

Side B：

滿園春色（鄭少秋）/
祝福（汪明荃）/
祝壽曲（鄭少秋）/
祝婚曲（汪明荃）/
歡呼春天（汪明荃）/
慶洞房（汪明荃＋鄭少秋）/
新春行大運（汪明荃）

鄭少秋
Adam Cheng

楚留香

出版商：娛樂唱片
出版年份：1979
監製：娛樂唱片
唱片編號：CST-12-40

Side A：

楚留香［無綫長篇電視劇《楚留香》主題曲］/
Oh Gal/ 留香恨［無綫長篇電視劇《楚留香》插曲］/
難兄難弟［無綫長篇電視劇《難兄難弟》主題曲］/
不要問好漢［香港電台廣播劇主題曲］/
劫後情

Side B：

神龍五虎將［無綫長篇電視劇《神龍五虎將》主題曲］/
只有緣未有份 /
楊柳像我家一樣青綠 /
傾心一笑中 / 故夢重溫 /
《楚留香》主題曲音樂

鄭少秋最紅的唱片都在娛樂，也較集中在七十年代及八十年代初，由劇集歌帶動他的唱片銷售。沒辦法，他是 TVB 力捧的當紅小生，甚至憑《楚留香》劇集征服台灣，令觀眾如痴如醉。娛樂唱片的製作，經常只注重劇集歌，其他歌曲多屬陪襯，甚至有時最好聽的歌都放在唱片第一面。但《楚留香》專輯收的劇集歌頗多，包括《楚留香》同名主題曲及插曲〈留香恨〉，另有〈難兄難弟〉、〈神龍五虎將〉、香港電台廣播劇主題曲〈不要問好漢〉等，均是顧嘉煇的大作。當年不以為然，現今回憶起來，是「魚翅撈飯」的豪華用餐優質歌曲。除劇集歌外，鄭少秋也鮮有在 TVB 音樂節目主打非劇集歌，但在這裏有改編澤田研二歌曲的〈Oh Gal〉，雖不及原唱歌手妖冶，但他的「扮嘢秋」也毫不失禮，尚有日曲改編的〈傾心一笑中〉，也好聽！最後以《楚留香》主題音樂結尾，是娛樂唱片另一特色。

葉振棠

Johnny Ip

浮生六劫

出版商：EMI
出版年份：1980
監製：朱穗萍
唱片編號：EMGS-6060

Side A：

浮生六劫［麗的電視劇《浮生六劫》主題曲之一］/ 愛的哀歌 / 戲劇人生［麗的電視劇《浮生六劫》主題曲之二］/ 城市之歌 / 人生長跑 / 薔薇謝了

Side B：

天長地久 / 故鄉之淚 / 歌聲飄世上 / 秋風秋雨 / 親情 / 何妨又跳躍

葉振棠一九六九出道，之後經歷了The New Topnotes（新特樂樂隊）及馬正堂的組Band年代。一九八〇年初，EMI通知有主題曲由他主唱，這就是後來成為經典的〈浮生六劫〉及〈戲劇人生〉，然後他便替代羅文往外地參加音樂比賽。未想到兩曲大受歡迎，EMI立即為葉振棠製作大碟。〈浮生六劫〉歌雖短，但好有大時代的情懷，由黎小田作曲、盧國沾填詞，配合奧金寶的編曲，簡直一絕。〈戲劇人生〉本由女生主唱，但效果不好，葉振棠為了配合已做好的音樂，使用了唱西洋歌的假音唱法，想不到非常受落，更奠定為他日後的唱歌特色。許多人以為〈戲劇人生〉是插曲，但在首版唱片註明這是主題曲之二，與主題曲之一的〈浮生六劫〉沒分大小。日本歌改編的〈人生長跑〉在鄭國江筆下，充滿勵志正能量；他為同期爆紅英語歌曲 *Longer* 換上中文詞，使得〈天長地久〉溫馨雋永更具親切感。〈故鄉之淚〉改編自日本Alice樂隊的B Side歌〈君よ涙でふりかえれ〉，不過唱片卻誤植為谷村新司的作品，其實是成員之一崛內孝雄寫的曲子；跟〈薔薇謝了〉均是Muzikland在多年前寫碟評時推薦的好歌。《浮生六劫》雖是葉振棠首張大碟，即取得白金銷量；〈戲劇人生〉更取得RTHK十大金曲，相信許多人沒想到這張唱片好歌連連，非常值得細聽重溫！

汪明荃
Liza Wang

京華春夢

出版商：娛樂唱片
出版年份：1980
監製：娛樂唱片
唱片編號：CST-12-43

Side A：

京華春夢［無綫電視劇《京華春夢》主題曲］/ 今生不負愛［無綫電視劇《京華春夢》插曲］/ 愛你一世一生［無綫電視劇《京華春夢》插曲］/ 撲蝶［無綫電視劇《京華春夢》插曲］/ 等郎歸［無綫電視劇《京華春夢》插曲］/ 追憶當日愛［無綫電視劇《京華春夢》插曲］

Side B：

愛在黃昏 / 情深如海 / 平步青雲 / 輕輕問句好 / 愛你一世一生不夠多［無綫電視劇《京華春夢》插曲］/ 家鄉

這是汪明荃自一九七九年正式加盟娛樂唱片後的第四張專輯，仍以劇集歌掛帥，作為TVB的一線花旦，由她身兼主演主唱的劇集歌都特別多，以《京華春夢》為例，二十五集的中篇劇便多達七首，由顧嘉煇與鄧偉雄合作主題曲。此劇改編自張恨水小說作品《金粉世家》，是TVB繼多年前的《啼笑因緣》的另一次改編。汪明荃配上劉松仁，合演故事裏的兩位主角賀燕秋與金振西，唱片封面也使用了劇照配合，使得這張唱片幾乎是電視劇原聲帶唱片的感覺。顧嘉煇仍用上一曲兩用的配樂方式，主題曲〈京華春夢〉與〈追憶當日愛〉使用同一旋律，但分別用上鄧偉雄及黃霑的詞；另〈愛你一世一生〉與〈愛你一世一生不夠多〉則是同曲同詞，卻為不同場景用上不同編曲。當年第一次聽已超喜歡的，乃是插曲〈撲蝶〉，望穿秋水等待CD面世，也最期待這一首。憂怨的插曲有，〈今生不負愛〉和〈等郎歸〉，演繹古早年代女子的多情，非常動聽。至於其他非劇集歌，黃霑獻上〈情深如海〉，另江羽也為多首富東洋味的改編歌填詞，他其實就是鄭國江，但這筆名只用於娛樂唱片。最後用上紀利男作品〈家鄉〉，原來是一首國語歌，但感覺卻很七十年代的台灣。《京華春夢》於年度頒獎禮獲得RTHK的十大金曲獎。

郎歸晚

出版商：娛樂唱片
出版年份：1982
監製：劉東
唱片編號：CST-12-58

Side A：

郎歸晚［無綫電視劇《郎歸晚》主題曲］/
相思向誰賣［無綫電視劇《郎歸晚》插曲］/
少女心［無綫電視劇《郎歸晚》插曲］/
人生曲［無綫電視劇《郎歸晚》插曲］/
閒愁［無綫電視劇《郎歸晚》插曲］/
請不要走

Side B：

勇敢的中國人 /
痛苦皆因錯用情 /
猜也猜不到 /
問我為何愛別人 /
爹娘的血汗 / 休提起

以民初劇集主題曲及插曲作招徠，唱片封面卻完全跟主題脱軌，在沙灘穿上便服的汪明荃卻帶來清新一面。出道十五年，年屆三十五歲，汪明荃飾演少女角色已見尷尬。由王天林監製的《郎歸晚》，只有十集，但用上顧嘉煇作品五首，唱片更用上高成本的雙封套，可見當時「阿姐」出馬，絕不能輸陣！故事講述民初賣唱歌女的遭遇，同名主題曲〈郎歸晚〉由鄧偉雄寫詞。一九七九年他首次寫下了《刀神》主題曲〈春雨彎刀〉後，許多TVB主題曲歌詞便由他操刀了，不曉得是否因他是電視台高層之便。其作品其實水準不俗，以劇集歌為主，但很少被人與七十年代黃霑、盧國沾、鄭國江三大詞人相題並論。〈相思向誰賣〉有種南音曲式，以第三者把故事娓娓道來的味兒，同由鄧偉雄寫詞。筆者很喜歡的〈少女心〉，節奏輕鬆，與〈人生曲〉同屬黃霑手筆。至於濃濃文學氣息的〈閒愁〉，由顧嘉煇的胞姐顧媚寫了詩意的歌詞。〈勇敢的中國人〉好有愛國氣息，由顧嘉煇與黃霑合作，本來不是劇集歌，聽説原是寫給關菊英唱的，在這專輯出現後，復即再出現下一張《萬水千山總是情》唱片中，成為該同名劇集插曲，更是一九八二年RTHK的十大中文金曲！至於其他非劇集歌，好重Outdated感覺，娛樂唱片作風！

甄妮

Jenny Tseng

心聲

出版商：金音符
出版年份：1981
監製：甄妮
唱片編號：JF-1004

Side A：

心聲 / 東方之珠［無綫電視劇《前路》主題曲］/ 青春 / 雨中行 / 誰能任意取 / 我願無情

Side B：

天火 / 心中的石頭 / Dancing All Night/ 命運［無綫電視劇《火鳳凰》主題曲］/ Take It Easy/ 孤獨行

想不到在寫本書挑選唱片時，許多張甄妮唱片都讓我愛不釋手，難於取捨；《心聲》便是其中一張，這是她自資「金音符」唱片的第二張粵語專輯！金音符英文名 Jenfu，由她的洋名 Jenny 及夫君傅聲的 Fu 合成，早期由華納唱片發行。重要的劇集歌有《前路》主題曲〈東方之珠〉及《火鳳凰》主題曲〈命運〉，同是周潤發主演的劇集，分別配莊靜而和鄭裕玲為女主角。〈東方之珠〉顧嘉煇作曲，鄭國江填詞，劇集知名度可能不及《火鳳凰》，但主題曲歌詞超越時代，至今仍很適合形容香港這環境，難免令人百般感觸！至於〈命運〉竟是黃霑包辦曲詞的作品，這可能是劇集御用作曲家顧嘉煇往外國再深造音樂，TVB 缺乏作曲人的青黃不接期。雖以命運為主題，但那種奮鬥心態卻很人性，非常振奮心靈。甄妮寫了〈心聲〉及〈心中的石像〉的旋律，前者大為流行。印象中當年她在宣傳時透露，那是她在工作會議時不經意哼出來的曲調；至於另一首流行之作，乃由鄭國江填詞、改編自日本樂隊 Monta & Brothers 熱門歌曲而來的 *Dancing All Night*，其實那一年鄭國江也以同一歌曲為陳美玲填了〈明日各東西〉，可惜同歌不同命！另一意外發現，原來甄妮很早期已改編五輪真弓的作品，可惜她的〈孤獨行〉，輸了給譚詠麟同一旋律的〈忘不了您〉。

葉德嫻

Deanie Ip

葉德嫻（橋）

出版商：永恆
出版年份：1981
監製：施宏達
唱片編號：WLLP994

Side A：

橋／從前的我／冬青樹下／
只要你還是愛我／愛的花蕾

Side B：

想再飛一次／甜蜜再開始／
共敘一堂／不要尋覓／
就是為你為你

葉德嫻一九六九年已推過一張國語EP，但讓人注意她的歌聲，則要到一九八一年首張粵語大碟《星塵》。一張唱片成功換來知名度後，第二張專輯即有主導的意向，那個年代的唱片普遍由劇集歌加改編歌而成，但《葉德嫻（橋）》卻勇敢地用上了十二首由陳永良和黃霑的原創作品。先説陳永良，他在上一張專輯已為葉德嫻寫歌，但要到下一張專輯的〈倦〉，大家才注意到他的才華。其實他是很資深的音樂人，他曾跟筆者透露，少年時已擔任樂手，跟隨沈長福馬戲團巡迴表演。他在這裏貢獻了五首作品，〈想再飛一次〉、〈甜蜜再開始〉及〈不要尋覓〉都是水準很高、需要時間消化的好作品，然而最令筆者留下印象，卻是〈愛的花蕾〉和〈冬青樹下〉，只因兩首新年歌曲跟其他歌曲格格不入，因為這專輯在一九八一年中國新年期間推出！至於黃霑的作品，我最喜歡〈從前的我〉和〈只要你還是愛我〉，兩首完全不同旋律的歌，主題都是談及愛戀，卻好像雙生兒，我總説不出喜歡那一首更多，葉德嫻處理每一句歌詞的細節都有無盡變化，非常厲害，鮑比達的編曲也應記一功。但印象中，唱片宣傳期後葉德嫻少有公開演唱這兩歌。至於黃霑寫的〈橋〉，由陳永良編曲，當時敢演繹這類淡淡爵士樂曲的歌星，葉德嫻應是第一人！

千個太陽

出版商：黑白唱片
出版年份：1986
監製：鍾定一
唱片編號：B&W 1102-1

Side A：

千個太陽（葉德嫻＋陳潔靈＋散芬芳合唱團）/ 變 / 情人 Lift/ 走過的道路［電影《癲佬正傳》主題曲］/ 困［電影《生死線》主題曲］

Side B：

不再分離 / 等不到是你 / 我痴、我蠢（盧冠廷合唱）/ 觸摸我的嘴唇 / 昨夜星塵

這張可能是葉德嫻事業最高峰，宣傳攻勢也最厲害的專輯。一九八五年，與永恆唱片不歡而散，轉投為《倦》專輯設計形象的劉天蘭自資的黑白唱片。《千個太陽》專輯，劉天蘭以耀目的刺繡布料，為歌者剪裁一件絕美上衣，並以此作唱片封套圖案，玩盡美倫美奐的中國風設計，並於年度RTHK十大中文金曲頒獎禮榮獲最佳唱片封套設計獎。宣傳企劃上非常破格，標題歌〈千個太陽〉，找來華星的陳潔靈助陣，由老闆劉天蘭與夫婿岑建勳、監製鍾定一和陳國新組成的散芬芳合唱團合音。在譚詠麟、張國榮與梅艷芳火紅的年代、〈千個太陽〉由兩位不屬一線的實力唱將跨唱片合約，以好歌打造的宣傳攻勢，實在非常成功。兩人更因此勇闖紅館舉行兩場《葉德嫻陳潔靈競歌散芬芳演唱會》，並憑此曲取得TVB十大勁歌金曲。陳永良為〈倦〉寫的續集〈變〉，雖不及前作成功，但一樣深得樂迷喜歡，尚有改編歌〈不再分離〉都是令人矚目的作品。古舊歌曲改編的〈等不到是你〉、〈觸摸我的嘴唇〉及〈昨夜星塵〉，旋律雖老，但葉德嫻詮釋的女人味十足。自我態度鮮明的〈我痴、我蠢〉，從EMI借來盧冠廷作曲並合唱，還有「發姣發凳」的〈情人Lift〉，透露中女的暗戀心聲，非常爆趣。電影《癲佬正傳》主題曲〈走過的道路〉，歌者老練的演繹令人拍案叫絕！

杜麗莎

Teresa Carpio

杜麗莎（情深惹恨苗）

出版商：WEA
出版年份：1981
監製：Teresa Carpio（杜麗莎）
唱片編號：H 93023

Side A：

情深惹恨苗［麗的電視劇《珠海梟雄》插曲］/
珠海梟雄［麗的電視劇《珠海梟雄》主題曲］/
薔薇怒放 / 風信子［香港電台廣播劇主題曲］/
想起他 / 美滿是那舊日

Side B：

眉頭不再猛縐 /
仍然記得嗰一次 /
天光天黑對住你 /
抓緊你的愛 /
帶笑話別 / 我的方向

七十年代紅極一時的杜麗莎，就像許多慣唱西洋歌的香港歌手一樣，於一九八一年轉唱中文歌。這張唱片藉麗的電視的《珠海梟雄》同名主題曲及其插曲〈情深惹恨苗〉作賣點，結果卻以〈眉頭不再猛皺〉、〈仍然記得嗰一次〉和〈天光天黑對住你〉成為流行經典。〈眉頭不再猛皺〉是林振強第一首發表的詞作，改編自日本歌星坂本九勇闖美國流行榜成冠的〈上を向いて步こう〉，即大家熟識的*Sukiyaki*，不過杜麗莎的抒情版意念則取自同年A Taste Of Honey的流行版本。〈天光天黑對住你〉同由林振強填詞；〈仍然記得嗰一次〉由林子祥作曲，其實是他未發表的作品*Moments*，日後他灌錄了英文原版。其他動聽歌曲，包括改編自銀嗓子姚莉的經典〈玫瑰玫瑰我愛你〉而來的〈薔薇怒放〉及電台廣播劇《風信子》主題曲〈曾在那遠山裏〉。鄭國江填詞的〈帶笑話別〉，稍後他以同一旋律再為林子祥再填〈澤田研二〉。這張唱片反應其實不錯，跟杜麗莎在EMI時期的英語唱片一樣，同得金唱片銷量，不過未幾她跟隨設計師丈夫Peter Mui到美國定居並誕下女兒，兩年後返港再發展，可惜新唱片叫好不叫座，慘敗的演唱會更賠上了婚姻。

李龍基

Dragon Li

情謎

出版商：EMI
出版年份：1981
監製：朱穗萍
唱片編號：EMGS-6075

Side A：

情謎［無綫電視劇《情謎》主題曲］/ 路直路彎 / 莫問此生［無綫電視劇《情謎》插曲］/ 這是好開始 / 野外行 / 愛的理想

Side B：

靜靜地 / 像風 / 誰知明日事 / 伴着你 / 霧裏情 / 胸襟開朗自由人

雖然李龍基自一九七八年已推出多張唱片，但都由經理人安排，一九八一年的《情謎》才真正由他自主簽約EMI，並首次為TVB主唱劇集歌。《情謎》劇集有同名主題曲及插曲〈莫問此生〉，主題曲當然由TVB的顧嘉煇操刀，但較為特殊乃是插曲竟由一位名不經傳的李瑞成作曲，他的作品屢見於EMI唱片。除此之外，還有兩首非劇集歌流行起來，包括由趙文海作曲、林振強寫詞、很有民歌味道的〈路直路彎〉；EMI老總黃啟光（亞江）也寫了〈靜靜地〉，並由鄭國江填詞，是玉泉汽水廣告歌延伸出來的流行曲，歌詞稍有改動。其他歌曲尚有奧金寶、趙文海和鍾肇峰很中國小調式的大氣作品，加上幾首改編，都是EMI的製作模式；不過如〈野外行〉、〈愛的理想〉和〈胸襟開朗自由人〉等，流露着民歌或野外的氣息，原來李龍基在新界鄉間長大，喜歡鄉謠歌曲，當他與溫拿、陳秋霞效力同一經理人時，在東南亞登台，便曾被譽為香港John Denver。封面的李龍基，穿起牛仔布襯衣與背心，好有「斬柴佬」的男子氣慨，若細心留意他的音樂，常流露着胸襟廣闊的田野情懷！

泰迪羅賓
Teddy Robin

故事 / 這是愛

出版商：Polydor（寶麗金）
出版年份：1981
監製：關維麟 / 周華年
唱片編號：2427 350

Side A：

故事［電影《胡越的故事》插曲］/ 轉捩點［香港電台電視劇《轉捩點》主題曲］/ 金縷衣 / 救世者［電影《救世者》主題曲］/ 魔與道［電影《山狗》主題曲］

Side B：

這是愛［電影《胡越的故事》插曲］/ 微塵 / 沉痛 / 少年時候 / 以往 / All Is Fine In The End

泰迪羅賓在寶麗金推出過三張專輯，每張專輯的可聽性都很高。而且都有因由而推出，而不是為了固定時間出唱片便製作。一九八一年以故事為題材的《故事／這是愛》專輯，便收錄了許多跟他相關的電影歌。〈故事〉與〈這是愛〉均是電影《胡越的故事》插曲，而這兩首歌剛巧在兩面唱片碟心用作標題，分別由泰迪羅賓和林敏怡作曲、鄭國江與林敏驄寫詞。原來〈這是愛〉是林敏驄第一首發表的詞作，他也同時為這張片設計封套，封面照便是在西環太白臺拍攝。電影《山狗》及《救世者》的主題曲均由泰迪羅賓作曲、鄭國江寫詞，原本分別由譚詠麟和關正傑主唱，這次由泰迪羅賓親自上陣，其實以上三部電影全是泰迪羅賓監製之作，與他息息相關。Muzikland 尤其喜歡他主唱的〈救世者〉，他的控訴比關正傑版本有力！〈轉捩點〉是當時香港電台同名電視劇主題曲，依稀當年曾收看，但已沒留下半點印象了，但我很喜歡這主題曲。鄭國江寫的詞很有意思，與黃霑的〈輪流傳〉都有種朝向時代巨輪帶來的唏噓。其他作品尚有以古詞延伸而來的〈金縷衣〉，由莊靜而負責口白；畫子（即關維麟、泰迪羅賓的胞弟，Teddy Robin & The Playboys 成員）寫了〈以往〉和〈沉痛〉；馮添枝也貢獻了〈少年時候〉和〈微塵〉，使得這張專輯隱隱是六十年代鑽石唱片班底的延續！

盧業瑂

Brenda Lo

織個彩色夢

出版商：EMI
出版年份：1982
唱片編號：EMGS-6091

Side A：

坭路上 / 織個彩色夢 / 臨別依依 / 年少 / 七彩世界 / 甜甜廿四味 [麗的電視劇《甜甜廿四味》主題曲]/ 朋友

Side B：

披雨午夜行 / 我願高飛 / 寧願 / 無花果 / 夜半無人私語時 / 一束小菊花 [麗的電視劇《甜甜廿四味》插曲]

《織個彩色夢》因收錄了電視劇集歌，麗的味兒很濃烈，但許多非劇集歌都深得我心。最為人津津樂道的，首推盧冠廷作曲、很城市民歌氣息的〈坭路上〉。盧冠廷曾跟筆者透露，當他未成名時，開著車首次聽到電台播放此歌，開心到幾乎撞車，心情久久不能平伏。其他我喜歡的歌，包括鮑比達作曲、黃霑寫詞的〈臨別依依〉、由林振強寫詞改編歌〈披雨午夜行〉和〈夜半無人私語時〉。談及友情的歌，曾幾何時筆者覺得很窩心的作品，或者談到這些歌，連創作人及歌者都已忘掉，但它卻藏於筆者心底，記錄了赤子之心的經歷。夜晚曾是筆者覺得很平靜迷人的時刻，〈披雨午夜行〉湧現思念的寂寞，還未經歷過這痛苦之時，連寂寞也是浪漫的。〈夜半無人私語時〉也因 Doris Day 電影 *Pilow Talk* 的中文名而倍添好感，更是我午夜時刻的私房歌，聽説是電台節目的主題曲。其他清新作品，還有〈織個彩色夢〉、好友曾路得作品〈年少〉、〈七彩世界〉、Janis Ian 作品〈我願高飛〉、Cat Stevens 經典〈寧願〉、懷舊氣息的〈無花果〉。筆者曾訪問盧業瑂，她笑説她的音樂風格都很民歌，朋友也笑她就算她主唱梅艷芳的〈淑女〉，也會很民歌，好有幽默感！

蔡楓華
Kenneth Choi (Ken)

人之初

出版商：CBS/Sony
出版年份：1982
唱片編號：CBA 121

Side A：

人之初／過山車［無綫電視劇《過山車》主題曲］／早春二月／風塵／今天的我屬於你［電影《薄荷咖啡》插曲］／再回頭［電影《薄荷咖啡》主題曲］

Side B：

四海一個家／愛的火花［電影《拖手仔》主題曲］（林志美合唱）／雨中之歌［電影《拖手仔》插曲］／生命的動力／夜海港之戀／異邦人

《人之初》專輯可以說是蔡楓華音樂上的第一個變化，是他轉投TVB後的第一章，並嘗試鍾肇峰擅寫的華麗中國曲風，這就是大碟的標題歌〈人之初〉，成績不負所望，攀上RTHK流行榜冠軍。類似這曲風的歌還有黎小田作曲的〈風塵〉，但依稀有點麗的劇集歌味兒。節奏變化萬千的〈四海一家〉由蔡楓華作曲，卡龍為他寫下了很鄉土味的歌詞，甚至有點愛國！另一首RTHK流行榜冠軍作〈早春二月〉，改編自日本ふきのとう組合的歌，是一首簡單輪唱，沒有收結的民謠曲風旋律。ふきのとう的歌當年被改編不少，但卻沒有大肆宣傳到香港來。劇集歌有TVB劇集《過山車》主題曲，該劇是黃日華早期擔演主角的作品。當時蔡楓華已離開兒童節目《香蕉船》，但仍身兼RTHK的DJ、TVB《勁歌金曲》主持、歌手，甚至晉身電影圈；與林志美合唱的〈愛的火花〉，便是夥拍翁靜晶《拖手仔》的主題曲，插曲則是很清新民歌氣息的〈雨中之歌〉。蔡楓華也與鍾楚紅合演了《薄荷咖啡》，主題曲及插曲分別有〈今天的我屬於你〉及〈再回頭〉。最後一提是李添寫的〈異邦人〉，曲式有點像久保田早紀的同名歌曲，也像林子祥的俄羅斯歌曲〈美麗小姑娘〉，非常特別！李添是早期CBS/Sony的主理人，為人非常低調，他為旗下歌手監製了許多超水準的唱片，他寫的歌深得筆者喜歡！

區瑞強
Albert Au

鼓浪嶼

出版商：EMI
出版年份：1983
唱片編號：EMGS-6111

Side A：

鼓浪嶼 / 五點半公餘場 / 萬里追踪 / 愛琴海之戀 / 向着陽光奔去 / 今夜星光燦爛

Side B：

潮湧我心間 / 火車情歌 / 活力操 / 無情 / 我的天 / 送別歌

離開效力多年的寶麗金，區瑞強加盟 EMI，於一九八三年推出全新專輯《鼓浪嶼》。Analogue 錄音年代，每家唱片公司錄音室製造的音色也不一樣，區瑞強告別寶麗金的暖和，邁向 EMI 的明亮，音樂風格由 City Folk 轉向 Pop，合作的音樂人也轉為 EMI 專屬的羅迪（Romeo Diaz）和 Joel Villanueva。曲風以舒服為主，配合他慣常在電台主持節目裏的「靚」歌，以陽光男孩的形象示人。標題歌〈鼓浪嶼〉的編曲一直深得我心；改編五輪真弓好歌的〈潮湧我心間〉，令傷感也變得浪漫；尚有老歌改編而來的〈無情〉，總因國語時代曲的緣故，讓我多聽幾回！

秋分

出版商：Silver Planet Records Ltd.
（銀星）
出版年份：1987
監製：Jentzon Tao（陶贊新）
唱片編號：SPA09-004

Side A：

秋分 / 想你、等你 /
深秋立樓頭 /Happy With You/
我是我

Side B：

風中的歌 / 繼續前進 / 不折腰 /
溫馨的痛楚 [香港電台第一台廣播劇《紫罌粟》主題曲]/ Folk 集 88

離開 EMI 後，區瑞強加盟銀星唱片；這家本是葉漢良（即填詞人卡龍）的唱片公司，結果之後賣了給區瑞強，由他經營至今。《秋分》屬他加盟銀星首張專輯，再沒有 EMI 時期走 Pop 路線的刻意，輕鬆舒服的曲調配上外地拍攝的照片，就像慢活地享受人生。特別喜歡日曲改編〈秋分〉，可能連盧冠廷也忘了寫過的〈想你、等你〉。一直不明白的〈深秋立樓頭〉歌詞，這次雖有改動，我仍明白不來。傷痛會否也浪漫的〈溫馨的痛楚〉，是香港電台第一台廣播劇《紫罌粟》的主題曲，都是我超喜歡的歌。未到一八八八，先來雞尾歌〈Folk 集 88〉，可能已預告回歸民歌，要當日後永遠的民歌王子了。用上 Digital Mastering，恍似聽寶麗金進入數碼年代的新錄音，我喜歡！

關正傑
Michael Kwan

天籟

出版商：Philips（寶麗金）
出版年份：1983
監製：楊雲驃
唱片編號：814 972-1

Side A：
天籟…星河傳說 / 碧海青天［無綫電視劇《賴布衣》主題曲］/ Mona Lisa/ 誰為你自己 / 夕陽戀曲 / 盡在不言中

Side B：
兩心通［世界通訊年主題曲］/ 紅了我的臉 / 織個幽夢［無綫電視劇《賴布衣》插曲］/ 小小一個家 / 一刻的笑聲 / 愛的土地上

關正傑的寶麗金告別作，但這張唱片流行了很久。

過去的唱片封套，關正傑大多是西裝男硬照，那張《名曲選》更像是下班後疲態畢現的樣子，失手到令人慘不忍睹。《天籟》的唱片封套，可以說是寶麗金把他拍得最好看的一次。沒辦法，在此之前，很少唱片公司會為歌手在形象上花心思，唱片能賣就好！標題《天籟》取自歌曲〈天籟…星河傳説〉，那是盧冠廷的作品，當時我喜歡盧的創作，卻還未接受他的歌聲，他另寫了〈Mona Lisa〉。劇集《賴布衣》主題曲〈碧海青天〉是一首具有顧嘉煇特色的輕快作品，如汪明荃的〈撲蝶〉、仙杜拉的〈我和你〉、鄭少秋的〈男兒志在四方〉等，關正傑之前的〈醉紅塵〉都屬這類小品。〈Mona Lisa〉與改編日本民謠歌手村下孝藏作品的〈夕陽戀曲〉，都很適合關正傑來唱，別忘了他早期是唱民歌，教授古典結他的。〈紅了我的臉〉切合他在幕前害羞的形象，〈盡在不言中〉透露了他也有情深一面，我尤其喜歡他那不時的假聲轉音，非常動人。可惜，之後他被康藝成音毀了，連加盟EMI再夥拍監製楊雲驃，事業也救不回來了，幸好他是專業建築師，唱歌只是副業！

陳百強
Danny Chan

陳百強
（偏偏喜歡你）

出版商：WEA
出版年份：1983
監製：陳百強
唱片編號：2292 50142-1

Side A：
偏偏喜歡你／相思河畔／
脈膊奔流／令我傾心祇有妳／
浪潮／仁愛的心
（志成歌樂團合唱）

Side B：
不／公益心／從前／
傻望／醋意／何必抱怨

陳百強上一張唱片《傾訴》親任監製後，這一次《陳百強》專輯再接再厲，而且形象比前作更成熟。陸軍裝短髮，由唐裝上衫配搭牛仔褲，在古老走出摩登風格，並在銅鑼灣新寧餐廳取景。許多人把歌者作曲的冠軍歌〈偏偏喜歡你〉錯認是大碟名字，其實《陳百強》才正確。標題歌以中國小調入曲，把獨特的古樸情愫帶到現代，比EMI年代梁祝題材的〈飛越彩虹〉更好發揮。一年前改編時代曲〈今宵多珍重〉非常成功，這次再度使用舊調〈相思河畔〉，惜樂迷反應不及前作。由鮑比達作曲的〈不〉，有點異國的民族風情，放在陳百強身上的不羈，雖不配合他的為人，但歌唱來卻並不突兀。〈公益心〉原是一九八一年公益金廣告宣傳歌，陳百強在這裏演繹了他的版本。其他好歌還有七十年代初禁歌 *Stay A while* 改編的〈脈膊奔流〉，性感中見含蓄、Reggae 節奏的〈醋意〉好有趣、成名前的電子琴同學仔郭小霖獻上創作〈令我傾心祇有妳〉，尚有點點歐陸浪漫的〈浪潮〉，由陳百強親自作曲。《陳百強》專輯取得白金唱片銷量。

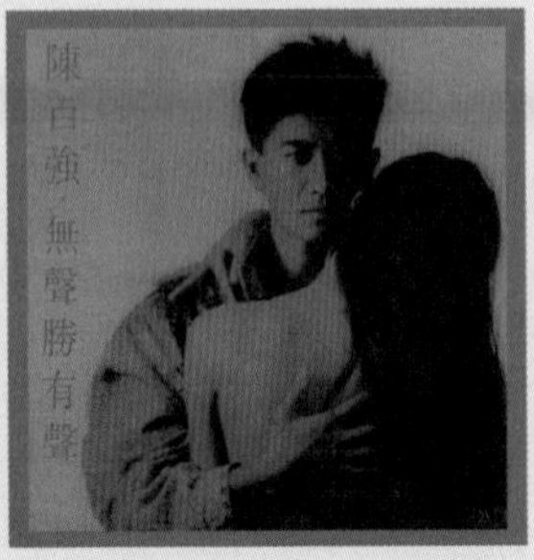

無聲勝有聲

出版商：DMI
出版年份：1988
監製：徐日勤
唱片編號：FX50022

Side A：

從今以後 / 一串音符 / 迷路人 / 昨日、今日、明日 / 怨女

Side B：

Don't Cry For Me/ 無聲勝有聲 [無綫電視劇《衰鬼迫人》插曲]/ 孤寂 / 幻像 / 令你着迷 [無綫電視劇《衰鬼迫人》主題曲]

主打歌〈從今以後〉由監製徐日勤作曲，這歌跟徐同年為杜德偉寫的〈忘情號〉，曲式或錄音編曲，都恍似是兄弟篇。〈從今以後〉繼前作〈煙雨淒迷〉，滲着一股愛戀的悲傷情懷，在陳百強往後的專輯都歷久不散，此曲在RTHK及TVB流行榜均曾登上冠軍寶座。

劇集歌方面，有《衰鬼迫人》的主題曲〈令你着迷〉和〈無聲勝有聲〉，前者是郭小霖和鄭國江的合作，後者則是徐日勤配林夕。〈令你着迷〉充滿動感，是陳百強在DMI時期銳意的突破曲式。在這張專輯還有〈怨女〉、〈一串音符〉和個人最喜歡的倫永亮作品*Don't Cry For Me*。這歌取得TVB勁歌金曲冠軍，編曲上層次漸進的鋪排，是幾首舞曲中最能恰當地展現陳百強的動感。不計〈從今以後〉、〈無聲勝有聲〉與〈孤寂〉是專輯中，最讓筆者注意的歌曲。〈無聲勝有聲〉其實是很浪漫的，有一種性感的動態，但與接下來悲傷的〈孤寂〉卻很像兄弟作。可能是因為筆者喜愛程度不分彼此的錯覺，也是每次拿起這張唱片，必然第一時間想起的亮點。〈孤寂〉由孫偉明作曲，我一直很喜歡他寫的Rock Ballad，開首的一段鋼琴聲，很快就把聽眾帶進情緒中，副歌展現心深處的呼喊，潘偉源筆下的寂寞，很切合陳百強的內心，使得歌者把歌中情緒，發揮得淋漓盡致。

林子祥
George Lam

愛到發燒

出版商：WEA
出版年份：1984
監製：林子祥
唱片編號：2292-50397-1

Side A：

愛到發燒／芭莎路華／吖嗚婆／邁步向前［電影《英倫琵琶》主題曲］／重溫舊夢／我愛你（清唱）

Side B：

逝如風／貼身舞／我偷望你偷看／石像／獨腳戲／我愛你

林子祥加盟華納後第二張專輯，主打標題歌〈愛到發燒〉改編自美國樂隊 Dazz Band 的 R&B 搖擺歌曲 *Let It Whip*，林振強的鬼馬歌詞更用上了「食蕉」挑戰道德底線；華納搞了一個七分八秒的特別加長版本，雖然只是一個延長版本，沒啥特別，但卻是第一首交由Disco 播放，並正式推出 12" Single 的 Remix 歌曲。林振強繼續風趣抵死，奉上〈吖嗚婆〉和〈我愛你〉。美國創作歌手 Billy Joel 當時剛推出新專輯 *An Innocent Man*，其中有熱門單曲 *Tell Her About It* 及 A cappella 式的 Doo-Wop 歌曲 *The Longest Time*，〈我愛你〉即改編自前者，並同時製作了一個分多鐘的清唱版本，想不到幾十年後成為了可怕的廣告歌 *YUU*。經常創作的林子祥也寫了〈我偷望、你偷看〉、〈石像〉及為並主演電影《英倫琵琶》主唱的〈邁步向前〉。還有古早旋律的〈芭莎路華〉、〈獨腳戲〉及七十年代電子風歌曲〈逝如風〉等，都是動聽的改編歌。

10分12吋

出版商：WEA
出版年份：1985
監製：林子祥
唱片編號：2292 58910-4

Side A：
10分12吋

Side B：
10分12吋

林子祥在一九八五年推出的《10分12吋》是香港第一張只作單曲發行的舞曲12" Single，唱片兩面收錄同一歌曲，串燒了二十首七十年代末到八十年代初的流行經典，化身為一首很林子祥風格的雞尾歌。當中包括了〈200度〉（葉蒨文）、〈漫漫前路〉（徐小鳳）、〈天籟…星河傳説〉（關正傑）、〈天鳥〉（盧冠廷）、〈你的眼神〉（林志美）、〈震蕩〉（陳秀雯）、〈不羈的風〉（張國榮）、Monica（張國榮）、〈愛到發燒〉（林子祥）、〈開心鬼〉（杜麗莎）、〈飛躍舞台〉（梅艷芳）、〈激光中〉（羅文）、〈世間始終你好〉（羅文、甄妮）、〈成吉思汗〉（林子祥）、〈阿里巴巴〉（林子祥）、〈跟你做個Friend〉（許冠傑）、〈財神到〉（許冠傑）、〈愛情陷阱〉（譚詠麟）、〈夏日寒風〉（譚詠麟）和〈酒干倘賣無〉（蘇芮），一氣呵成長達十分鐘加上唱片格式名稱，歌名由此命名。超長的歌曲長度很難換來電台的播放率，但無礙其流行程度，更取得RTHK最有創意歌曲獎及TVB十大勁歌金曲，林子祥在該年度頒獎禮一口氣現場把歌曲唱完，至今仍是許多樂迷難忘的回憶。那年頭，林子祥的創意絕對「無得頂」，一九九二年，他再用同一模式製作了三台冠軍歌〈街頭霸王榜〉，但一九九七年的〈好氣連祥〉四部曲，則太過老調重彈了。

譚詠麟
Alan Tam

愛的根源

出版商：Philips（寶麗金）
出版年份：1984
監製：關維麟
唱片編號：822 570-1

Side A：

愛的根源［電影《君子好逑》主題曲］/ 夏日寒風 / 都市戀歌［電影《君子好逑》插曲］/ 愛在深秋 / 我愛雀斑

Side B：

誰可改變［無綫電視劇《天師執位》主題曲］/ 捕風的漢子 / 酒紅色的心 / 欠了你 / 觸電舞

譚詠麟冒起爆紅時的第二張專輯，部分歌曲加入日本製作，使得傳統寶麗金暖和音色悄悄蛻變。〈夏日寒風〉由日本 Checkers 樂隊御用創作人芹澤廣明寫歌，林振強筆下的狂呼空虛，吐盡許多年輕人的心聲。譚詠麟同期在日本推出日本版〈夏の寒風〉，稍後也推出了混音很爛的 Special Club Mix。電影《君子好逑》帶來兩首電影歌〈愛的根源〉及〈都市戀歌〉，前者深情，後者的新浪漫電子編曲有點像 *I Like Chopin*。型！不過，譚詠麟也唱了〈我愛蕭邦〉的中文版〈我愛雀斑〉。TVB 劇集《天師捉妖》主題曲〈誰可改變〉，現在聽來不是回憶當年的歌者，卻是令人懷緬逝去的女主角翁美玲。尚有日本樂隊 Alfee 及安全地帶的熱門單曲變身為〈捕風的漢子〉和〈酒紅色的心〉，後者與蔡楓華的〈月蝕〉鬧了雙胞。尚有南韓歌手趙容弼歌曲翻過來的〈愛在深秋〉，之後譚與原唱者及日本歌手谷村新司成為好友，共同創建 Pax Musica（音樂的和平世界），推動國家間的文化交流及和平，並一起舉行演唱會。爆棚白金銷量大碟，換來五首歌曲進入勁歌金曲季選，最終〈愛的根源〉、〈愛在深秋〉在 TVB 十大勁歌金曲及 RTHK 十大金曲橫掃獎項。監製關維麟也在這兩個年度頒獎禮中得到最佳唱片監製獎。滿籃子好歌的《愛的根源》大碟，曾推出過圖案碟，現已成天價炒物。

愛情陷阱

出版商：Philips（寶麗金）
出版年份：1985
監製：關維麟
唱片編號：824 279-1

Side A：

愛情陷阱 / 幸運星 / 愛你太深 / 火美人 / 我愛世界［電影《恭喜發財》插曲］/ 恭喜發財［電影《恭喜發財》主題曲］

Side B：

情（是永願着迷）［電影《花仔多情》插曲］/ 此刻你在何處［電影《花仔多情》插曲］/ 花仔世界［電影《花仔多情》主題曲］/ 最愛的你 / 雨夜的浪漫

許多人都喜歡把《霧之戀》、《愛的根源》和《愛情陷阱》幾張專輯稱為「阿麟三寶」，因為這是譚詠麟火速冒起的三連發。每張唱片內每首歌都絕無冷場，主打歌無數，硬要選一張，實在非常困難。《愛情陷阱》已是寶麗金完全告別過去暖和音色的錄音，幾首 Backing 更是在日本錄音。繼上次找來日本 Checkers 樂隊御用作曲人芹澤廣明寫了〈夏日寒風〉，這次再由他操刀寫了標題歌〈愛情陷阱〉，不過多年後被發現，部分旋律早有日語版，不曉得內裏原因，或是作曲人一曲兩賣。他另寫了〈此刻你在何處〉，屬電影《花仔多情》的插曲，這部由譚詠麟與日本女星山崎篤子合演的電影，還有盧東尼寫的主題曲〈花仔世界〉及林敏怡、林敏驄姊弟包辦曲詞的〈情（是永遠着迷）〉。配合新年檔電影《恭喜發財》，有同名主題曲及插曲〈我愛世界〉。我較喜歡後者，輕快的曲調配上一位小孩合唱，很有童趣。上一次改了韓國歌手趙容弼兩曲，這次再改，成為〈火美人〉，但受落程度不及前作〈愛在深秋〉。浪漫之作有〈幸運星〉、〈最愛的你〉及〈雨夜的浪漫〉。〈幸運星〉由楊雲驃作曲，原是寫給鍾鎮濤的〈尋〉，不過只錄下 Demo 並沒有推出，後來於二〇一八年由筆者挖掘寶麗金母帶而曝光，在環球唱片的《B Major：鍾鎮濤 45 周年全紀錄》精選集面世。至於〈最愛的你〉

及〈雨夜的浪漫〉是繼〈霧之戀〉及〈愛的替身〉成功後，再改編日本音樂人鈴木キサブロー（鈴木喜三郎）的作品。《愛情陷阱》獲得白金銷量，有傳累積銷量達一百萬張，五首主打歌有三首火速攀上流行榜冠軍；〈雨夜的浪漫〉和〈愛情陷阱〉均取得 RTHK 十大金曲和 TVB 十大勁歌曲，後者再在兩個頒獎禮分別取得最受歡迎演出中文歌曲獎及金曲金獎。譚詠麟的火紅只能在當年親自感受，現今三言兩語實在很難形容就是了。

世外桃源

出版商：Philips（寶麗金）
出版年份：1990
監製：葉廣權 / 關維麟
唱片編號：846 467-1

Side A：

世外桃源 / 路疊路 / 理想與和平 [90 世界盃主題曲]/ 愛莫能助 / 無盡情結

Side B：

地獄天使 [電影《脂粉雙雄》主題曲]/ 也曾相識 [無綫電視劇《午夜太陽》主題曲]/ 爵士怨曲 / 還有愛我的朋友 / 留住天真

喜歡一張專輯與否，歌曲及記憶都會成為重要因素。《世外桃源》不管標題或由 Kinson Chan 擔任藝術總監的封套設計，猶如叮噹帶着大雄、靜宜、牙擦仔和技安探險去到一片美地。當然這只是漫畫式的幻想，但某程度上如果你去到一個渡假勝地，也可得到相似的感覺，就如配合大碟而來的《Alan Tam 世外桃源 Karaoke 寫真情》LD，原人原聲 MV，比「飛圖」更美的取景……綜合這些記憶，都是我很喜歡《世外桃源》專輯的原因。這首由譚詠麟作曲的標題歌，他放棄了過往緊緊咬字的習慣，令人聽得舒服。雖然它只取得各流行榜第六及第八位，但無礙我對它的喜愛。三台冠軍歌〈爵士怨曲〉，其實曲式不爵士也不怨曲，勝在夠商業元素而大受歡迎；其次是兩台冠軍歌〈理想與和平〉，是一九九〇年世界杯香港版本主題曲。當年講理想、講和平或許是做人理應的期望，但今天可能已換為如果可磊落做人，或許會更吸引！跟〈世外桃源〉相似浪漫的〈也曾相識〉，取自新加坡創作歌手巫啟賢的歌曲，也是 TVB 劇集《午夜太陽》的主題曲。另有譚詠麟親自作曲的主打歌〈路疊路〉及〈還有愛我的朋友〉，Well！

盧冠廷
Lowell Lo

過路人

出版商：EMI
出版年份：1984
唱片編號：EMGS-6126

Side A：
拾荒者／失戀的海盜／
然後…／十四噸空虛／
老樹的歌／哈囉，再見

Side B：
過路人／天意竟作弄／根／
錯覺／長途／夜風裏

一九八四年的《過路人》銷量如何？很難知道，因為那幾年EMI沒有報名IFPI的金唱片頒獎典禮，但好肯定，盧冠廷於一九八三年推出首張專輯《天鳥》時，已獲不俗的知名度！《過路人》跟《天鳥》一樣，所有歌曲均由他創作，但歌詞則不如後來則重太太唐書琛，貢獻歌詞的包括黃霑、盧國沾、林振強、向雪懷，甚至還有林敏驄。我會把他歸類Folk Rock，不過跟他訪問，他透露早年在美國賣唱為生，唱歌其實沒有分類，就算American Top 40的歌都要熟唱。向雪懷寫的〈拾荒者〉描畫小人物非常深入，若不放在歌詞中，其實又有多少人注意到城市中這些小眾呢？趣怪唱腔的盧冠廷配上古怪詞風的林敏驄，讓歌者化身為〈失戀的海盜〉，強勁節奏讓人置身搖晃的賊船。黃霑筆下的〈過路人〉，彷彿夜來節奏放緩，讓人思考一下人與人之間的關係！盧國沾寫的〈根〉，帶有幾點鄉土情懷，記得好多年前看過一部講黑人奴隸的美劇叫Roots，中文譯名就是《根》！這首好歌，多年來絕少人提起。〈十四噸空虛〉是香港歌手絕少接觸，甚至敢唱的藍調曲式，更莫說親自創作了；鬼才林振強寫的詞，令這空虛好有份量，好重！其他筆者喜歡的歌，還有〈老樹的歌〉、〈哈囉，再見〉及〈夜風裏〉。其實整張專輯，每首歌我都喜歡！

麥潔文
Connie Mak (Kitman)

江湖浪子

監製：劉東
唱片編號：CST-12-73
出版商：娛樂唱片
出版年份：1984

Side A：

江湖浪子［無綫電視劇《江湖浪子》主題曲］/ 愛跳舞的少女 / 夜夜痴纏［電影《靈氣迫人》主題曲］/ 電光霹靂舞士 / 劍影淚痕［無綫電視劇《青鋒劍影》主題曲 / 難忘的你［無綫電視劇《江湖浪子》插曲］

Side B：

陽光下的孩子［香港電台電視劇《陽光下的孩子》主題曲］/ 偏偏惹恨愛［無綫電視劇《江湖浪子》插曲］/ 不想再迷惘 / 歸去吧 / 獨自追憶過去 / 最孤寂時分

七十年代靠劇集歌作賣點的娛樂唱片，踏八十年代已漸有落伍的感覺，一九八三年，麥潔文簽進娛樂，翌年的《江湖浪子》專輯即轉新形象，為該唱片公司添上青春的時代氣息。標題歌〈江湖浪子〉來自TVB同名劇集，由黃日華、劉嘉玲和莊靜而合演，雖然當年也看過該劇，但早把劇情忘記得一乾二靜，中國小調的主題曲，輕鬆的節奏，好有鄉土氣息，由顧嘉煇作曲，配上鄧偉雄的詞，也就是娛樂擅長的曲式。原來該劇還有抒情插曲〈難忘的你〉和〈偏偏惹恨愛〉；尚有早被遺忘的《青鋒劍影》劇集主題曲〈劍影淚痕〉。這張唱片最令筆者留下深刻印象，乃是三首輕快歌曲，而且娛樂好像是首次用上鼓機作配樂。〈陽光下的孩子〉由顧嘉煇作曲、江羽（即是鄭國江）作詞，是RTHK電視部的兒童劇集，此劇由麥潔文和楊振耀飾演一對夫婦，帶着兩個小孩合力演出。一家四口的生活逸事，故事帶點漫畫式的跨張，頗受歡迎，配上兒童合唱團伴唱的主題曲，非常可愛。〈愛跳舞的少女〉改編自美國歌手Shannon前一年的大熱舞曲*Let The Music Play*，由小美填詞。對！是舞曲！娛樂慣常使用東洋歌，這實在突破了他們的傳統！但更厲害是使用了徐日勤作曲、林振強寫詞的〈電火霹靂舞士〉，這首原創作品緊貼當年大為流行的霹靂舞！這可能是娛樂唱片第一首強勁的舞曲。除此以外，電影《靈氣迫人》主題曲〈夜夜痴纏〉也是一首好歌。該部痴纏由周潤發與葉蒨文合演，麥潔文飾演戲中痴纏女鬼。由顧嘉煇寫的旋律，其實跟劇集歌分別不算大，但傳聞電台夜晚播放該曲，常有怪事發生，為歌曲添上傳奇話題！如果沒有這張成功的專輯，相信麥潔文也沒有後來的《勁舞 Dancing Queen》了！

鍾鎮濤
Kenny Bee

鍾鎮濤〈淚之旅〉

出版商：Polydor（寶麗金）
出版年份：1985
監製：葉廣權 / 鍾鎮濤
唱片編號：829 270-1

Side A：

淚之旅［電影《殺妻二人組》插曲］/ 活在記念中 / 愛情組曲（蔡國權 + 張學友合唱）/ 不准你走 / 在燈光裏哭泣

Side B：

原來真愛妳［電影《殺妻二人組》主題曲］/ 太多考驗 / 天涯人［電影《非法移民》主題曲］/ 讓我疾跑 / 夏日福星［電影《夏日福星》主題曲］

〈淚之旅〉是鍾鎮濤首次取得成功的主打快歌，往後還有續集〈香腸、蚊帳、機關槍〉及第三集〈非洲黑森林寫真集一日遊〉，但以這一首最動聽，葉廣權在 Trip Mix 中，跟他開了一個「不舉」玩笑而成為一時佳話。〈太多考驗〉改編自日本唱作人井上陽水的歌曲，因着 Canton Disco DJ Sam 的 Remix 而使我重新注意，新版真的比原版酷！另一主打〈活在記念中〉同是井上陽水的作品，卻展現跟前者截然不同的風格，是筆者的 All Time Favourite。這張是鍾鎮濤首次加入遠赴外地製作歌曲的唱片，〈淚之旅〉、〈愛情組曲〉、〈不准你走〉和〈原來真愛妳〉都在日本東京 Hitokuchi-Zaka Studio 製作，喜多郎、大貫妙子的唱片及譚詠麟的歌曲〈愛情陷阱〉便是在這裏錄製。一直以為〈淚之旅〉是電影《殺妻二人組》的主題曲，卻未想到正印是〈原來真愛妳〉，雖然沒有大熱，卻屬不俗的耐聽歌曲，是鍾鎮濤與盧永強配對的創作。這部電影由鍾鎮濤自導自演，插曲還有下張專輯的〈香腸、蚊帳、機關槍〉、雷安娜與蔣麗萍合唱的〈愛的熱淚〉及梅艷藏沒有出版的歌曲 *Fly Away*。十首歌曲，鍾鎮濤寫的歌佔六首，當中的〈愛情組曲〉就算當時得到電台熱播，至今卻從未得到我半分喜愛。

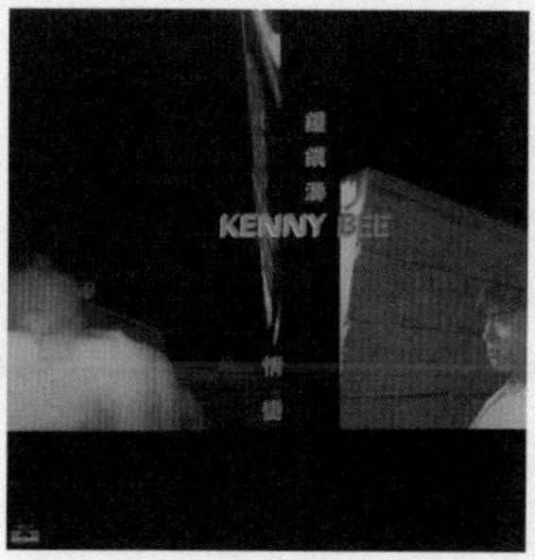

情變

出版商：Polydor（寶麗金）
出版年份：1986
監製：葉廣權 / 鍾鎮濤
唱片編號：829270-1

Side A：
香腸、蚊帳、機關槍（淚之旅 II）［電影《殺妻二人組》插曲］/ 情變 / 永遠愛下去（鄺美雲合唱）/ 原諒我 / 長跑者

Side B：
情人的謊話 / 默然…/ 戀愛木偶 / 害怕 / 編織美夢［無綫電視劇《真命天子》主題曲］

八十年代中，寶麗金銳意提昇錄音音色，鍾鎮濤的唱片明顯就是代表作之一。一九八六年的《情變》專輯，歌曲如〈香腸、蚊帳、機關槍〉、〈原諒我〉、〈默然…〉和〈戀愛木偶〉除了使用日本音樂人入江純和渡邊茂樹作曲、編曲，更特別在日本 Polydor KK 及 Canyon Studio 製作。《香腸、蚊帳、機關槍》延續前作《淚之旅》成為續集，入江純的編曲實在精采，但林敏驄這次的詞作太搞怪，經不起時間的考驗，這首歌與〈原諒我〉特別推出 Remix Single 再宣傳。〈情變〉是香港電台流行榜冠軍歌，很七十年代美國 Singer-Song Writer 的曲式，雖然表達的情感很淡然，卻痛在深處。本來是一首慘情歌，卻想不到電視台於千禧年之前用來配對他妻子紅杏出牆的新聞，變成了他親身經歷。東洋風格的〈默然…〉是筆者很喜歡的 Side Track，然後下一張專輯再有〈默然 II〉的〈絲線〉，搞不清楚兩者有甚麼關連，但都深得我心。至於〈戀愛木偶〉有梅艷芳另一版本 *Fly Away*，但後者是電影《殺妻二人組》沒有出版的插曲。〈害怕〉由歌者另一最佳拍擋盧永強作詞，這歌的心情其實是擔心的另一種表達。鍾鎮濤在這時期雖然也唱很商業的流行曲，但骨子裏卻又有點偏門的 Adult Contemporary，在他許多親自創作的作品都可感受到。

梅艷芳
Anita Mui

壞女孩

出版商：華星娛樂有限公司
出版年份：1985
監製：黎小田
唱片編號：CAL-04-1029

Side A：

壞女孩 / 夢伴 / 不了情 / 抱你十個世紀 / 魅力的散發 / 倆心未變

Side B：

冰山大火 / 癲多一千晚 / 喚回快樂的我 / 點都要愛 / 孤身走我路

儘管梅艷芳初出道的幾張唱片已賣過滿堂紅，但來到《壞女孩》，才真正走進破格歌路及突破形象。這張專輯商業氣息極濃，許多均是熱門歌曲的改編，原創作品只有黎小田寫的〈倆心未變〉和〈喚回快樂的我〉。〈壞女孩〉取自Sheena Easton的*Struct*，論編曲與錄音，都不及原作，但林振強的露骨情慾歌詞，愈被有識之士責罵，他愈要寫，就算此曲被電台禁播，這話題之作仍取得TVB十大勁歌金曲。〈夢伴〉與〈癲多一千晚〉改編自日本青春偶像近藤真彥的歌曲，但論流行程度，前者贏足一條彌敦道，想不到之後兩人譜出了一段私戀，梅艷芳更經常到日本會他，並多次改編他的歌曲。〈抱你十個世紀〉與〈點都要愛〉則是Madonna的熱門歌曲，但只有前者受到注目。慣常改編山口百惠的歌，則有火辣搖滾的〈冰山大火〉及筆者特別喜愛的〈孤身走我路〉。儘管梅艷芳當時已是天之驕女，但放下光芒，渴望組織家庭的她，〈孤身走我路〉這歌最終成為她遺憾的寫照。她從新秀得獎後唱功已被得到肯定，但筆者認為這是第一首讓她的情感發揮得淋漓盡致的歌曲。《壞女孩》專輯取得一九八五年「IFPI全年最佳銷量獎」。

一九八七年推出的《梅艷芳（似火探戈）》原創與改編歌參半，主打黎小田作品〈似火探戈〉，這探戈節奏非常特別，雖橫掃三台流行榜冠軍，但卻不是我杯中茶。令筆者驚艷的是兩首改編中森明菜的歌曲〈Oh No! Oh Yes!〉與〈裝飾的眼淚〉。當時只以為華星愛把熱門歌曲取來給她唱，卻未料到她是連中森明菜也想不到的情敵。梅艷芳接二連三改編近藤真彥的歌曲，是為了助他事業，這裏便有〈序曲～將我送給你〉、〈百變〉與此曲再變身的〈妄想〉；會不她也愛屋及烏，不介意主唱明菜的歌？但論歌，〈Oh No! Oh Yes!〉與〈裝飾的眼淚〉這兩首竹內瑪利亞寫的作品，確是水準之作。

〈放鬆〉是一首奇怪的改編，因為本是一年前鍾鎮濤的〈魅幻〉，卻想不到原作及改編均由林敏聰填詞，但論錄音我覺得〈放鬆〉實在輸了給寶麗金日本錄音及編曲的〈魅幻〉。〈珍惜再會時〉改編自 The Manhattans 的歌曲 *Kiss and Say Goodbye* 算是另類，需要點時間才會慢慢接受。《梅艷芳（似火探戈）》唱片推出時，特別以兩個造型推出了兩個版本封面。

梅艷芳（似火探戈）

出版商：華星娛樂有限公司
出版年份：1987
監製：黎小田
唱片編號：CAL-04-1047

Side A：

序曲～將我送給你／
Oh No! Oh Yes!／百變／
心魔／無淚之女／
黑色婚紗

Side B：

似火探戈／裝飾的眼淚／
放鬆／反覆的愛／
珍惜再會時／妄想

陳潔靈
Elisa Chan

Elisa 陳潔靈

出版商：華星
出版年份：1986
監製：鍾定一
唱片編號：CAL-05-1031

Side A：
再見 Sayonara/
羊群伴我失眠 / 每一次別離 /
火熱舞 / 我是清風［電影
《女人風情畫》主題曲］/
今晚夜（全新版本）

Side B：
誰令妳你心痴
（張國榮合唱）/ 自由的我 /
Forever My Love/
當天那真我 /
衹要有你

陳潔靈早在七十年代 New Topnotes（新特樂樂隊）時期成名，但音樂事業總是遇上波折。一九七九年跟許多慣唱西洋歌歌手一樣，轉唱粵語歌，但不算成功；接下遇上超受歡迎的劇集歌佳作，卻遇上唱片公司倒閉。直到簽約華星唱片，事業才穩定發展，這幾年有不少佳作，華星跟 TVB 也關係密切，本是踏上一條康莊大道，可惜華星一直沒有再版她的專輯，直到三十多年後由東亞唱片接手，才於華星四十系列一一出土。

《Elisa 陳潔靈》於一九八六年推出，是陳潔靈一個衝刺期，那年頭跟張國榮合唱〈只怕不再遇上〉，在這張專輯再下一城合唱〈誰令你心痴〉，稍後與葉德嫻攜手合唱〈千個太陽〉，並在紅館舉行兩場《葉德嫻陳潔靈競歌散芬芳演唱會》，人氣勢如破竹。日曲改編的〈再見 Sayonara〉和〈羊群伴我失眠〉均由羅迪編曲、林敏驄填詞，前者屬典型的東洋流行曲，後者曲式古怪配上林敏驄鬼馬詞風，是一首好有趣的動感歌，兩者均由唱片公司挑選為主打歌。〈每一次別離〉改編自 Paul Young 冠軍歌 *Every Time You Go Away*，事實那是 Daryl Hall & John Oates 原唱的歌。全新版本〈今晚夜〉捨棄了原版復古 Cha Cha 節奏的亮點，更新了的舞曲節奏，可惜無法跟原版相比。這唱片最令筆者感動的歌，乃是林振強填詞的改編曲〈當天那真我〉，已逝去的天真情懷，既悲傷也令人唏噓，後來雖然也有別的歌手翻唱，那種情懷只有陳潔靈演繹得恰到好處。同年，華星以這張唱片歌曲及封面設計為主體，加入〈傾出我心事〉、〈無言地等〉、〈只怕不再遇上〉等五首力作，再推出陳潔靈首張CD。箭豬頭加豹紋外衣的野性形象，是設計師陳幼堅又一亮點之作。

曾路得

Ruth Chen 與四月之聲

信

監製：曾路得
唱片編號：FXR-86-01
出版商：Foxwood Limited
出版年份：1986

Side A：

等你（曾路德）/ 直到終老（陳芳榮）/ 偶像（曾路德＋四月之聲）/ 影子與我（曾路德）/ 心祭（凌東成）/ Jesus Loves You（曾路德＋四月之聲）

Side B：

信（曾路德＋四月之聲）/ 玫瑰的故事（孔慶端）/ 愛的真諦（曾路德＋四月之聲）/ 苦擔（曾路德＋黎永邦）/ 母親禱曲（曾路德）/ 我空空的來（曾路德）

Gospel Music 在外國一直都很受歡迎，甚至有他們流行樂壇的一片天；香港早期在流行樂壇致力基督教音樂的，首推曾路得和赤道組合。曾路得的歌聲以〈那一天〉及〈天各一方〉一鳴驚人，當時她是商業電台 DJ，是6啤半其中一員。正式簽約華納時，她都不時加入宗教讚歌在其唱片中。後來，她參與 IKACM 香港基督徒音樂事工協會的《齊唱新歌》錄音帶系列，並灌錄了一連串歌曲如〈神是愛〉、〈風雨念香港〉、〈城市新歌〉及〈教會一家〉等。一九八六年，她自資與陳芳榮、孔慶端、凌東成、李詠茵組成四月之聲，推出《信》專輯。內容並不光是詩歌，但主題很正面，曾路得、凌東成、陳鎮華和陳芳榮往後幾十年，都是新派詩歌創作的活躍份子，除了新創作，他們也灌錄英語詩歌。基督教的華人詩歌一向都很傳統，在八十年代興起一股全新創作風，但只推出錄音帶在教會書室銷售，《信》是香港第一張通過流行音樂管道推出的宗教專輯，以唱片及卡帶正式面世，並由寶麗金發行，當中由曾路得主唱的〈等你〉與〈影子與我〉，獲得商業電台極高的播放率。

Beyond

永遠等待

出版商：Kinn's Music/ PolyGram
出版年份：1986
監製：Leslie Chan/ Beyond
唱片編號：831 477-1

Side A：

Water Boy/ 昔日舞曲 / 金屬狂人

Side B：

灰色的心 / 永遠等待（12" 版本）

一九八六年，當我在唱片租賃公司選來這張 EP 時，Beyond 這名字實在陌生，奇怪 Polydor 碟心不是常見的紅色，收錄歌曲〈永遠等待〉竟是一首 12" 版本，到底原版收錄在哪？音樂雖是 Band Sound，但另類得很不對口味，想不到後來我竟愛不釋手。原來 Beyond 早在地下音樂聞名，甚至還有更早的《再見理想》卡帶。收錄五首歌曲均為 Beyond 成員的作品，當中更包括早期成員陳時安合寫的〈永遠等待〉及經理人陳健添參與的 *Waterboy*。〈永遠等待〉在這裏出現已是第三個版本，第一版收錄在〈再見理想〉卡帶，粗糙但卻很 Alternative，第二版附在小島樂隊卡帶的 12" Remix IC Version，然後這個是完全商業取向的混音版本。不過那麼搖滾的音樂，真的有人會用這 12" 版本來跳舞嗎？或者強勁的節奏，也令人渾身熱血沸騰就是了。〈灰色的心〉和 *Waterboy* 趨向內心的寫照，前者讓人隨着音樂吶喊！由古典音樂引子轉入重型搖滾的〈金屬狂人〉，可說是 EP 中最瘋狂的作品，主唱黃家駒的吼叫，其他成員呼喊和應，配合急促的鼓節奏及火辣的結他，就如歌名一樣——夠「狂」！這時期的 Beyond 是往後再也不能複製得來。

二樓後座

出版商：滾石
出版年份：1994
監製：Kunihiko Ryo（梁邦彥）/ Beyond
唱片編號：ROD 5009H

超級武器 / 總有愛 / 醒你 / 遙遠的 Paradise / We Don't Wanna Make It Without You / 傷口 / 打救你 / 仍然是要闖 / 冷雨沒暫停 / 愛得太錯 / 祝你愉快

為了更遠大的音樂理想，Beyond 遠赴日本發展，可惜為了一場無謂的電視遊戲節目錄影，痛失了黃家駒的寶貴生命！一年後，剩下的 Beyond 三子竭力延續 Beyond 樂隊，重返他們的發源地——旺角洗衣街某唐樓二樓後座的 Band 房，並以「二樓後座」為專輯標題。沒有家駒的 Beyond，音樂仍然火辣，更有如他敢言作風的〈醒你〉及〈打救你〉，也有和平與愛延續的〈總有愛〉，作為弟弟的黃家強也因血緣關係，唱腔突然胞兄上身，然而硬撐的背後，樂隊昔日的合音特色已盪然無存。刻意不使用家駒遺作，成員各人努力奉獻個人作品，又或是合寫歌曲，但骨子裏仍有許多過去的陰影，明明〈冷雨沒暫停〉跟家駒舊作〈冷雨夜〉沒甚麼相似，卻令人充滿聯想。抹不去哀傷的〈遙遠的 Paradise〉及〈祝您愉快〉，實在令人感動；更特別是 *We Don't Wanna Make It Without You*，言不多，歌詞只得一句，但結他音符抒發着對家駒的思念。《二樓後座》不僅是樂隊的延續，也是樂迷的期望。二十六年後，Beyond 早已解散多年，重溫這批歌曲，令人點滴滋味在心頭，若然家駒仍健在，今日的 Beyond 又會是甚麼樣子呢？

鄺美雲
Cally Kwong

鄺美雲（寂寞的風）

出版商：Polydor（寶麗金）
出版年份：1986
監製：歐丁玉
唱片編號：829 273-1

Side A：

寂寞的風／傷心的我／
小島風雲［無綫電視劇
《小島風雲》主題曲］／
祇有情永在［無綫電視劇
《賊公阿牛》主題曲］
（張學友合唱）／等候一個你／
兩個偶然［商業電台廣播劇
《兩個偶然》主題曲］

Side B：

堆積情感／為何離去？／
總有知心友／醉［無綫電視劇
《小島風雲》插曲］／
命運［無綫電視劇
《賊公阿牛》主題曲］／
朝花［無綫電視劇
《朝花夕拾》主題曲］

鄺美雲經香港小姐選美出身，再於一九八五年加盟寶麗金轉型為歌手。首張專輯《再坐一會》換來不俗反應，接下來的《鄺美雲（寂寞的風）》儘管只有兩首主打歌，但收錄了一籃子好歌。〈堆積情感〉原是新加坡歌手姜鄂的歌，鄺美雲灌錄了粵語版，復又在台灣推出國語版，後來黎明一九九二年再翻唱並作主打，雖然鄺美雲版本只取得TVB流行榜第九位，卻阻不了它成為Cally代表作。Euro-Beat拍子的〈傷心的我〉，其密集式的Percussion比原曲更精采，全因鼓王Donald Ashley編曲的功勞，這首RTHK的冠軍歌，寶麗金往後再推出了兩個Remix。〈寂寞的風〉改編自羅大佑作品，小美填詞，為歌曲保留了台灣文藝氣息，事實上，寶麗金年代鄺美雲的歌，均常有這種文藝電影女主角的倩影。同類的，還有音樂盒伴奏的RTHK廣播劇《兩個偶然》同名主題曲，原來是馮偉棠的作品。其它屬輔助元素的歌，有電影《朝花夕拾》主題曲〈朝花〉、TVB劇集歌〈小島風雲〉、〈醉〉、〈命運〉和傳唱到今天的合唱歌〈祇有情永在〉（與張學友合唱）。這是集寶麗金與DMI年代，筆者最喜歡的鄺美雲專輯。

陳慧嫻
Priscilla Chan

反叛

出版商：Polydor（寶麗金）
出版年份：1986
監製：區丁玉
唱片編號：829 271-1

Side A：
跳舞街／痴情意外／Love Me Once Again／夏日／六月某天／路

Side B：
反叛／與淚抱擁／壞習慣／忘記悲傷［電影《初一十五》主題曲］／牆

一九八六年的《反叛》專輯，讓看來文靜的陳慧嫻脫胎換骨，耳目一新。她由這專輯正式加盟寶麗金，製作上由經理人公司法利安改由歐丁玉操刀，形像上化身為街頭日系跳脫少女，配合動感舞曲，充滿活潑的青春氣息，這轉變十分成功！若《故事的感覺》和《陳慧嫻〈花店〉》被塑造為文藝小說裏的少女，那麼由林振強填詞的〈反叛〉就是轉變的宣告，貼近女生的成長歷程。

〈跳舞街〉由林敏驄填詞，密集的跳躍節奏，使人不禁隨歌者起舞，但筆者曾一度陷於喜歡與討厭的矛盾，只因歌詞填上一堆「何月娣、陳步禮、吳縣濟、倪淑輝、司空敏慧、蛇共蟻、劉並蒂、神合體」的古怪名字！這兩首歌稍後推出 Remix Single，結果筆者錄卡帶時，把〈跳舞街〉那堆名字剪掉，換來一個私房混音版本。抒情主打，有改編自日本樂隊安全地帶的單曲的〈痴情意外〉，由潘源良與時葆茵合寫歌詞，但時葆茵到底是誰？不管如何，安全地帶讓許多改編粵語歌點石成金，讓寶麗金輕易捧紅許多新一代歌手！*Love Me Once Again* 由林振強填詞，才二十一歲的慧嫻，演繹這悲傷戀曲，竟然可以那麼動人。〈與淚抱擁〉是電影《初一十五》的主題曲，由徐日勤作曲、向雪懷寫詞；可能已沒有人記得那是周潤發主演的電影，更可能未想過劉德華主唱的〈只知道此刻愛你〉是插曲。

《反叛》專輯使用了許多改編歌，日本音樂人渡邊茂樹除了提供新作，也為多首主打擔任編曲，監製歐丁玉更遠赴日本，聯同兩位日本錄音師合力製作。不難發現，雖然〈跳舞街〉和 *Love Me Once Again* 分別與林志美和林憶蓮撞歌，但整體製作水準都比對手優勝。

張國榮
Leslie Cheung

Summer Romance '87

出版商：Cinepoly
出版年份：1987
監製：張國榮 / 楊喬興 / 唐奕聰
唱片編號：CP-1-0010

Side A：
拒絕再玩 / 無心睡眠 /
妳在何地 / 無形鎖扣 / 妄想

Side B：
共同渡過 / 情難自控 / 夠了 /
請勿越軌 / 倩女幽魂
［電影《倩女幽魂》主題曲］

一九八七年，張國榮事業如日方中，卻竟然告別力捧他上位的華星唱片，着實令人意外，但加盟新藝寶令他的音樂與電影更能雙線配合。事實上，往後幾張新藝寶唱片，令他更受歡迎，音樂製作上更精緻，證明他的選擇絕對正確！加盟後首張專輯《Summer Romance '87》充滿節奏及夏日氣息，〈無心睡眠〉、〈妄想〉、〈情難自控〉和〈夠了〉數曲更遠赴日本 Freeport 及 Nipcon Phonogram 錄音室製作，並在當地拍攝造型照。這張專輯原創與改編歌參半，把日本先進製作與本地錄音融合，結集為一張超水準，非常耐聽的專輯，就算事隔三十多年的今天，仍不失禮，難怪唱片公司至今推出過數不盡的復刻 LP 或 CD 版本。當年以七白金銷量取得 RTHK「十大中文金曲頒獎典禮」全年銷量冠軍大獎、CD 雷射大獎及商業電台擂台頒獎典禮大碟獎，主打歌之一的〈無心睡眠〉更橫掃七個年度大獎。新藝寶稍後更以〈夠了〉聯同〈無心睡眠〉和〈拒絕再玩〉推出《Dance Remix》EP，再下一城。深情歌曲包括盧冠廷作品〈妳在何地〉、因幡晃作品改編〈無形鎖扣〉、谷村新司作品改編〈共同渡過〉、Rod Stewart 金曲改編〈請勿越軌〉及熱門電影主題曲〈倩女幽魂〉！實在是一張精采無敵的專輯！

風雲
Wind & Cloud

風雲

出版商：Euphonic
出版年份：1987
監製：大衛金寶
聯合監製：風雲
唱片編號：808-881

Side A：

Anita/ 浪漫的追尋 /
Come Dance With Me/
扼殺 / 您

Side B：

發放熱量 / 生命線 /
我被磨碎 / 二人行 / 睡吧

八十年代香港 Band 隊熱潮盛放，雖然許多都只屬曇花一現，但每隊樂隊至少都留下一兩張令人回味的專輯，甚至好幾首經典傳世。一九八七年推出首張同名專輯的「風雲」樂隊，由鄭敬基與陳少偉組成，所有歌曲由兩位成員和監製 David Campbell 包辦，其經理人法利安公司之前也捧紅了少女雜誌和陳慧嫻。風雲最 Hit 的歌首推 Euro-Beat 的 *Anita*，其次便是 Reggae 節奏的 *Come Dance With Me*，稍後他們再推出了兩曲的英語版。除了兩首大熱，多年來最令筆者留下深刻印象乃是抒情歌〈您〉，這首由 David Campbell 作曲編曲、風雲寫詞的歌，很 David Foster 作品的曲式，鄭敬基沙啞的嗓子，為歌曲添上動人的滄桑味。另一首特別之作，是加入了陳少偉合唱的〈浪漫的追尋〉。陳少偉擁有一把低沉而冷冷的聲線，與聲調較高又沙啞的鄭敬基，形成了對比又有個性的聲音，起了很特別的化學作用！作為一張 Debut 唱片，擁有四首值得細聽的歌曲，實在難得。可惜風雲之後發了一張 EP，才一年就解散了，但相信現今仍有不少樂迷仍記得他們的，而不單是獨立發展的鄭敬基。

張立基
Norman Cheung

妳好嗎 ?!

出版商：EMI
出版年份：1988
監製：Jim Lee（李振權）/ James Wong（王醒陶）
唱片編號：FH 10074

Side A：
妳好嗎 ?! / 放心 / 再一次 / Linda/ 心跳 (Remix)

Side B：
講我知 / 再見女郎 / 愛人講再見 / 情義兩相牽 / 笑話 / 自焚

一九八九至一九九〇年間，三張專輯《今夜你是否一人》、*I'll Never Forget You* 和 *When The Wine Is Over* 讓張立基漸進火紅，奠定其音樂重要一席，但其實他的首張大碟《妳好嗎?!》也是一張很重要、不容忽視的水準之作。儘管他當時身處於 ATV 弱台，音樂節目不多，宣傳唱片機會也少，但《妳好嗎?!》至今仍深得樂迷喜愛，只因為當中好歌滿滿，水準不俗，而且多首抒情歌更證明張立基不限於跳唱歌手。深情的〈妳好嗎?!〉與〈再見女郎〉是這張專輯的抒情亮點，前者是英國組合 Five Star 不見經傳的大碟 Side Track，但改編過後竟是一首那麼詩意的情歌，更在商台及 RTHK 分別成為冠亞軍歌；後者原屬美國 Bread 樂隊成員 David Gates 的單飛作品，為電影 *Goodbye Girl* 而寫，在香港早成為雋永金曲，難得改編後仍醉人，這多得杜自持的編曲和潘偉源的詞沒有破壞原曲的優美，更為歌曲注入動人的意境，歌者恰到好處的情感抒發，成為動人主因。*Linda* 比張學友改編版早一年，可惜不為人注意，但近年也被不少樂迷發現。〈自焚〉與〈心跳〉同取自上一張試水溫 EP，這次再入碟；但〈心跳〉換上了 Remix 新裝，是筆者鍾愛的舞曲，這也為張立基樹立日後的舞曲特色。

李健達
Douglas Li

也許不易

出版商：Cinepoly
出版年份：1989
監製：Douglas Li（李健達）/ Peter Lam（林鑛培）
唱片編號：CP-3-0011

Side A：
也許不易［電影《阿郎的故事》插曲］/ 變

Side B：
少年德格拉斯的煩腦 / 不肯相信

原是華納唱片的宣傳大員，一九八九年得到機會，李健達主唱台灣創作歌手羅大佑為電影《阿郎的故事》寫的插曲〈也許不易〉，更與李默攜手合寫歌詞。憑着電影賣座，插曲配合劇情，令心人酸，賺人熱淚，比起許冠傑唱的主題曲〈阿郎戀曲〉更受歡迎，這也成為李健達最為人熟識的經典。因着歌曲大受歡迎，唱片公司隨即為李健達推出EP。剩下三首歌曲，由李健達創作，部分更包辦編曲及歌詞；至於其他參與音樂人包括監製之一林鑛培和陳少琪。李健達當時使用的洋名是Douglas，而不是現在的Tak Li，筆者曾跟李健達做過訪問，我好奇詢問〈少年德格拉斯的煩惱〉說的是他嗎？他透露當時〈也許不易〉大受歡迎，新藝寶隨即叮囑他趕製EP，短時間要弄三首歌出來，你說煩惱不？非常幽默！可惜因為《也許不易》的成功，唱片賣出五萬張，令他立即自滿，致使唱片公司把他雪藏，不過筆者當年也買了他的首張個人專輯《不再流浪》。

張學友
Jacky Cheung

祇願一生愛一人

出版商：Polydor（寶麗金）
出版年份：1989
監製：歐丁玉 / 陳永明 / 張學友
唱片編號：839 901-1

Side A：
祇願一生愛一人 / 花花公子 / 忘情冷雨夜 / 夕陽醉了 / 歡場

Side B：
親親 / 你沒有錯 / 迷失的方向 / 一往情深 / 信念

事業上的迷失，再經唱片公司雪藏，*Jacky*、《昨夜夢魂中》和《給我親愛的》連續三張專輯，雖然仍打造金曲，但挽救不了張學友音樂事業突然陷入谷底的事實，幸好一九八九年的《祇願一生愛一人》專輯，讓他重新發力。寶麗金當時鋭意香港及台灣雙線發展，故此也引入台灣的創作歌手童安格和福茂的庾澄慶。〈祇願一生愛一人〉原是庾澄慶的作品，旋律過於重複，甚至顯得旋律單薄，但經盧東尼重新編曲，豐富了歌曲的神采，配上張學友富情感的演繹，為歌曲添加漸進意境，是一首很難再被其他歌手翻唱成功的歌曲。由童安格寫的〈夕陽醉了〉，原是為台灣歌手鄭婷寫的〈誰想輕輕偷走我的吻〉；改編後寶麗金為〈夕陽醉了〉大肆宣傳，更拍成原人原聲MV，推出CDV；倒是歌紅了，連張學友也唱了國語版，童安格才在二〇〇七年的演唱會演繹他這親生之作。〈祇願一生愛一人〉與三台冠軍歌〈夕陽醉了〉均分別在年度頒獎禮得到十大金曲獎項。來自新加坡音樂人李偲菘的作品有〈親親〉，這原是寫給姜鄂的歌；換上了林振強的粵語歌詞，也成為了電視劇〈他來自江湖〉的插曲，文案上沒有註明，似是後來的安排。極富動感有〈花花公子〉及〈歡場〉，均為學友開拓快歌路線，前者原來是玉置浩二的作品；至於〈歡場〉，以主流歌手來說，觸及這種主題也很特別，不過多年前譚詠麟也唱過〈午夜麗人〉。至於〈忘情冷雨夜〉取自數月前張學友國語專輯的〈故事〉，兩個版本我都非常喜歡。雖然當時筆者一直沒有離棄過張學友，但這張白金銷量專輯，實在回歸到我超喜愛的水平。

劉德華
Andy Lau

一起走過的日子

出版商：寶藝星
出版年份：1991
唱片編號：IP-C-9192

一起走過的日子
［電影《至尊無上Ⅱ永霸天下》
主題曲］/
天從人願［無綫電視劇
《烏金血劍》主題曲］/
遺棄［電影《無名家族》
主題曲］/
熱血男兒［電影
《至尊計狀元才》主題曲］/
不死的夢［電影
《至尊無上Ⅱ之永霸天下》
插曲］/
秋意中等我［無綫電視劇
《奇幻人間世》主題曲］
（吳婉芳合唱）/
紅塵夢
［電影《極度追縱》主題曲］/
城市獵人
［無綫電視卡通片《城市獵人》
主題曲］/
緣盡（相愛沒緣份）
［電影《龍鳳茶樓》主題曲］/
與孤獨在奔往
［電影《五虎將之決裂》
主題曲］/
紅塵天使
［電影《獄中龍》主題曲］

一九九一年的劉德華，推出國語及粵語專輯共五張，上映的電影多達十三部，可見他火紅程度。六月《愛不完》專輯推出不久，仍有一大堆電影主題曲未推出，於是三個月後以電影《至尊無上Ⅱ之永霸天下》的主題曲〈一起走過的日子〉為標題，連同多首電影歌及劇集歌，再配上四首年前電影歌舊作，本是一張新曲+精選，卻化身為電影歌曲專輯推出。〈一起走過的日子〉成為該年度劉德華人氣最高的歌曲，更憑此勇奪 TVB 十大勁歌金曲、叱咤樂壇我最喜愛的創作歌曲大獎、RTHK 十大金曲及其最受歡迎卡拉 OK 歌曲獎多個獎項。動聽歌曲有 TVB 電視劇《奇幻人間世》主題曲〈秋意中等我〉，詩意十足，合唱者吳婉芳的嗓子也很討人喜愛，惜歌途曇花一現。在流行榜取不到甚麼成績的舊作〈緣盡〉再次收錄，這首由盧冠廷為電影《龍鳳茶樓》寫的主題曲，曾有另一國語版化身〈如果妳是我的傳說〉由劉德華親自填詞，為他在台灣衝上四白金的二十萬張銷量，成績斐然！電影《獄中龍》主題曲〈紅塵天使〉很面熟，原來是大熱歌曲〈絕望的笑容〉的真身。如果不是這專輯，這電影版歌曲可能就此被遺忘了。

草蜢
The Grasshopper

La La Means I Love You

出版商：Philips（寶麗金）
出版年份：1992
監製：楊振龍
唱片編號：512852-1

Summer Day Side：
三分鐘放縱／A.E.I.O.U/
夜性感／仍然能自己／
起舞吧／點解

Summer Night Side：
每一些也是情／
La La Means I Love You/
情難禁／下次遇見你／妒忌

若然以為一九八八年推出首張唱片的組合草蜢，只屬過眼雲煙的仿日跳唱組合，相信許多人都會大跌眼鏡，因為他們的唱片一張比一張成熟，而且常注入無限創意。一九九二年的 *La La Means I Love You*，音樂極具獨特的意念，分A面動感的 Summer Day Side 及B面中板至靜態的 Summer Night Side；光説封套設計，三隻草蜢浸在水中，還要像在陸上睜着眼睛，臉上掛着表情，一般偶像歌手那會去為封面照挑戰難度？先談A面，近半小時的 Non-Stop 音樂，好令人熱血沸騰，冠軍歌〈三分鐘放縱〉及 *A.E.I.O.U.* 均是主打，但一口氣連續聽，其實根本不在乎那首更熱門，那首是主打歌，接下來〈點解〉似要探討社會議題，大玩 Engima 曲風，雖有 Copycat 之嫌，但在粵語音樂上還是很大膽的嘗試。B面有中版的〈每一些也是情〉，流行榜三甲位置歌曲。草蜢曾在網上訪問談及，很喜歡把一些陪伴他們長大的舊英文歌翻新改編，過去有 *Emotions*、*Slip And Slide*、*Lovin' You* 和 *You Are Everything* 都很成功，這次有 La La Means I Love You，想不到這改編比英國樂隊 Swing Out Sistsres 的重唱，還要早兩年。改編自台灣製作人及創作歌手吳大衛歌曲而來的〈下次遇見你〉，是筆者極喜歡的作品。

杜德偉
Alex To

讓自己快樂

出版商：Warner Music
出版年份：1992
監製：賴健聰 / 杜德偉 / 杜自持 / 鍾定一
唱片編號：9031-76542-2

給我吧！ / 深愛的妳 / 讓自己快樂 / 准我 / 因你着迷 / 安全地愛 / 信自己（葉蒨文合唱） / Because I Love You(Remix)/ 每一分鐘 / 讓自己快樂 (Remix)/ 給我吧！ (Remix)

《讓自己快樂》是杜德偉轉投華納的第二張專輯，另一方面他在台灣仍然效力在華星年代已合作的滾石唱片，所以在這裏也用上國語專輯《讓自己快樂》的同名大熱歌曲，甚至共用同一音樂聲軌。這首小蟲的作品，本是台灣百事可樂廣告歌，讓杜德偉在當地火速冒起，有着強烈的黑人舞曲節奏，雖是台灣原創作品，卻由香港音樂人楊振龍編曲，這裏換上周禮茂的粵語詞在香港市場出現，只是多添一個 Remix 國語版，略嫌節奏反不及原版。改編歌〈給我吧！〉在旋律及編曲上均很吸引，而且勁道十足，但受歡迎程度卻不及與葉蒨文合唱的〈信自己〉。〈信自己〉先在葉蒨文的《情懷》專輯出現，後再收錄在杜德偉的專輯內，並得到年度 RTHK 十大中文金曲、TVB 十大勁歌金曲及最佳音樂錄影帶演出獎。杜德偉自出道後首次得獎，更多謝葉蒨文把合共擁有的獎座送了給他。至於華納則以 Remix 版〈給我吧！〉拍攝 MV 推出卡拉 OK 作主打宣傳，怎麼不是更吸引的原版呢？〈准我〉改編自 Dan Byrd 的 *Sayonara*，雖然原曲也曾被寶麗金多次推廣，改編版也曾作主打，但均得不到我的喜愛，總覺旋律緩慢得沉悶，我較喜歡賴健聰作曲的〈深愛的妳〉，文案上只註明是 TVB Theme Song，似因 CD 趕着出版，原來那是劇集《反斗威龍》的插曲。〈安全地愛〉是一首神秘合唱舞曲，沒有任何資料顯示該把女聲是誰，但我猜那是蔡立兒。上一張專輯《天生喜歡你》主打歌 *Because I Love You* 出現了 Day 和 Night 版本，這次再出現一個 Remix 新版！奇怪，為何多個 Remix 版都比原版遜色？

許志安、郭富城、梁漢文、鄭秀文

Andy Hui/Aaron Kwok /Edmond Leung/Sammi Cheng

Red Hot Hits
火熱動感

出版商：華星唱片
出版年份：1992
監製：Peter Millius/ Dan Lessner / 江港生 / 鍾定一
唱片編號：CD-02-1126

火熱動感 La La La（許志安、郭富城、梁漢文、鄭秀文）/
I'm On Fire（郭富城）/
不可一世（鄭秀文）/
讓我終於擁有你（許志安 /
夏季不不不（梁漢文）/
火熱動感 La La La（音樂版）

煙草廣告曾是香港電視台、電台媒體重要廣告收入來源，甚至動不動花百萬拍攝精采廣告，猶如電影製作。但一九九〇年十二月一日，香港政府全面禁止電視及電台的煙草廣告及贊助，煙草公司即要動腦筋各出奇謀，務求在合法途徑下宣傳。於是，萬寶路以其品牌與唱片公司合作，製作推出一連串的 Marlboro Red Hot Hits 系列專輯，以收宣傳之效。首波便是與華星唱片合作的《*Red Hot Hits* 火熱動感》EP，歌者有力捧的新秀許志安、鄭秀文、梁漢文及從台灣回流香港新簽下的郭富城。宣傳上，這張 EP 由外國音樂人監製，但實際上主打歌〈火熱動感 La La La〉由江港生編曲及監製，是一首日本改編歌；至於郭富城的 *I'm On Fire* 則由唐奕聰編曲及鍾定一監製，剩下來鄭秀文的〈不可一世〉、許志安的〈讓我終於擁有你〉及〈夏季不不不〉才由 Dan Lessner 編曲及部分使用了 Peter Milliusvbo 的作品。〈火熱動感 La La La〉拍了很動感的 MV，非常熱鬧，鄭秀文配上三位男生，稍嫌吊高了嗓子，但不礙歌曲勢如破竹的流行程度，整支 MV 突出了郭富城的舞姿。郭富城主唱 *I'm On Fire* 時，唱功仍幼嫩，但動感的歌曲蓋過了他的缺點，仍值得一聽。他在華星一年多，待正式過檔華納，才得到最好的發展。至於鄭秀文的〈不可一世〉屬初嘗快歌，往後以〈Chotto 等等〉真正開始快歌主打。許志安的〈讓我終於擁有你〉是EP中唯一沒有動感的歌曲，但美式的曲風，仍不錯聽。至於梁漢文的〈夏季不不不〉帶來夏日氣息，中版節奏不算強勁，當年筆者無意間在商台的音樂展看到他宣傳此歌，他很落力演出，但觀眾對這位陌生新人反應欠熱烈。最後音樂版〈火熱動感 La La La〉，就算沒去卡拉OK，也可自己高歌一遍！

林憶蓮
Sandy Lam

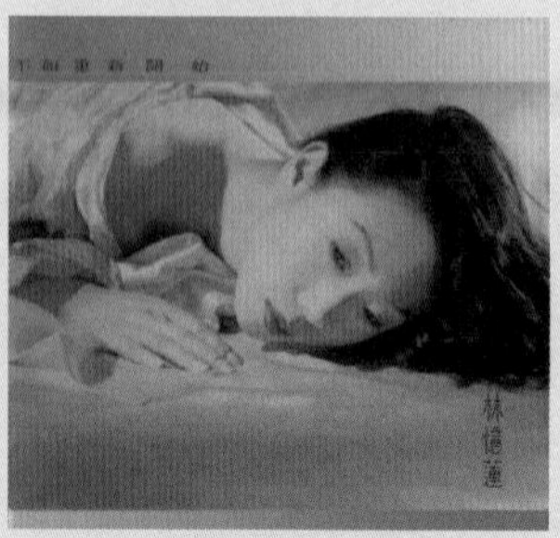

不如重新開始

出版商：星工廠／華星
出版年份：1993
監製：許願／趙增熹／李宗盛／林憶蓮
唱片編號：CD-27-1133

不如重新開始／天大地大／紅顏未老／當我眼前只有你／始終一天（93 翻天覆地版）／震撼（風火海合唱）／寂寞派對（音樂）／假如讓你吻下去／戀愛在不遠處等我／當愛已成往事（李宗盛合唱）／風中的歌

一九九三年《不如重新開始》專輯與稍後在台灣推出的國語專輯《不必在乎我是誰》猶如雙生兒，因為連封面照片及不少歌曲都是兩碟共用。林憶蓮在台灣也加盟了滾石，並且首次加入李宗盛為唱片監製，許願自這專輯後離開監製一職。經過華納時期的高峰，加盟華星後的《回來愛的身邊》聲勢略跌，多加商業元素的新專輯，如專題一樣，需重新給力，再度開始。標題歌〈不如重新開始〉由許願作曲，後來成為了 TVB 劇集《精武五虎》的主題曲。〈當我眼前只有你〉很富古代女性情懷，只因那是電影《少年黃飛鴻》的主題曲，國語版是〈是情非情〉。由李宗盛作曲的〈假讓你吻下去〉，由林振強寫詞，寫下女生對愛戀欲拒還迎的猶豫心態，多少帶點情慾；國語版〈不必在乎我是誰〉由李宗盛親自寫詞，寫的是他拿手的都市女性愛情心態，較受筆者喜愛。最令人注目歌曲，首推唯一國語歌〈當愛已成往事〉它是張國榮主演電影《霸王別姬》主題曲，也是林憶蓮第一首同時攻陷港台兩地的歌曲，也譜下了與李宗盛的戀情，可惜最終真的成為往事，個人覺得兩把聲音其實算不上合拍。〈始終一天〉與〈震撼〉都是硬銷歌曲，前者是 George Michael 寫給合音團 Pepsi & Shirlie 獨立發展的單曲，前一張專輯憶蓮已改編，這次把宣傳單曲的 Remix 版也一併收錄；至於〈震撼〉整體而言，平平無奇；當時流行徒弟制，梅艷芳和羅文分別有草蜢和豹小子，憶蓮則打造風火海，這歌當時常作宣傳，但風火海之後分開發展更理想。最吸引筆者的舞曲，屬Babyface作品改編的〈天大地大〉，國語版有〈非愛不可〉，這也幾乎是憶蓮最後一首拍子鮮明的舞曲，往後少見！〈寂寞派對〉是一首純音樂演奏，熟識當時滾石唱片製作模式的樂迷，絕不奇怪歌手個人專輯會出現製作人的演奏曲。

夏韶聲
Danny Summer

今天昨天

出版商：海岸娛樂
出版年份：1994
監製：Clarence Chang King Him（張景謙）/ Danny Summer（夏韶聲）
唱片編號：2292 54446-1

今天昨天 / 童年時 / 想起你 / Rosalie/ Fever/ 黃昏的過客 / 天堂夢 / 交叉點 / 今天昨天 / 偏激的藉口 / 這夜誰躺在你旁 / 救救這地球 / 長街故事

一九九八年，夏韶聲推出《諳》大碟，創成名歌手製作Hi-Fi碟大唱別人作品先河，整張專輯不單在唱、編曲及錄音上，均令人驚艷，一九九四年他推出的《今天昨天》，也是一張不容忽視的好專輯。十三首錄音，包括了五首新歌及七首重唱他過往被人錯過了的佳作。一九七九年推出首張專輯《童年時》，可以說已令他成名，惜一直苦陷半紅不黑的尷尬。只嘆多家唱片公司短暫的合約，未能好好把他栽培。聆聽這專輯的七首新版本舊作，均見水準甚高。這批遺珠翻唱，跟《諳》有點不一樣，因為全是夏韶聲自己的歌，還沒出現Hi-Fi碟的製作模式，歌曲都偏重在彈奏及編曲的音樂性，如怨曲調的*Rosalie*、Reggae新節奏的*Fever*都很討好、節奏明快了〈童年時〉增添了一份歡樂，另外歌者的嗓音也多了幾分成熟與滄桑，使得〈想起妳〉、〈黃昏的過客〉和〈天堂夢〉都更覺動人。筆者尤愛新版〈交叉點〉，少了華納時期兩個版本的苦澀味，取代的是經過了練歷後，以過來人身份，給人鼓勵。新歌〈今天昨天〉走怨曲路線，用上Tommy Chung的Steel Guitar Fill In，可能是香港唱片的第一次，與歌者交錯對答，非常特別。其他新歌〈偏激的藉口〉、〈這夜誰躺在妳旁〉、〈長街的故事〉都偏向抒情，還有多年來努力觸及環保課題的〈救救這地球〉。

關淑怡
Shirley Kwan

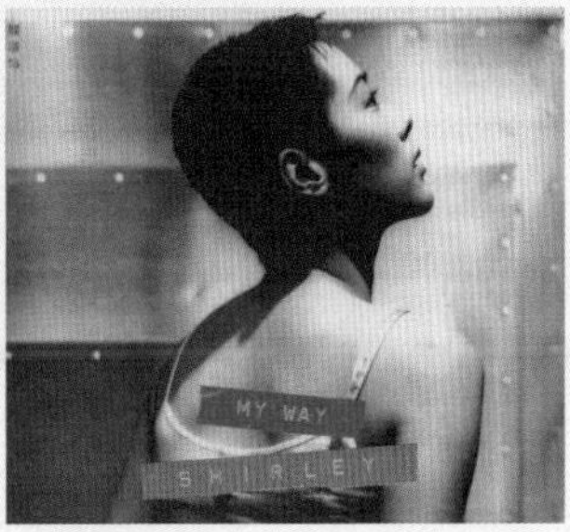

My Way

出版商：Polydor（寶麗金）
出版年份：1994
監製：葉廣權
唱片編號：523 280-2

逝去的傳奇 / 繾綣星光下 / 緊張 / 夜靠誰 / 平靜裏的一盞燈 / 心箭［無綫電視劇《箭俠恩仇》主題曲］/ Rumour/ 告別戀曲 / 驚世感覺 / 偷取我心 / 窗內窗外

一九九二年，關淑怡與寶麗金發生續約問題，同時也出現假戀情緋聞，結果等待多時的《真假情話》專輯，一曲講述自身心境的〈假的戀愛〉大受歡迎。接下來的《My Way》專輯，也出現大受好評的〈繾綣星光下〉，內心感覺愈唱愈濃，而且加入氣聲的唱腔，非常前衛，好有仙氣！〈繾綣星光下〉跟〈假的戀愛〉一樣，改編自法國女歌手 Elsa Lunghini，橫掃四台流行榜冠軍，這成為專輯最為人記得的代表作。相近的寂寞訊息，還有〈夜靠誰〉，寶麗金混了一個 Godfather Mix 來推出 EP；另外 *Rumour* 也令人聯想到她緋聞纏身的困局。

除了〈繾綣星光下〉之外，寶麗金也為快歌〈逝去的傳奇〉拍攝了MV，裏頭的關淑怡，好型！這是繼〈親愛的〉後再次主唱 Dick Lee 的作品，這位新加坡音樂才子因跟林憶蓮合作，當時非常火紅。〈緊張〉與〈驚世感覺〉音樂路向走得好前，商業元素不高，但突顯了歌者的新風格。個人喜歡的抒情歌還有〈告別戀曲〉及〈窗內窗外〉。至於〈心箭〉由草生（即周啟生）作曲，黃霑寫詞，屬TVB劇集《箭俠恩仇》的主題曲。罪不在曲，但這種劇集主題歌，經常是破壞整張專輯氣氛的元兇。

梁朝偉
Tony Leung

一生一心

出版商：藝能動音／金點娛樂
出版年份：1994
監製：梁榮駿
唱片編號：MICS-9401-C

一生一心／一天一點愛戀 (Unplugged Version)／你是如此難以忘記 (Blues Version)／一生一心 (Instrumental)

一九八六年以主演電視劇《新紮師兄》主題曲初試啼聲，隨即推出首張個人專輯《梁朝偉（朦朧夜雨裏）》，可惜選曲眼高手低，換來大眾注意，卻把一首高難度好歌唱爛了。一九九三年轉戰台灣，由名音樂人周治平主力打造國語專輯，結果大賣三十萬張。一九九四年回流香港，在藝能動音旗下推出《一生一心》EP，主打同名新歌。〈一生一心〉改編自台灣創作歌手薛岳的〈機場〉，屬五十年代美國 Doo-Wop 曲風，有點像張學友的〈暗戀你〉，由周禮茂填詞，講一對男女在機場分手的故事。EP 內收錄了三個版本，除了原版，尚有音樂版及一個配上黃偉文寫口白的機場版，為原版再加強宣傳。梁朝偉的獨白很感性，既抵死又令人會心微笑，策略非常成功。結果〈一生一心〉橫掃四台冠軍，是梁朝偉成績最好的廣東歌。除標題歌之外，也加入了兩首國語專輯的改造歌曲，〈一天一點愛戀 (Unplugged Version)〉和〈你是如此難以忘記 (Blues Version)〉，圖增強銷售力。論唱功，梁朝偉比幾年前進步了，當然監製悉心打造，也幫忙了不少！在文案上，新版的〈一天一點愛戀〉主唱聲軌依然由周治平監製，至於〈你是如此難以忘記〉則由陳潔靈負責，可見唱片公司非常緊張，難怪這張 EP 獲取佳績。

王菲
Faye Wong

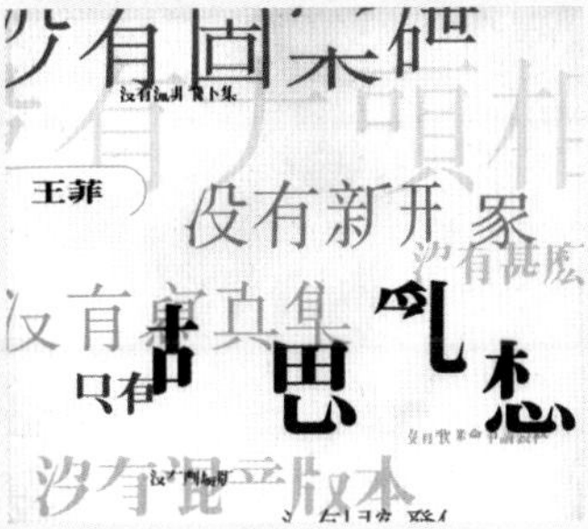

胡思亂想

出版商：Cinepoly
出版年份：1994
監製：Alvin Leong（梁榮駿）/ Stanley Leung（梁飛翔）/ 竇唯 / 王菲
唱片編號：CP50137

胡思亂想 / 誓言 / 天與地（電影《昨夜長風》主題曲）/ 知己知彼 / 純情 / 遊戲的終點 / 夢遊 / 藍色時分 / 回憶是紅色天空

自上一張專輯《十萬個為什麼?》的製作參與度提高後，一九九四年的《胡思亂想》在音樂上便有更多想法，而且也以本名王菲示人。標題歌〈胡思亂想〉與〈知己知彼〉改編 Cocteau Twins 的歌曲，這隊蘇格蘭樂隊早期隸屬英國獨立廠牌 4AD，風格另類，至於王菲改編的兩歌，是樂隊在英美加入寶麗金及 EMI 廠牌後，加入商業元素的作品，改編後不難消化，卻為王菲滲入了獨特風格，其中〈胡思亂想〉更是三台冠軍歌；後來王菲也被安排在樂隊的歌曲 Serpentskir 擔任客席主音。改編愛爾蘭樂隊 The Cranberreis 歌曲的〈夢中人〉，分別取得商台及 TVB 流行榜冠軍，另又成為由她主演王家衛電影《重慶森林》的電影歌，在香港受歡迎程度絕不遜於原曲。繼〈如風〉後，再次使用張宇作品，粵語版為電影《昨夜長風》的主題曲〈天與地〉。這時的王菲，除了加入前衛音樂玩新唱腔，但也保留了很殺食的抒情歌，這些都是穩定地大受歡迎，甚至入屋的作品；除了〈天與地〉，還有陳小霞作品改編的〈藍色時分〉、監製梁榮駿寫的〈回憶是紅色天空〉、〈純情〉等，都很動聽！另一點題作是當時男友（後來成為丈夫）竇唯的曲子，王菲親自寫詞，這首〈誓言〉是專輯中唯一國語作品，並用作主打，更推廣到台灣的國語專輯中。自此，王菲的唱片的重心加入更多內地音樂人的合作。

鄭秀文
Sammi Cheng

放不低

出版商：Warner Music
出版年份：1996
監製：林慕德 / Stanley Leung（梁飛翔）/ 梁榮駿
唱片編號：0630-15257-2

小心女人 / 放不低 / 空間 / 顏色…氣味 / 再見 Summer Love / 意見不合 / 不拖不欠 / 問我 / 紅酒、白酒 / 只要為你活一晚

《放不低》是鄭秀文加盟華納後的第二張專輯，唱片公司大力打造，更為這專輯拍下了六首 MV。第一主打為監製林慕德與陳澤忠聯手作曲的〈小心女人〉，橫掃四台流行榜冠軍、聲勢凌厲；後來華納另推出 Remix EP，收錄了頭號通緝版、C.Y. 號外 Mix 及卡拉 OK 版多首混音，但論流暢及型格，不及原版優勝。〈放不低〉由音樂新人馮穎琪作曲，這也是她發表的第一首作品，鄭秀文以這歌再度攻陷三台流行榜冠軍，這也是 Panasonic Discman 的電視廣告歌，同樣地稍後的 Bozza Mix，比原版遜色！第三主打為電影《百份百感覺》的主題曲〈不拖不欠〉，這跟以後幾張專輯，都有這類滲入 Band Sound 的抒情歌，可以說是感覺近似的卡拉 OK 歌，但每首又很動聽，並不重複，這是鄭秀文首度吸引筆者的抒情歌。跟這部電影相關的還有〈顏色…氣味〉及陳年舊歌翻唱〈問我〉。至於〈意見不合〉，是 TVB 劇集《當女人愛上男人》的主題曲。整張專輯集合了舞曲、鄭秀文主演的電影歌、親自演出廣告歌及劇集歌，加上親自演出的 MV，大受卡拉 OK 歡迎，是一張在製作及宣傳上計算很精準的專輯，唱片公司、廣告商及電影公司聯手宣傳，難怪鄭秀文人氣急升，接下來冠軍歌一首接一首，火速成為樂壇天后。

溫拿
The Wynners

溫拿拉闊音樂
Music Is Live

出版商：Polydor（寶麗金）
出版年份：1998
監製：鍾鎮濤 (Disc 2)
唱片編號：557 728-2
唱片編號：CP50137

Disc 1：

L-O-V-E Love / I Go To Pieces / 不可以逃避 / 這首歌 / 友情相關照 / 齊心就事成 / 陪着她 / 只有知心一個 / 二等良民 / 讓一切隨風 / 深愛着你 / 眼淚為你流 / 月亮代表我的心 / 漫步人生路 / 海闊天空 / 夫復何求 / 玩吓啦 / Sha La La La/ 千載不變

Disc 2：

自然關係

溫拿樂隊是屬於七十年代的，縱使往後他們一直都有發片，但都是玩票性質，不及出道時的衝刺期，而且多位隊員都有其耀眼的獨立發展期，光芒早把溫拿年代掩蓋。雖然每次溫拿再走出來，都離不開演唱會，開Show後又推出Live Album，但一九九八年一張《溫拿拉闊音樂 Music Is Live》卻是一張很特別的演唱會錄音，記錄着香港會議展覽中心四月二十日五虎以歌會友溫馨的一晚。所謂拉闊，乃是香港商業電台叱吒903與信用卡公司，由一九九八年開始合作舉辦一連串的音樂會活動。除了由主角演唱代表作外，最令人驚喜是以自家風格翻唱一連串別人的歌，非常受歡迎。《溫拿拉闊音樂 Music Is Live》是該年八月溫拿二十五週年演唱會的熱身，開場時先以Unplugged Live形式演唱一連串溫拿代表歌曲讓大家回味久違的青春歲月，然後幾位成員以嬉笑互嘲形式搞氣氛，介紹串連各首歌曲。所謂翻唱，可以分兩部分。第一部分是溫拿歌曲，由彭健新、鍾鎮濤和譚詠麟互換角色主唱了〈只有知心一個〉、〈二等良民〉及〈讓一切隨風〉。第二部分是對數年前幾位過世歌手致敬，於是鍾鎮濤與譚詠麟分別主唱了陳百強的〈深愛着你〉和〈眼淚為你流〉；譚詠麟與鍾鎮濤又各自演繹了〈月亮代表我的心〉和〈漫步人生路〉，然後便是溫拿主唱Beyond的〈海闊天空〉。最後環節，回到溫拿自家的代表作，當中包括講及溫拿友情的新歌〈夫復何求〉。整個演唱會既熱鬧，又令人享受。CD另附一張由鍾鎮濤監製、陳浩然作曲、陳少琪寫詞的單曲〈自然關係〉，該首新曲獲得 RTHK、商台及 TVB 流行榜冠軍，是溫拿排行榜成績最好的粵語歌。

李克勤
Hacken Lee

一年半載

出版商：Philips（環球）
出版年份：1999
監製：江港生 / Joe Wong
唱片編號：5423212-1

櫻花 / 留多一分鐘 / 今晚唱勁歌 / 紅日（譚詠麟合唱）/ 深深深 / 夏日之神話 / 藍月亮 / 月半小夜曲 / 仍是老地方 / 大會堂演奏廳 / 一生不變

一九九九年李克勤回歸娘家，但這時寶麗金已是環球年代，回歸後首張專輯《一年半載》雖然歌曲都是全新錄音，但新歌只有三首，由江港生與李克勤共同創作，其餘八首均為寶麗金年代經典新唱。第一主打〈櫻花〉充滿異國情懷，是一首慘情歌，在RTHK及TVB的流行榜均取得冠軍，可惜出現抄歌疑雲，與泰國歌手Loso的*Koey Bauk Wah Ruk Gun*相似度奇高，不然這可能會是克勤另一代表作。〈留多一分鐘〉是一調子緩慢的甜蜜歌曲，副歌多次重複標題的歌詞，很有洗腦作用，女聲合音也添上甜度，但流行榜成績平平無奇；至於〈今晚唱勁歌〉帶點Funky，克勤大玩Rap Talk，有新鮮感，但歌詞欠缺吸引力，難給人共鳴。至於舊歌新唱，〈紅日〉拖慢了節奏，以*A capella*合音，邀來偶像譚詠麟一起合唱，雖舊酒新瓶，但很值得細聽，這或許啟發後來的「左麟右李」的合作。〈深深深〉配上懷舊式的鋼琴與小提琴伴奏，富四十年代的歐陸風味；〈藍月亮〉換上了爵士節奏；〈月半小夜曲〉加強了絃樂伴奏，屬克勤演奏廳的雛形，還有簡潔編曲的〈仍是老地方〉都是非常棒的改編。一九九九年，還未流行成名歌手灌錄翻唱歌的Hi-Fi碟，所以不管音樂改編或歌手重新演繹，都沒有如今世代的刻意造作矯媚，舊歌新唱也帶來驚喜！

群星

**射鵰英雄傳＋
神鵰俠侶**

出版商：大聯機構
出版年份：1976
唱片編號：GL 809

Side A：
射鵰英雄傳
［佳視《射鵰英雄傳》主題曲］
（林穆）/
相愛不相聚
［佳視《射鵰英雄傳》插曲］
（關正傑）/
帝女花（張慧）/
快樂伴侶（周聰＋華華）/
怨恨老豆（郭炳堅）/
瑤台惜別（周聰＋華華）/
難忘夢裏人（愛麗＋呂達）

Side B：
神鵰俠侶
［佳視《神鵰俠侶》主題曲］
（關正傑＋韋秀嫻＋麥韻）/
好哥哥
［佳視《神鵰俠侶》插曲］
（韋秀嫻）/
王昭君（麗莎）/
藝海情侶（張慧）/
榴蓮飄香（愛麗）/
惜別離（郭炳堅＋茵茵）/
椰林誓言（郭炳堅＋茵茵）

三十五年前曇花一現的佳藝電視台，僅維持了三年，卻為香港人帶來深刻的回憶，其中包括金庸武俠小説《射鵰英雄傳》首次被改編為電視劇集，同期TVB立即搶拍同是金庸著作《書劍恩仇錄》對疊。六十集的《射鵰英雄傳》捧紅了白彪、米雪，稍後五十九集的《神鵰俠侶》，則跑出了李通明和羅樂林。這張唱片封套底、面各以兩部相連的劇集招徠，實際上是一張很拉雜成軍的唱片。除了四首劇集短歌，其餘均屬很舊式很過時的粵語歌。兩劇集的歌均由劉杰作曲、作詞，其實此人是黃霑，當時因效力TVB，不便以本名幫忙敵台，〈射鵰英雄傳〉主唱人林穆，是新加坡電視人，因公務員身份不能兼職致使用了別名，原名林興導的他是新加坡藝術合唱團的男高音，難怪他主唱〈射鵰英雄傳〉口音很重；此曲換上另一編曲，則成為了〈神鵰俠侶〉的主題曲，由關正傑與國語時代曲老牌歌星韋秀嫻和麥韻合唱。插曲〈好哥哥〉由韋秀嫻主唱，別以為她慣唱國語時代曲或藝術歌曲，她是經典電影歌〈一水隔天涯〉的原唱人。至於〈相愛不相聚〉由關正傑主唱，才一分半鐘的短歌，每次聽均令人意猶未盡，極度簡單的配樂，配上歌者用喉音的耳語演繹，為相愛不能相聚的情緣添上說不盡的唏噓！

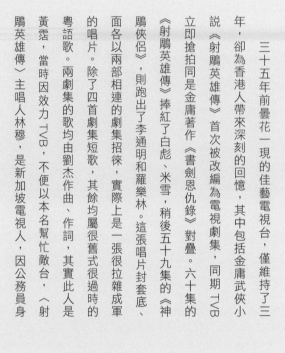

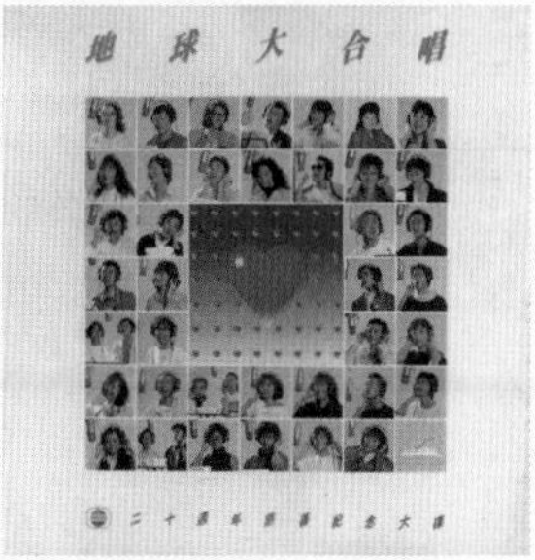

地球大合唱

出版商：黑白唱片＋華星娛樂＋CBS/Sony＋新藝寶＋娛樂唱片＋現代＋DMI+EMI+寶麗金＋銀星唱片＋藝視唱片＋電視廣播有限公司＋華納唱片＋永恒唱片＋永高娛樂
出版年份：1987
監製：顧嘉煇
唱片編號：NIL

Side A：
地球大合唱

Side B：
愛心物語

一九八四和一九八五年，英美兩地先後解除唱片公司合約界限，聯同各火紅巨星為非洲埃塞俄比亞推出 Band Aid 的 *Do They Know It's Christmas* 及 USA For Africa 的 *We Are The World* 單曲；稍後台灣有《明天會更好》跟隨，一九八六年 RTHK 集合十一位香港歌手合唱〈和平之歌〉。一九八七年，TVB 因慶祝二十週年台慶，動用該台全體合約歌手，特別製作慈善籌款單曲唱片《地球大合唱》。這張唱片是一張四十五轉的 12" Single，一面是〈地球大合唱〉，另一面則由各歌手獨自口白的〈愛心物語〉配上〈地球大合唱〉墊底音樂，情況有點像 *Do They Know It's Christmas* 的 B Side *Feel The World*。其實，香港稍後還有多首由主流歌手的大合唱歌曲，但最動聽的首推〈地球大合唱〉。這首歌曲由鬼才林振強寫詞，各分句雖然分由大細牌主唱，但因為由大師顧嘉煇負責作曲、編曲及監製於一身，他非常熟識各歌手嗓子的特性，儘管參與歌手及樂隊單位超過四十個，各分部、合唱均仍然十分和諧悅耳。參與演唱的歌手包括徐小鳳、關正傑、梅艷芳、羅文、葉麗儀、張學友、鄺美雲、許冠傑、呂方、林憶蓮、譚詠麟、陳潔靈、葉蒨文、林子祥、張國榮、鍾鎮濤、陳百強、甄妮，加入合唱的有劉美君、文佩玲、夏韶聲、Raidas、蔡國權、蔡楓華、區瑞強、劉天蘭、張德蘭、盧冠廷、達明一派、蔣麗萍、陳美玲、杜德偉、李麗蕊、林志美、太極樂隊、陳松齡、郭小霖、陳慧嫻和雷安娜；至於為〈愛心物語〉發放正能量的有徐小鳳、蔡楓華、劉美君、陳百強、文佩玲、羅文、夏韶聲、Raidas、陳潔靈、蔡國權、葉麗儀、區瑞強、劉天蘭、呂方、許冠傑、張德蘭、盧冠廷、鄺美雲、達明一派、蔣麗萍、林子祥、譚詠麟、陳美玲、杜德偉、李麗蕊、林志美、太極樂隊、陳松齡、關正傑、梅艷芳、鍾鎮濤、林憶蓮、張學友、陳松伶、張國榮、甄妮、郭小霖、雷安娜和葉蒨文。〈地球大合唱〉在 TVB 勁歌金曲年度頒獎禮獲得「榮譽大獎」及「最佳作曲獎」。及至二〇一三年的《林振強依然愛不完 101》合輯，才見此曲首度 CD 化。

附錄二 101... and MORE！

說不盡的好歌

《香港流行音樂專輯 101》總算完成了，本來一冊完成的計劃，礙於時間及內容種種原因，最終先後以三冊面世，經歷了近四年漫長的製作過程。在這附錄，我想更深入在每一張專輯中，再挑選一首歌曲來談談，那未必是讀者認為的大熱金曲，卻是很 Muzikland 個人口味的選擇，部分歌曲可在《The Best Of 香港流行音樂專輯 101 by Muzikland》CD 中，更實體地感受到，謝謝大家喜愛我這本拙作！

01

想郎
仙杜拉

（無綫電視劇《啼笑因緣》插曲）
［曲／編／指揮：顧嘉煇 詞：葉紹德］
收錄於：仙杜拉／啼笑因緣／1974

一曲多用，其實是電影慣用的配樂手法。一九七四年，當顧嘉煇為劇集《啼笑因緣》寫插曲時，便以此手法套在電視劇中。由〈啼笑因緣〉化身為〈想郎〉，熟悉的主題曲旋律，配上不一樣的歌詞，配合不同劇情發揮作用。往後，顧嘉煇在《書劍恩仇錄》、《小李飛刀》也用了相同手法，至於《狂潮》、《強人》、《絕代雙驕》和《女黑俠木蘭花》等，除了使用新編曲，更換了節奏。

02

鐵塔凌雲
許冠傑

［曲：許冠傑 詞：許冠文 監製：馮添枝］
收錄於：許冠傑／鬼馬雙星／1974

一九七二年四月十四日，電視節目《雙星報喜》第二輯首集，許冠傑罕見地主唱了一首全新粵語歌曲〈就此模樣〉，由許冠文把旅遊體驗於回港後寫下，再由許冠傑譜曲而成，其後重新編曲，也就是日後大家熟識的〈鐵塔凌雲〉。雖然筆者不明白為何國外旅遊要那麼多愁善感，但動人的經典就因此而面世，多年後再被樂迷一提再提，網上轉貼再轉貼，成為了許多香港人昔日生活的共同記憶！

03

書劍恩仇錄
鄭少秋

（無綫電視劇《書劍恩仇錄》主題曲）
［曲／編／指揮：顧嘉煇
詞：高山曦（黃霑）］
收錄於：群星／書劍恩仇錄／1976

一曲兩唱，只因安排問題出現兩位歌手相爭，一個相同的編曲伴奏，卻由兩位歌者各自發揮自家唱功特色，用心演繹。雖然最終還是主角鄭少秋跑贏了，但細心聆聽羅文版，同樣出色。當年兩位歌者，年資尚淺，卻能在相同歌曲展現不一樣的面貌，試問新一代的歌手玩翻唱，不管怎樣Hi-Fi、怎樣致敬，玩到天花亂墜又如何？唱功還是需要紮實些？

04

柔情淚
許冠傑

［曲／詞：Ben Weisman/ Fred Wise/
Jack Lloyd 中文詞：許冠傑／黎彼得］
OT: Summer Kisses Winter Tears
(Elvis Presley/1961/RCA)
收錄於：許冠傑／財神到／1978

一九六一年貓王 Elvis Presley 的電影歌，當時認為歌曲不夠水準，差點兒不能出版唱片，奈何粉絲苦苦要求，最終曝光面世！在貓王的音樂事業，此曲可能佔不上丁點兒位置，但換上國語歌詞後的〈多少柔情多少淚〉，卻在東南亞華人社會大放異采好多年。十七年後，由許冠傑與黎彼得合寫粵語版〈柔情淚〉，曲式仍懷舊；但換上新衣的版本，一點都不落俗套。當年慣聽國語版的 Muzikland，突然接觸新版，實在驚喜，也因此從歌曲去找 Elvis Presley 的原版及電影。

05

待月草
甄妮

［曲／詞：Claude Morgan/
Michel Delpech/ Jean-Michel Rivat
中文詞：盧國沾 編曲／指揮：顧嘉煇］
OT: La maison est en ruine
(Michel Delpech/1974/Barclay)
收錄於：甄妮／奮鬥／1978

許多歌星早期唱片的 Side Track，一般往後都甚少公開演唱，可能因為往後代表作越來越多，根本沒甚麼位置安排在演唱會中，萬一觀眾覺得太陌生，即有冷場險象；也可能因為版權問題，再翻唱並不容易。Muzikland 一直都很欣賞〈待月草〉，沒想到在二〇一〇年《甄妮愛 Show Farewell World Tour（香港站）》，甄妮竟會演唱這首三十二年前的 Side Track，而且更隆重其事，邀請日本小提琴家西崎崇子為她伴奏，使得歌曲更優美。可惜，這個演唱會沒有推出 CD 或 DVD，一首好歌又再被淹沒了。

06

陌上歸人
區瑞強

（香港電台廣播劇《陌上歸人》主題曲）
［曲：馮添枝 詞：鄭國江
監製：J. Herbert］
收錄於：區瑞強／Albert Au... 區瑞強／
1979

筆者當年沒有收聽《陌上歸人》廣播劇，這主題曲只因唱片而深種腦海。區瑞強早期的成名曲，幾十年下來，可能唱過不下千遍，但那種青澀歲月情懷，是往後怎樣也複製不來的了，歌曲也刻錄了聽者當年如民歌般的生活記憶，雖平淡，但也快樂！

07

深秋立樓頭
徐小鳳

［曲／詞：Janis Ian 中文詞：湯正川
編：吳智強 監製：李添］
OT: I Love You Best
（南沙織 /1976/CBS Sony）
收錄於：徐小鳳／夜風中／1979

相信許多人都有這經驗，喜歡聽外語歌，卻不一定明白歌詞內容，譬如說日文歌、法文歌等。當年購買《夜風中》專輯，實在愛不釋手，播唱不下數十遍，不同階段都有特別喜歡的歌，〈深秋立樓頭〉便是我曾深愛的歌，但從當年到今天，仍不明白它在說甚麼，連主唱人徐小鳳在一九八七年演唱會也這麼說，但我卻偏偏很喜歡當中的描述，深秋的情懷是多麼的詩意！

08

夜已靜
威鎮

［曲／詞：馬飼野康二／竜真知子
中文詞：鄭國江 監製：李添／梁兆強］
OT: 遙かなる恋人へ
（西城秀樹 /1978/RCA）
收錄於：威鎮／城市之歌／1979

一把年紀的筆者，經常因工作而通宵達旦，簡直恨透了這種生活模式；但年少時卻喜歡深夜眾人皆睡我獨醒換來的恬靜。放下忙碌，收聽喜愛的深夜電台節目，連主持人介紹歌曲也特別感性。但現今世代，某些地區三更半夜也非常繁忙，連便利店或許多食店都二十四小時營業，人類似乎已沒甚麼空間日出而作，日入而息了。夜來，是否還可以換來寧靜呢？

09

天各一方
主唱：曾路得 / 獨白：俞琤

［曲：Herb Alpert 中文詞：俞琤 / 邱小菲 /
卡龍（葉漢良）編：鮑比達 (Chris Babida)
監製：李添 / 梁兆強 / 葉漢良］
OT: Love Theme From "Aspen" (The Lovers)
(Perry Botkin Jr./1977/A&M)
收錄於：商業二台 DJ/ 6Pair 半 / 1980

曾有位好朋友非常喜歡商台DJ俞琤主持的節目，還專程錄下她最後一集節目收藏。我卻較愛香港電台，因為沒有煩人的廣告，也因為厭倦了小時候家人一整天在收聽商業一台的老式節目。所以筆者當年喜歡6 Pair半，純粹因唱片的歌曲，我根本未聽過他們主持的節目。從電視的音樂節目，我實在想不到俞琤可以這樣深情，至於曾路得輕盈如天籟般的嗓音，也很難想像歌者現實身型，但事實上兩人一唱一口白，竟可造就一首意境那麼美麗的歌曲，連想念也特別有詩意，誰還要理會原曲是甚麼呢？〈天各一方〉也開創了往後歌曲出現劇場版的先河！

10

僅存者
關正傑

（電影《越戰僅存者》主題曲）
［曲：歷風（馮添枝）詞：盧國沾
監製：楊雲驃
收錄於：關正傑 / 大地恩情 / 1980

雖然是電影主題曲，但在關正傑的《大地恩情》專輯，卻極少人注意。不曉得電影《越戰僅存者》說甚麼，當年我還以為是甚麼超越之類的意思，沒想到原來談的是越戰，因題材敏感，電影沒有上映。光聽歌詞，那是一段苦澀的人生經歷，造就人生的苦痛，還不是一小撮人自私自利而引起的嗎？

11

輪流傳
鄭少秋

（無綫電視劇《輪流傳》主題曲）
［曲／編：顧嘉煇 詞：黃霑］
收錄於：鄭少秋／輪流傳／1980

筆者自懂性以來就很喜歡懷舊，雖然《輪流傳》成為TVB首次戰敗的標記，我卻看得津津有味，甚至期望有天可用錄影機把這個腰斬劇錄下來收藏，結果二〇〇六年TVB推出VCD，令我歡喜若狂。每次重溫，都會忍不住追看下集。沒辦法，當時的電視人編寫劇本就是那麼厲害。起用的大卡士，可一不可再，就算現今動用千萬實景、最火紅的巨星，也翻拍不來。時代就是這樣，永遠回不了以往。《輪流傳》主題曲，講命運、談人生，「今天少年人，他朝老年人，不知有沒有改變……當一切循環，當一切輪流，此中有沒有改變」，黃霑筆下的歌詞很有哲理。人生匆匆數十年再重溫，感受良深！

12

上海灘
葉麗儀

（無綫電視劇《上海灘》主題曲）
［曲／編：顧嘉煇 詞：黃霑 監製：朱穗萍］
收錄於：葉麗儀／上海灘／1980

沒有真正看過《上海灘》劇集，但筆者卻對主題曲琅琅上口，腦海裏還有當時電視節目宣傳首播歌曲的畫面。後來，有幸跟歌者葉麗儀認識及訪問，對《上海灘》一曲的來龍去脈，有更深入認識；及至最近更得到機會處理EMI錄音，製作《葉麗儀50週年Frances Yip Diva 50》6CD精選。當年手執唱片，聆聽膠片上的聲音，感覺是遙遠的，又怎會想到今天竟那麼榮幸能參與葉麗儀的唱片製作呢？

13

懶洋洋的夏季
羅文

［曲：亞江（黃啟光）詞：鄭國江
編：Joey Villanueva
監製：黃啟光／甄思蓁］
收錄於：羅文／仲夏夜／1981

一九八一年，筆者還未懂得甚麼爵士樂，但卻很好奇！原來〈懶洋洋的夏季〉就是 Jazz 嗎？我不算是羅文的粉絲，從他早期與沈殿霞合組情侶合唱團，到他主唱火紅的〈小李飛刀〉，我一直都非常抗拒他。他從娛樂唱片轉投 EMI 時，也只是人聽我也聽的年代，直到《白蛇傳》我才對他另眼相看。回望當年 EMI 時期，他有用不完的創意！我竟然需要許多掙扎，才在 101 中捨棄他多張專輯。

14

究竟天有幾高
林子祥

［曲／監製：林子祥 詞：林振強
編：Joey Villanueva］
收錄於：林子祥／活色生香／1981

究竟天有幾高？可能只有小孩子才會這樣好奇。但又有甚麼所謂呢？那代表小孩天真坦率的一面。林子祥曾在訪問中跟筆者透露，他小時好喜歡跑上住家的天台望天唱歌。其實，長大了的我們，忙這忙那，又有幾多時候會放下步伐，欣賞每天都默默伴着我們的星空呢？

15

異國情緣
林嘉寶

［曲／詞：Adam Mitchell
中文詞：何重立 編：David Packer
監製：周功成］
OT: French Waltz
(Nicolette Larson/1978/Warner Brothers)
收錄於：林嘉寶／出線／1981

推出101第一冊時，不少聲音反映，為何會有林嘉寶的呢？她有紅過麼？就如過往我Blogging的日子，曾多次分享過音樂是主觀的，愛需要原因嗎？當年我一點都不喜歡她，卻因深夜電台節目聽過多遍〈異國情緣〉而心生矛盾，怎可以明明不喜歡那位歌手，卻又得承認愛上她主唱的這首歌呢？結果，到CD年代，我還是忍不住找來二手唱片，甚至愛上了整張專輯。〈異國情緣〉不是光用嘴巴說的，因為它真的有一段法語歌詞！（笑）

16

舊夢不須記
雷安娜

［曲／詞：黃霑 監製：楊喬興］
收錄於：雷安娜／舊夢不須記／1981

作為一位新人，成名作竟是一首情感那麼滄桑的歌，實在很奇怪！黃霑生前曾透露，〈舊夢不須記〉本來是寫給關菊英唱的，但唱片公司急着要找一首歌力捧新人，於是這首小調歌曲就落在雷安娜手裏。但雷安娜也不能說是「冷手執了熱煎堆」，因為關菊英唱過好多古裝劇集歌，也常唱小調，這歌如由她所唱，可能只是眾多小調的其中一首；但沒甚麼錄唱片經驗的雷安娜，卻用了清新又不落俗套的聲調來演繹，化學作用就由此而生。因為喜歡關正傑，當他與雷安娜合唱〈人在旅途灑淚時〉時，已很喜歡這位新人的嗓子，我還記得當時不厭其煩反覆回帶聽這歌。所以〈舊夢不須記〉唱片推出第一天，我就買了！

17

昨夜的渡輪上
李炳文

［曲／詞：林功成 改編詞：馮德基
監製：葉漢良］
OT: 微風細雨（劉藍溪 /1979/ 新格）
收錄於：群星／香港城市民歌／1981

有好些記憶非常深刻，例如夜裏跟家人坐小輪過海返家。Muzikland 童年時，香港還沒有海底隧道，家住九龍，跟隨母親來往香港島便得坐渡海小輪。一段船程，可能只是十來分鐘，但對於沒有耐性的小孩，那是極漫長的，而且我不明白，為何每次都要趕船，被媽媽拖着小手飛奔直往碼頭，實在辛苦。然後下船了，若父親在場，會從碼頭坐計程車返家，不然呢，媽媽只會逼巴士，或者更多是走上半小時路程，天啊！累死了！小孩子那會懂，現實是要省錢啊！〈昨夜的渡輪上〉推出時，小輪的重要性已大大減低，由過海巴士代替，甚至一九八〇年過海地鐵都投入了服務。八十年代末，我反而經常坐渡海小輪，享受海風，愛上船程中那慢活感覺！

18

男兒志在四方
鄭少秋

（無綫電視劇《流氓皇帝》插曲）
［曲／編：顧嘉煇 詞：黃霑 監製：劉東］
收錄於：鄭少秋／流氓皇帝／1981

男人和女人各自有自己的角色，作為男人當然需要胸襟廣闊，不拘小節。喜歡黃霑筆下的豪情，這或多或少因為筆者小五、小六時已唸陶淵明的〈醉翁亭記〉、〈五柳先生傳〉和〈桃花源記〉，幾篇文章鑾影響我的人生觀。Muzikland 未必適應鄉土生活，但不求奢華，〈男兒志在四方〉是一種生活憧憬。留意這首歌的編曲，顧嘉煇悄悄地在起首音樂裏加入戲曲元素。

19
木頭人
甄妮

［曲：奧金寶 (Nonoy Ocampo)
詞：盧國沾 編：半間巖一
監製：甄妮 / 伊東達夫］
收錄於：甄妮 / 甄妮（數碼大碟）/ 1981

今天只要一個短訊，接下來被對方封鎖，就甚麼都完了，還可以有歌麼？盧國沾寫下主人翁拆開分手信前後的心情，憶述過往，描寫深入。當然，甄妮的唱功及感情流露，令歌曲生色，那是無容置疑的。

20
好姻緣
羅文、汪明荃

［曲 / 編：趙文海 詞：黃霑 監製：羅文］
收錄於：羅文、汪明荃 / 白蛇傳 / 1982

離離合合，在現代社會中太容易了。古代男女不平等，丈夫可以休妻納妾，無經濟能力的妻子焉可提出離婚？何況女子再度出嫁，只會換來壞名聲，會不會在婚姻中也需多點忍讓？古代的姻緣，又會不會像文學作品那麼詩情畫意呢？〈好姻緣〉雖然 Old School，但專一的愛情，共偕白首，那是很中國的傳統思想吧？筆者見過一對老夫婦朋友，在街上等朋友時，丈夫不經意為妻子抹去臉上的塵埃，滿頭白髮的兩人相視而笑，一段經過幾十年的婚姻，有這一刻，不就是一段〈好姻緣〉嗎？

21

One Voice
關正傑

［曲／詞：Barry Manilow
監製：楊喬興／關維麟］
OA: Barry Manilow(1979/Arista)
收錄於：關正傑／關正傑演唱會／1982

選一首西洋歌曲來代表這個演唱會錄音，乃因這首 *One Voice* 真的非常特別。由一把聲音，延伸到豐富聲部的合音團，然後樂隊及澎湃的管弦樂團接力加入，一百五十七人的演出，揭開演唱會的序幕，實在不簡單。這也代表一個演唱會要通過好多好多人通力合作，才可成功！

22

星夜星塵
陳潔靈

（無綫電視劇《星塵》主題曲）
［曲：顧嘉煇 詞：黃霑 監製：鍾定一］
收錄於：陳潔靈／星夜星塵／1982

一部影射五、六十年代影星的電視劇，當然要配上懷舊曲式的主題曲。陳潔靈轉唱廣東歌後的第二張專輯，終取得成功。細數過去的影星、電視藝員、歌星或歌手，每一位其實也只是微塵，但聚積發揮起來，這星塵實在好美！外國不也有一首經典金曲 *Stardust* 嗎？

23

風裏的繽紛
曾路得

［曲：曾路得 詞：鄭國江
編：Chris Babida（鮑比達）
監製：翁家齊、周功成］
收錄於：曾路得／白牆＋精選／1982

新浪潮電影《文仔的肥皂泡》的主題曲，由歌者曾路得親自譜曲，配上鄭國江的一手好詞。以師生戀為題材，本來無可能走在一起的兩人，開始了交往，卻又得面對現實，無奈分手。愛像肥皂泡，很難相遇，須由清風帶引，但相遇了卻又很容易分開，甚至會因碰撞而爆開。既然這樣？愛是否需要好好經營？好有戲味的一部電影，可惜在新年檔上映九天就落畫，或許大家都忘記了《文仔的肥皂泡》，但主題曲卻仍存於資深樂迷心底。

24

心事
黃綺加

（無綫電視劇《富貴榮華》插曲）
［曲／編：顧嘉煇 詞：江羽（鄭國江）
監製：劉東］
收錄於：湯正川、黃綺加／
尋知己 Don't Close The Door On Love／
1982

當年的神秘女聲，差點兒以為真的是劇中女角陳秀珠親自主唱的插曲，揭開身份後，此曲先在鄭少秋的唱片出現，然後唱片公司把黃綺加拉上電台DJ湯正川出唱片，再收錄它。黃綺加前後多次改名字，但結果最紅還是這一首〈心事〉。她的腔口很特別，於是也為此曲增添了可聽性。

25

桃花開
羅文、甄妮

（無綫電視劇
《射鵰英雄傳之東邪西毒》插曲）
收錄於：羅文、甄妮／射鵰英雄傳／1983

《射鵰英雄傳》有許多劇集歌，因那是無綫電視的重頭劇集，每一部曲都配有氣勢磅礴的歌曲，但最深得我心是柔情似水的〈桃花開〉，因為那是為與世無爭的桃花島寫的戀歌，這也讓我想起小五已唸的陶淵明〈桃花源記〉，一篇可能不知不覺影響我人生的古文。

26

珍珠指環的約誓
梅艷芳

［曲／詞：黃霑
編：奧金寶 (Nonoy Ocampo)
監製：黎小田］
收錄於：梅艷芳／赤色梅艷芳／1983

新秀比賽後，梅艷芳即人紅歌紅，重拾她早期的唱片，才發現這首遺珠，是黃霑包辦曲詞的作品。那個年代，黃霑不單寫詞，其實也作曲，而且許多都是他一手包辦的。撇開不文的風格、不少黃霑作品很值得細味，這是筆者遲來發現的〈珍珠指環的約誓〉。

27

巴黎街頭
林子祥

［曲／監製：林子祥
詞：鄭國江／施南生（法文）
編：Chris Babida（鮑比達）］
收錄於：林子祥／愛情故事／1983

筆者曾經很想學法文，不過計劃後來無疾而終。八十年代初，有兩首夾雜法文的粵語歌都很受我注意。一首是林嘉寶的〈異國情緣〉，另一首是林子祥的〈巴黎街頭〉，剛巧兩位歌者都有親戚關係。不過，〈異國情緣〉原曲本身就有一段法文，但林子祥的〈巴黎街頭〉則是本地原創。該段法文歌詞由施南生所寫，她是後來導演徐克的妻子。鮑比達編曲出色，光聽歌曲可能真的以為是法文歌改編；也佩服林子祥，法文歌旋律也能寫出來，實在才華洋溢！

28

漫步人生路
鄧麗君

［曲／詞：中島みゆき 中文詞：鄭國江
編：渡邊茂樹 監製：鄧錫泉］
OT: ひとり上手
（中島みゆき /1980/Aark-Vark）
收錄於：鄧麗君／漫步人生路／1983

鄧麗君於一九八〇年推出首張粵語專輯《勢不兩立》，一鳴驚人，但細心想，她早在六十年代尾就經常來香港登台，粵語對她來說，其實不怎麼困難，選來不少老掉牙的歌，可能她早就常唱。一九八三年的《漫步人生路》雖然較東洋風，但寶麗金精心打造，比《勢不兩立》確實脱胎換骨。當年聽〈漫步人生路〉沒想那麼多，就是歌好聽就聽；但人長大，閱歷多了，對歌詞的領悟也加深，更想不到從鄭國江的《詞畫人生》一書了解到，這歌跟徐小鳳〈漫漫前路〉和林子祥的〈莫再悲〉拉上關係，同是以「路」為主題的三部曲。鄧麗君也萬萬想不到她是改編中島美雪作品的始祖之一吧？中島日後在香港紅透半邊天。

30

霧之戀
譚詠麟

［曲／詞：鈴木キサブロー／大津あきら
中文詞：林敏驄 編：盧東尼 監制：關維麟］
OT: For You...（高橋真梨子/1982/Invitation）
收錄於：譚詠麟／霧之戀／1984

當時唱片廣告特別宣傳〈霧之戀〉是譚詠麟淚灑錄音室之作，到底是否真有其事？其實已不重要了！他演譯這歌，流露的感情真的很感動人。聽了幾十年的舊作，至今仍然令人着迷！大概歌詞觸動過無數人的心坎，致使歌曲雋永到今天！

29

月亮神（Phaedra）
葉振棠

［曲／編：羅迪 (Romeo Diaz) 詞：林振強］
收錄於：葉振棠／情歌篇／1983

這歌推出的時候，也流行着日本喜多郎的 New Age 音樂，那管是《千年女王》或《絲綢之路》，都有種把聽眾帶到世外的意境，靜過太空。〈月亮神〉(Phaedra) 有種孤獨的思念，但不是男女間的情愛，這是林振強思念過世的妹妹而寫的歌麼？

31

閃電（音樂）

［曲／編：Chris Babida(鮑比達）
監製：陳百強］

創世記
陳百強

［曲／編：林慕德 詞：林振強 監製：陳百強］
收錄於：陳百強／百強 '84/ 1984

歌曲相連，總會特別惹我注意，其實那是很外國搖滾音樂的製作模式。一段約一分鐘的音樂〈閃電〉，為〈百強'84〉唱片揭開序幕，與〈創世記〉幾近相連，歌曲真身放在大碟最後，與之又變作了首尾呼應！二〇一九年，當我協助環球唱片製作《陳百強的創世記 GALAXY Back To Black》復黑王 Boxset 時，特別把黑膠唱片翻出來，把兩曲錄下，交給音樂工程師參考，務求把兩曲的緊接距離跟足原唱片，這才夠原汁原味嘛！這是許多唱片公司製作復刻不會注意的細節，不管有多少購買此 Boxset 的樂迷有注意到，但我對音樂就是這樣執着！

32

悠悠銀光中
甄妮

［曲／詞：簡維政／辛格 改編詞：鄭國江
編：Chris Babida(鮑比達）
監製：李添／梁兆強］
OT: 天涯浪遊（林禹勝 /1983/ 新格）
收錄於：甄妮／甄妮（迷人的五月）/ 1984

最喜歡 CBS/Sony 時期的甄妮，感覺這公司的錄音，才能完美地發揮她那歌聲的美妙和魅力。當年以為〈悠悠銀光中〉是日曲改編，直到寫書時才因搜集資料而發現那是台灣人的作品，更想不到那麼商業又容易上口的旋律，竟跟主力「校園民歌」的新格唱片拉上關係！

33

讓過去過去
葉德嫻

［曲／詞：Carol Hall 中文詞：鄭國江
編：陳永良 監製：雷有曜／陳永良］
收錄於：葉德嫻／你留我在此／1984

《你留我在此》是我最愛的葉德嫻專輯，愛上的歌有好多好多，當年也特別注意〈讓過去過去〉。好輕鬆的旋律，加上非常正能量的勵志歌詞。最觸動我的幾句歌詞是：「人已長大，一飛衝天去……清醒不應醉……苦困必須經過……」那都是我人生的經歷。幾十年來，一直找不到原曲，寫書時有幸訪問編曲的陳永良先生，可惜他也記不起來。那麼，我就繼續專一地喜歡〈讓過去過去〉好了！

34

天外人：鄉愁 (I)
泰迪羅賓

［曲：泰迪羅賓 詞：潘源良
編：Richard Yuen(袁卓繁)/泰迪羅賓
監製：泰迪羅賓／關維麟／歐丁玉］
收錄於：泰迪羅賓／天外人／1984

講外星人其實不算是甚麼新鮮事，但借題發揮引伸為一首搖滾組曲，這意念在粵語歌而言實在前衛，而且竟發生在一九八四年。真正喜愛音樂的人，才會搞那麼多想法，不然隨便寫幾首商業歌賣大錢，不是更好嗎？但泰迪羅賓就是為音樂捨易取難，光是這種想法，當年即令我對他崇拜不已，何況近年還有機會跟他認識，深入傾談呢？因為〈天外人〉是長達二十三分鐘的組曲，〈鄉愁(I)〉作選段獨立出現是首次。

35

雨中的浪漫
張國榮

［曲／詞：木森敏之／大津あきら
中文詞：潘偉源 編／監製：黎小田］
OT: 悲しきウェザーガール
（レインボー・シスターズ／1984/Polydor）
收錄於：張國榮／為妳鍾情／1985

《為妳鍾情》專輯好歌如雲，Hit歌一首接一首，當年卻在某深宵節目聽到陌生但很好聽的〈雨中的浪漫〉，後來才曉得那是這張爆棚大碟的最後一曲。當年在電視收看電影 *Singing In The Rain* 時，已超喜歡男主角 Gene Kelly 不管雨水打在身上，卻悠然自得地在街上起舞的一幕戲。途人撐着傘，都很驚訝這「傻佬」的怪行徑，我卻很羨慕他漠視世人目光的獨陶醉！那是我很憧憬的〈雨中的浪漫〉。

36

聽不到的說話
呂方

［曲／詞：杉真理／大津あきら
中文詞：向雪懷（陳劍和）編：黎學斌
監製：黎小田／蘇孝良］
OT: 君を胸に秘めて
（中村雅俊／1984/Nippon Columbia）
收錄於：呂方／呂方（聽不到的說話）／1985

呂方有〈聽不到的說話〉，那麼我也來個「　　　　　」（看不到的文字）吧！說不出喜歡這歌的原因，喜歡就是喜歡！這樣的描述是不是有點怪？台灣創作歌手陳昇在他早期的唱片文案，曾有這一句：「如果你覺得我有點怪，那是因為我太真實。」我喜歡這態度，所以也特別喜歡陳昇！嘿！我不是在寫呂方的嗎？

37

快樂老實人
盧冠廷

（電影《1/2 段情》主題曲）
［曲：盧冠廷 詞：唐書琛
編：Joey Villanueva/ 盧冠廷］
收錄於：盧冠廷 / 盧冠廷第一階段作曲、演譯、精品集 / 1985

聽說當年電台會有歌曲播放長度限制，所以過長的歌都會被 Cut 短，又或是減少 Air Play，這對於唱片公司而言，是一種冒險，但其實不管外地 Don McLean *American Pie*、Eagles 的 *Hotel California*、Led Zeppelin 的 *Stairways To Heaven*、Queen 的 *Bohemian Rhapsody*、Pink Floyd 唱片或本地泰迪羅賓的〈點指兵兵〉都突破了這種制肘而大受歡迎，甚至成為經典。盧冠廷因堅持保留歌曲末段一分十五秒的二胡精采 Solo，而跟唱片公司極力爭取，結果一首經典就此誕生。事實上末段的二胡，猶如結他 Solo，這玩法實在創先河，跟合音團的和聲此起彼落，也夠精采！

自始，我便一直迷上了 Lowell 的音樂！

38

請給他再醉
夏韶聲

［曲 / 詞：中島みゆさ 中文詞：區新明
監製：張景謙 / 夏韶聲］
OT: 歌姬（中島みゆき /1982/Aard-Vark）
收錄於：夏韶聲 / I Remember....../ 1985

I Remember...... 是我真正接觸夏韶聲的第一張唱片，那是受一位音樂朋友的影響。〈請給他再醉〉流露着人生的苦澀味，曾陪伴我一段黑暗的日子，音樂不單記錄了我聽歌的經歷，也是我人生的日記。

39

尖東海傍
吳夏萍

［曲／詞：Raivo Tammik/ Reto Breitenmoser/ Tom Peters 中文詞：盧國沾
編：Alastair Monteith-Hodge 監製：Anders Nelsson/ Alastair Monteith-Hodge］
收錄於：吳夏萍／心的色彩／1985

吳夏萍的唱片只有一張，錄下的歌曲也不多，當年〈尖東海傍〉蠻流行的，以為許多人都忘了，後來我在 Blogging 的日子，才在分享中發現許多人仍記得此曲。重溫當年的 MV，曬得一身古銅色的吳夏萍，個子雖小，但好 Sweet！也為這短歌中的戀情添上甜度。寫這書時，立即就想到這張絕版唱片，想不到更聯絡到當事人做專訪。人生中許多事，真的是很意想不到的！

40

欲斷難斷
陳美玲

［曲／詞：中村泰士／阿久悠 中文詞：盧永強
編：Richard Yuen（袁卓繁）監製：陳美玲］
OT: あのこはいつも逆光線
（浜野賢一／1985/Philips）
收錄於：陳美玲／Pat Chan（如果）／1985

這歌流行的時候，我的工作時間是很特別的，一年裏絕大部分時間是凌晨五時上班、早上十一時下班，非常快活的一份輪班的文職工作。因為非正式辦公時間的緣故，同事都會開收音機。在人還未完全清醒的狀態下，聽到節奏強勁的歌是最令人醒神的。某個節目的 DJ 很懶，從不準時上班，於是首半小時，都是無主持狀態下播放演唱會 Medley 歌曲，幾乎天天一樣，實在令人討厭！但她也有可愛的一面，因為很少 DJ 會像她播快歌的，而且會用特長的 Remix 歌曲充塞時間。於是〈欲斷難斷〉推出時，她播放了好長的日子，後來〈欲斷難斷〉全新跳舞版推出，她又播放了好長好長的日子……

41

黑色午夜
張國榮

［曲：国吉良一 詞：林振強
編：蘇德華 監製：黎小田］
收錄於：張國榮 / Stand Up/ 1986

歌者唱着誘惑的午夜，但我特別喜歡副歌中強調黑色兩字，很像「咳吐」的吐痰！有這印象，是否因為盧海鵬在電視節目把這歌二次創作過？需要Fact Check！不過事實上，我是蠻喜歡〈黑色午夜〉的型格！So Cool！

42

也許
蔡楓華

［曲 / 編：Chris Babida(鮑比達)
詞：林振強 監製：梁兆強 / 蔡楓華］
OA: 何家勁 (1984/CBS Sony)
收錄於：蔡楓華 / 絕對空虛 / 1986

一首好歌遇人不淑，可以說就此被毀了，如果被唱功較好的歌手選中再重唱，或許有幸得到「重生」機會。印象中〈也許〉與〈朦朧夜雨裏〉都是命運相同的歌，但現今Hi-Fi碟當道，倒是許多好歌被重唱時毀掉了！這叫晚節不保！

43

感情的段落
林志美

［曲／編：周啟生 詞：鄭國江］
收錄於：林志美／雨夜鋼琴粉藍色的精選／1986

談情說愛的歌，今天可能已太老套，但這些陳年舊歌，大概也記錄了我們這一代人，當年經歷愛戀的甜蜜或苦澀。喜歡這歌的旋律，也特別喜歡那一段密集的鋼琴前奏。

44

溫馨
張學友

［曲／詞：林敏驄 編：林敏怡 監製：歐丁玉］
收錄於：張學友／相愛／1986

歌如歌名，張學友細膩地演繹着溫馨的甜度！不過這本來是形容咖啡的廣告歌。《相愛》的封套照片在澳門拍攝，因着我曾在當地工作，總有無法言喻的親切感。在那段日子，我總愛於假日在露天茶座喝着咖啡、享受陽光帶來的暖和。

45
再見理想
Beyond

［曲：黃家駒 / 陳時安 詞 / 編：黃家駒 / 葉世榮 / 黃家強 / 黃貫中
監製：Beyond/ 張景謙］
收錄於：Beyond/ 再見理想 / 1986

會跟理想說再見，證明心底裏還是經過掙扎，但我相信 Beyond 唱這首歌時，其實沒有放下過音樂理想，不然就沒有往後成名的 Beyond 了！名利是虛無的，理想不也是飄渺的嗎？有人會為追逐名利埋沒自我，也有人一生堅守出淤泥而不染的人生態度，那是非常個人的選擇！

46
吸煙的女人
Raidas

［曲 / 監製：黃耀光 詞：林夕］
收錄於：Raidas/ 吸煙的女人 EP/ 1986

八十年代中，歐陸 Euro-Beat 舞曲當道，Raidas 也因〈吸煙的女人〉複製了這種曲式而成名，我也迷上這一類歌曲好一陣子。熱潮過後，有同事播放 Modern Talking CD，心裏暗叫：好 Out 啊！然而，千禧前一年，在緬甸旅遊時，聽到當地語言版本的 *Touch By Touch*，一下子對這種熟悉的曲調懷念起來，但那時我已轉聽 CD，家裏的唱片和卡帶，早已沒機器可以播放了。現在重聽 Raidas，又再覺得好型！近年，我收集了許多 Remix 12" 唱片，回味當年聽音樂的青蔥歲月！

47

無言者
赤道（吳潔梅主唱）

［曲：吳秉堅 詞：趙孟準／翁偉微
編：李英傑 監製：翁慧蘊／吳秉堅］
收錄於：赤道／有情天地／1986

如果赤道不是從宗教跑出的組合，他們的歌曲其實可以說只是城市民歌。言多必失，選擇沉默是金是較好的；但若有日感到無言，會否只是因為對現實太失望，說也無用呢？八十年代，還有探求內心的好歌，今時今日，忙昏了的生活，有多少人會細想人生需要甚麼呢？會尋求深處的自己？

48

清晨
劉美君

［曲／編：林敏怡 詞：文井一 監製：陳永良］
收錄於：劉美君／劉美君（最後一夜）／1986

前文說過，我早年有一份凌晨五時上班的文職工作，所以那幾年，我確實有許多感受「清晨」的機會！與城市慢慢甦醒，迎接一天的來臨！但換上冬天，我會有另一番感受：為何眾人皆睡我獨醒？

50

蝎色心臟
麥潔文

［曲／詞：Andreas Nager/ Ajay Mathur
中文詞：林敏驄 編：入江純 監製：楊喬興］
OT: Miracle Man (Nuance/1986/Marisma)
收錄於：麥潔文／
麥潔文（勁舞 Dancing Queen）/ 1987

〈蝎色心臟〉雖然沒有大熱過，但專輯中的〈勁舞 Dancing Queen〉、〈路黑山高錫人夜〉爆紅時，我已注意到此曲。後來它被重新混音推出 EP 作主打歌，證明我的眼光也不錯。每次談到這歌，我總是有點自 High！

49

褪減的愛
李中浩

［曲／編：林敏怡 詞：鄭國江 監製：李振權］
收錄於：李中浩／李中浩（夜舞者）/ 1986

李中浩在樂壇，只屬曇花一現，俊朗臉孔和高大身型的優勢，並沒有幫到他一把。很喜歡這張 EP 的照片造型，有着電影劇照的氣氛；好喜歡〈褪減的愛〉這歌，編曲、錄音音色及曲式，跟母公司寶麗金的張學友《相愛》專輯有如同出一轍，我一直覺得那是張學友棄用的歌。不過，在《相愛》專輯，張學友不也是唱了張國榮棄用的〈飛機師的風衣〉麼？

51
充滿希望
Maria Cordero

（電影《監獄風雲》主題曲）
［曲：盧冠廷 詞：盧國沾
監製：張思瑾／陶贊生］
收錄於：Maria Cordero/
監獄風雲・龍虎風雲／1987

怨曲這種很黑人的曲式，在華語音樂作品中是很少見的，在粵語歌中就更罕見，偏偏有好幾首卻是盧冠廷的作品，就如他自己唱的〈十四噸空虛〉及為電影《監獄風雲》而寫的〈充滿希望〉。人生難免遇上困境，但單是抱怨也是無用的，何不積極面對？或許更能幫忙解決問題。曲調非常怨曲，但配上充滿激勵的歌詞，這歌真的好特別！

52
我的故事
陳百強

［曲：陳百強 詞：向雪懷（陳劍和）
編：杜自持 監製：陳百強／王醒陶］
收錄於：陳百強／夢裡人／1987

沒有人喜歡真正的悲傷，但陳百強自身寫照的〈我的故事〉，竟然連憂鬱都那麼動人，使人對歌者我見猶憐。一九八七年，這歌只是一種情緒抒發，但他悲慘的結局，卻更令人唏噓！陳百強的代表作數也數不完，但作為他一生的主題曲，我覺得〈我的故事〉是最貼切不過！

53

海旁獨唱
葉蒨文

［曲／詞：Madonna/ Patrick Leonard/
Bruce Gaitsch 中文詞：林振強
編：Richard Yuen（袁卓繁）
監製：葉蒨文／鍾定一／黃柏高／林子祥］
OT: La Isla Bonita (Madonna/1987/Sire)
收錄於：葉蒨文／甜言蜜語／1987

我喜歡 *Madonna* 早期的歌曲，曲式簡單又容易上口，不及往後成為天后的步步為營。*La Isla Bonita* 保持了這種音樂特色，並加入了南美節奏，很有渡假感覺。改編為中文歌後的〈海旁獨唱〉，仍保留了這種閒適，當年流行了一陣子，往後卻被葉蒨文無數代表作蓋過了。

54

那個下午我在舊居燒信
達明一派

［曲／編：劉以達 詞：何秀萍 監製：黃祖輝］
收錄於：達明一派／我等着你回來／1987

連電郵也開始少人用的年代，似乎短訊更能配合城市人甚麼都要急、萬事都要快的節奏。偏偏幾年前，有台灣朋友跟我說愛用墨水筆，也愛寫信。九十年代初，我有機會到澳門工作、雖有長途電話，卻不是胡亂花錢用來聊天的，那些日子我很常跟一位已退休的小學老師通信。我得說，回家時看到信箱有信件，那是一件很驚喜的事，用心回信也好讓我抒發感受，然後信寄出了，便是下一個回信的等待。及至千禧年代，我跟遠在美國的 Uncle 也有這書信來往的習慣。回想達明一派的〈那個下午我在舊居燒信〉，我欣賞這一份浪漫，但我從來不會燒信，我相信將來也不會……因為我慣用碎紙機！

55

誰願要我
凡風

［曲／詞：區新明 編：凡風
監製：凡風／張景謙］
收錄於：凡風／紫色夏日／1987

凡風絕不是八十年代香港樂隊熱潮中，最成功的例子，或者更多人只記得他們前身小島樂隊的〈她的心〉，但凡風確實有幾首作品很觸動我，就如〈誰願要我〉。這張唱片出版後幾年，總會遇上喜歡〈誰願要我〉的音樂朋友，及至九十年代興起卡拉OK，竟然也有新認識的朋友很喜歡唱它。這樣的巧遇，確實很難得。

56

絲線（默然Ⅱ）
鍾鎮濤

［曲：鍾鎮濤 詞：林敏驄 編：盧東尼
監製：葉廣權／鍾鎮濤］
收錄於：鍾鎮濤／寂寞／1987

溫拿冒起的年代，我一直以為鍾鎮濤是唯一主唱，後來樂隊拆夥了，譚詠麟、鍾鎮濤和彭健新都各自單飛。雖然我一直也聽鍾鎮濤的〈閃閃星辰〉、〈不可以不想你〉和〈一段情〉等，但注意力卻改在譚詠麟身上、直至《淚之旅》推出，才感到他的音樂夠型格，走出了譚詠麟商業味道以外的創作人路線。使我驚艷的〈浪漫小夜曲〉換來重新注意他的〈我寂寞〉和〈痴心的一句〉，然後我便經常留意他的Side Track了。不曉得〈絲線（默然Ⅱ）〉跟前作〈默然〉有甚麼關係，但兩者我都喜歡。

57

說不出的未來
夏韶聲

［曲／詞：李壽全／張大春 改編詞：劉卓輝
編：Danny Summer（夏韶聲）/
Tommy Ho（鮑比達）監製：夏韶聲］
收錄於：夏韶聲／說不出的未來／1988

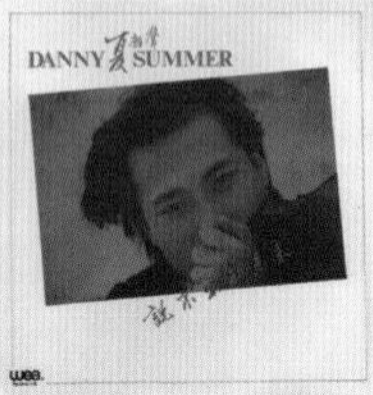

八十年代中期，我聽中文歌已不再限於主打，而且愛在每張專輯尋找自己偏愛的口味。長達六分多鐘的〈說不出的未來〉簡直是瘋了，就算 DJ 有耐性把歌播完，但又有多少聽眾會留守欣賞呢？這歌實在很難流行起來，但偏偏它很吸引我。許多許多的不解、一個又一個疑問，談的課題也太大了吧？年輕時說不出自己未來的感覺，年過半生，常有人談及末世，可能仍有更多說不出的未來。

58

暫留居
盧冠廷

（電影《大行動》主題曲）
［曲：盧冠廷 詞：唐書琛
編：Joey Villanueva
監製：盧冠廷／樓恩奇］
收錄於：盧冠廷／但願人長久／1988

電影《大行動》到底有沒有拍成？我實在並不在乎，但《但願人長久》專輯內有好幾首 Side Track 確實很吸引我，甚至當年聽一兩次就喜歡到現在了。就如〈暫留居〉，它有種浪子的孤獨，切合我人生中的一個階段。

59

人生何處不相逢
陳慧嫻

［曲／編：羅大佑 詞：簡寧（劉毓華）
監製：區丁玉］
收錄於：陳慧嫻／秋色／1988

一九八八年，Muzikland 愛上了台灣人羅大佑的音樂，他有許多充滿鄉土情懷作品，不管編曲或合音編排都獨樹一格。許多人以為一九九一年的《皇后大道東》是他首度登陸香港，但其實前幾年，已靜悄悄地起革命，以甄妮〈海上花〉、許冠傑〈阿郎戀曲〉、李健達〈也許不易〉及袁鳳瑛〈天若有情〉等登上香港樂壇主流。一直以為〈人生何處不相逢〉是周華健〈最真的夢〉的粵語版，近年因為寫書考證資料，才發現慧嫻的出版時間較早，而且羅大佑更親自編曲及彈奏 Keyboard，幾十年的誤會終於解開了！

60

永遠作伴
杜德偉

［曲／詞：Maurizio Bassi/ James McShane
中文詞：林夕 編／監製：徐日勤］
OT: Survivor In Love (Baltimora/1987/EMI)
收錄於：杜德偉／忘情號／1988

明明是逝去的戀情，卻苦苦哀求渴望團圓，如果事事都是兩情相悅，就不會有這種失戀歌了，但更難的是，如果對方已告別人世呢？我身邊好像也有朋友經歷過。

61
囉囉攣
Blue Jeans

（香港電台廣播劇《神探福爾摩》主題曲）
［曲／編：黃良昇 詞：小美（梁美薇）
監製：梁兆強］
收錄於：Blue Jeans/ 藍戰士 / 1988

Blue Jeans 很正經、但又好搞怪的歌。就算是小魔怪也需要愛情吧？如西洋老歌 *You Can Never Stop Me Loving You*。林志美的合音，確實像神來之筆，猶如天使降臨，那麼即是小魔怪愛上了落入凡塵的天使麼？難怪要囉囉攣了！

62
愛煞
達明一派

［曲／編：劉以達 詞：邁克
監製：達明一派 / 陳維德］
收錄於：達明一派 / 你還愛我嗎？ / 1988

長達五分十秒的歌曲，全曲邁克只用上「情迷意亂，露冷衾暖，浪語傾訴，無盡愛幕」十六個字組成，迷幻的編曲配上恍似喘息聲的前奏已佔用了兩分四十秒，黃耀明的主唱才淡然盪來。很特別的唱片結尾曲，本來以為只是製作意念前衛破格，原來是為一九八八年進念・二十面體七、八月間在沙田大會堂的新劇《拾日譚——N個道德的故事》創作的配樂。

63

下雨天
林憶蓮（Blue Jeans 合唱）

［曲：黃良昇 詞：小美（梁美薇）
編／監製：Blue Jeans］
收錄於：林憶蓮／Ready/ 1988

總覺下雨帶來不便，尤其遇到上下班人多車多的時候，特別惹心煩燥，但若在閒適的日子，下雨卻又會帶來不一樣的感覺，減少悶熱，把城市也洗刷一下，甚至可以把心中煩惱沖洗去。〈下雨天〉融入了歌者的失戀狀況，愈聽愈有味道，不管是這合唱版或是 Blue Jeans 稍後的獨唱版，我都照單全收。

64

雷電風雨夜
林憶蓮

［曲／詞：Chico Bennett 中文詞：林振強
編：陳明道 監製：倫永亮／林憶蓮］
OT: Infatuation (Taja Sevelle/1987/Paisley Park)
收錄於：林憶蓮／都市觸覺 Part 1/ 1988

林憶蓮在華納時期的都市觸覺系列確是很迷人，成功為她打造都市女性的角色，那些 R&B 舞曲都很型格。但細心回味她的歌，其實都很情慾，就如〈雷電風雨夜〉，就有種按捺不住，急不及待。我跟很熟的朋友，喜歡在對話時玩弦外之音，就看你心想甚麼，來解讀我講甚麼。有一次，友人夫婦滿懷高興到沖繩渡假幾天，沒想到天公不造美，天天在下大雨。我笑說那是翻雲覆雨！友人無言以對！哈哈！我就是愛玩！

65

纏綿不盡
關淑怡

［曲／編：方樹樑 詞：向雪懷（陳劍和）
監製：葉廣權］
收錄於：關淑怡／難得有情人／1989

雖然日後關淑怡愛玩聲、玩唱腔更能突顯她的風格、這顯得早期的專輯又不那麼關淑怡，但《難得有情人》專輯好歌滿滿、尤其多首不是那麼大熱的歌，從初接觸我便愛不釋手。就如〈纏綿不盡〉，我喜歡的程度不下於標題歌〈難得有情人〉。原來這也不算是 Side Track，因它本身是一首廣告歌。

66

獨白
甄妮

［曲／編：黃良昇 詞：林夕
監製：Tommy Leung（梁兆強）］
收錄於：甄妮／Jenny／1989

Jenny 可能是甄妮最不受注意的粵語專輯，更莫説當中的歌曲了。〈獨白〉是一首很難駕馭的好歌，只有如甄妮這類可柔可剛的唱將歌后，才能把歌裏的孤寂，發揮得淋漓盡緻。多少次，以為這歌抒發着我的〈獨白〉。

67

一無所有
王傑

［曲／詞：陳志遠／陳樂融 改編詞：王傑
編：陳志遠 監製：郭小霖／李壽全］
OT: 是否我真的一無所有
（王傑 /1989/ 飛碟）
收錄於：王傑／故事的角色 /1989

那年頭有好多「一無所有」，除了王傑這歌，還有他的國語版〈是否我真的一無所有〉，及內地歌手崔健的〈一無所有〉。特別喜歡副歌的吶喊，把情緒推到頂點，也突顯歌手的唱功，怎麼現今世代沒有這種旋律精精神神的作品呢？

68

我心如雷
譚詠麟

［曲／詞：Alan Mansfield/ Sharon O’Neill
中文詞：潘源良 編：Donald Ashley
監製：關維麟／葉廣權］
收錄於：譚詠麟／忘情都市／1989

雖是輕鬆的舞曲節奏，卻帶來如怒火般的情緒，恍似談及失戀，又好像是一首非情歌，留下了空間給聽者去解讀。

70

夜
Cocos

[曲：曾偉賢 詞：盧永強
編：Cocos/ 曾偉賢 監製：Cocos]
收錄於：Cocos/ 我們都是人 / 1989

年輕的時候，總覺「夜」是那麼迷人，但經歷過失眠的折磨，漫漫長夜幹嗎浪費不去睡？不過，跟「夜」相關的歌曲，多年來仍是筆者的偏愛。Cocos 的「夜」，電子得來有點冷！主唱葉其美的嗓音非常獨特，咬字轉音都很有性格，我有時甚至覺得她是女版達明一派，可惜 Cocos 瞬間即逝，葉其美回復 May Ip 個人身份，走的民歌路線又不再是那回事了。

69

午夜怨曲
Beyond

[曲：黃家駒 詞：葉世榮 編：Beyond
監製：王紀華 / Gordon O'Yang/ Beyond]
收錄於：Beyond/ 真的見証 / 1989

若有人似我，除非有兩個我；其實也可套用在若有人明白我，除非有兩個我！〈午夜怨曲〉寫着歌者的寂寞情懷，但卻充滿雄心鬥志，永不言敗。就算怎麼不如意，日子也是要過的，這歌正好給人加力，自我勉勵！

72

天生一對
夢劇院

［曲：Keith Yip（葉建華）詞：夢劇院
編：Keith Yip/ 麥皓輪
監製：Keith Yip/ 麥皓輪 / 夢劇院］
收錄於：夢劇院 / 天生一對 / 1989

由兩女組成的夢劇院，恍似是雙妹嘜唱着〈天生一對〉，這是她們吸引我的第一首歌，也是我覺她們各方面配合得最好的歌。我得說，她們其實是八、九十年代曇花一現的 Twins，成為了許多樂迷的回憶。

71

留住我吧！
太極

［曲：太極 詞：潘源良 監製：太極］
收錄於：太極 / 沉默風暴 / 1989

在戀情中被提出分手，被甩掉的一方總會期望對方把自己留住，或許有天重回自己的懷抱。原來這不限於女生，太極唱出了男生也有這種痴情。

73
冰點
陳慧嫻

［曲／詞：玉置浩二／並河祥太
中文詞：子貓（黃霑君）編：盧東尼
監製：區丁玉／陳永明／陳慧嫻］
OT: 氷点（玉置浩二/1989/Kitty）
收錄於：陳慧嫻／永遠是你的朋友／1989

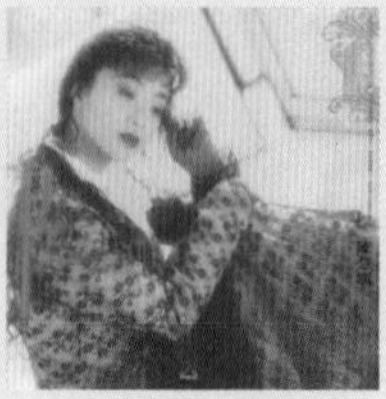

沒有大熱的〈冰點〉，原作根本就是一首主打單曲，但同歌不同命，只因《永遠是你的朋友》專輯內好歌太多。不曉得是否受歌名影響，但陳慧嫻的歌聲確實讓我感受到〈冰點〉的冰冷。

74
玩玩
劉美君

［曲／詞：Full Force 中文詞：林振強
編：Richard Yuen（袁卓繁）
監製：劉美君／江港生］
OT: I Wanna Have Some Fun
(Samantha Fox/1988/Zomba)
收錄於：劉美君／赤裸感覺／1990

好喜歡劉美君當年歌曲的豪放，〈玩玩〉是女生對男生的回應，甚至是一種報復，也是一種男女關係的逆思維。回歸樂壇後的劉美君，已缺乏這種很個人的獨特色彩了。

75

火之界
草蜢

［曲／詞：David Rudder/ Andy Paley/
Jeff Vincent 中文詞：林振強
編：唐奕聰 監製：黃祖輝／區丁玉］
收錄於：草蜢／草蜢 Grasshopper/ 1990

一首很特別的作品，旋律一直徘徊在起首音樂的階段，似是一直站在門口，久久未進入內室，在一般歌曲中顯得好另類。另外，我也很享受唐奕聰那豐富的編曲。

76

灰色軌跡
Beyond（黃家駒主唱）

［曲：黃家駒 詞：劉卓輝 編／監製：Beyond］
收錄於：群星／天若有情電影歌曲／1990

劉德華主演的電影，配上 Beyond 的歌曲，具備兩大爆紅元素，試問電影《天若有情》又怎會不賣過滿堂紅呢？更何況當中四首電影歌跟劇情配合到恰到好處。當年流行租 Laser Disc，我會把它用 Beta 錄影帶錄下來（因為當時只有 Beta 才有 Hi Fi 及 Stereo 聲軌），我特意把〈灰色軌跡〉的畫面連歌節錄下來，化身為劇場版 MV。現在對劉德華與 Beyond 的熱情早已減退，留下的是當年抹不去的青春回憶！

77
情殤
張立基

［曲／編：孫偉明 詞：向雪懷
監製：王醒陶／張立基］
收錄於：張立基／When The Wine Is Over／
1990

這張專輯許多人只注意〈異性相吸〉及超級大熱的 *Electric Girl*，都是初聽就很容易喜歡的舞曲。但我對張立基的喜愛，一直都是舞曲與抒情歌共存，因為我覺得他是一位不只限於跳唱的歌手。我還記得初次聽這張 CD，是一面逛商店，一面聽 Discman，卻想不到最後一曲令我立時停下腳步，想多花點注意力再聽一遍。喜歡那日式編曲的前奏，喜歡那詩意的歌名〈情殤〉。當我翻看歌詞冊，知道這是孫偉明的原創作品，便更添喜愛。從來沒有刻意翻他的資料，但首次注意他是他寫給吳國敬的歌，然後還有陳百強，幾首作品都是有點搖滾的 Rock Ballad，包括這首〈情殤〉。雖然，張立基駕馭這歌未算完全合格，但卻不減我的喜愛！

78
再生戀
林憶蓮

［曲／編：Dick Lee（李迪文）詞：林振強
監製：許願／林憶蓮］
收錄於：林憶蓮／野花／1991

從電影《回到未來》（*Back To The Future*）開始，就很喜歡跨越時空的故事，後來還有美國的《黑洞頻率》（*Frequency*）、韓國的《觸不到的戀人》（시월애）與《愛的空間》（동감）等都很吸引我。〈再生戀〉多少談及輪迴或隔世的戀情，Remix 版加入和尚唸經，更倍添鬼魅氣氛，於是我又聯想到林子祥主演的驚慄電影《再生人》！

80
愛不完
劉德華

［曲／編：杜自持 詞：林振強
監製：杜自持／王雙駿］
收錄於：劉德華／愛不完／1991

九十年代可能因為有四大天王，所以也特別多情深款款的戀曲，劉德華的〈愛不完〉便是我很喜歡的一首。John Lennon 曾嘲笑隊友 Paul McCartney 只懂寫情歌，於是 Paul 寫了 *Silly Love Songs* 回應，甚至大熱起來。其實音樂可以很多元化，甜蜜的情歌也是很有市場的。

79
情不禁（Remix）
張學友

［曲／詞：玉置浩二／松井五郎
中文詞：劉卓輝 監製／Remix：歐丁玉］
OT: Lonely Far（安全地帶／1990/Kitty）
原曲收錄於：張學友／情不禁／1991
收錄於：群星／寶麗金不一樣的感覺／1991

張學友演繹搖滾的〈情不禁〉，可以說是舞曲路線的嘗試之作，就算當時舞不起來，也有一種動感。未幾寶麗金在一張 Remix 合輯中，收錄了從未曝光的另一版本。新版 Sampling 了古早老歌 *Only You* 前奏，轉入 Reggae 的動感節奏，使得《〈情不禁〉以全新姿態呈現！多年來，我一直不相信這是 Remix，卻有理由覺得這是棄用的原版，之後唱片公司又改變主意！因為編曲與節奏，跟原版是兩碼子的事。那一年，我用機器去除了主音，把 Backing 用來參賽新秀試音。報上名來〈情不禁〉，怎麼音樂卻是 Platters 的老歌，這當然令累壞了的評判突然醒神，以為放錯音樂，結果引得他們注意，可惜唱不了幾句還是被叮了。那位評判曾把目光放在舞不得、還以為很唱得的筆者身上，正是當時主理華星唱片的陳欣健先生。

81

似是故人來（梅艷芳主唱）

（電影《雙鐲》主題曲）
[曲：羅大佑 詞：林夕 編：花比傲 (Fabio Carli) 監製：羅大佑 / 花比傲 (Fabio Carli)]
收錄於：羅大佑 + 群星 / 皇后大道東 / 1991

還是因為一張邵氏電影卡拉OK，我才曉得〈似是故人來〉來自電影《雙鐲》，那是民初姊妹情深的相戀故事。羅大佑擅長寫很中式的鄉土作品，如齊豫的〈船歌〉，〈似是故人來〉更是不可多得之作，由梅艷芳主唱，更是替歌曲畫龍點睛。

我喜歡梅艷芳的柔情，多於她的硬朗，正是因為〈似是故人來〉！

82

第四者 Mix 第四者 Echo

[曲：倫永亮 詞：周禮茂 編：Joey Ou/ Joseph Wong 聯製：Andrew Tuason/ 杜自持 / Stephen Cheng]
收錄於：Echo/ Ja Ja Jammin' On A Groovy Wave/ 1991

從來沒有覺得 Echo 唱功很了得，但兩把聲音配合唱片監製的打造，整體就是能跳，唱也不俗，令人舒服的組合。原曲〈第四者〉我已很喜歡，〈第四者 Mix 第四者〉經過重新混音，添加 Hip-Hop 元素，比原曲更動聽！可是，四角戀已很混亂，第四者 Mix 上第四者，不會是真的十六角戀吧？

83

再等幾天
譚詠麟

［曲：Klaus Meine 中文詞：林敏驄
編：蘇德華 監製：葉廣權／關維麟］
OT: Wind Of Change
(Scorpions/1991/Vertigo)
收錄於：譚詠麟／情人／1992

不曉得是否只屬宣傳技倆了，因為年代久遠，我也缺乏興趣去證實，有說電台DJ聽到〈再等幾天〉時，以為是Beyond黃家駒寫的歌，豈料發現原來是改編曲；於是，又有人說由Beyond來唱可能會更適合。我喜歡Beyond，也擅於在卡拉OK模仿他的唱腔，於是與友人唱K時，恍似由家駒主唱的〈再等幾天〉任務就落在我身上了。

84

等玉人
（太極主唱）

［曲／詞：Ron Elliott/ Bob Durand
中文詞：許冠傑 編：太極］
OT: Just A Little
(The Beau Brummels/1965/Autumn)
OA: 許冠傑 (1974/Polydor)
收錄於：華納群星／華納群星難忘您許冠傑／1992

在還沒有流行Hi-Fi碟的年代，兩張由寶麗金與華納各自為歌神許冠傑致敬的翻唱碟，可能是香港粵語年代，比較大型又有規模的翻唱，尤其各巨星，以人家的代表作來展現自家的風格，實在輸不得，於是精采的Cover Version，洶湧而來。太極選來了許冠傑早期的〈等玉人〉；這首改編歌源於美國樂隊The Beau Brummels的*Just A Little*，水準只是一般，但許冠傑所屬的The Lotus（蓮花樂隊），玩得比原作出色，及至許冠傑單飛年代再改為粵語歌，使得更深得民心。太極的版本，刻意加入Band隊彈奏技術，質感上又比許冠傑版本豐富了許多。

85

舊情綿綿
張學友

［曲／詞：小椋佳 中文詞：劉卓輝
編：盧東尼 聯製：歐丁玉］
OT: 心ゆくまで
（梅沢富美男 /1993/Polystar）
收錄於：張學友 / 我與你 / 1993

不曉得想念舊情的人，身邊是否還在談一段感情，這種回憶似乎因為已經失去再得不到，倍覺美好。用上小提琴伴奏的〈舊情綿綿〉份外優美，甚至不覺得那是東洋樂曲。對〈舊情綿綿〉有着一些情意結，因為我也愛古早台語歌〈舊情綿綿〉，甚至還買來這部一九六二年的電影DVD來看！Muzikland在音樂領域，總愛到處闖，就是水銀四瀉。

86

如風 (Autumn Version)
王靖雯

［曲／詞：張宇 / 十一郎 改編詞：林振強
監製：梁榮駿 / 梁飛翔］
原曲收錄於：王靖雯 / 十萬個為什麼？ /1993
收錄於：王靖雯 / 如風 EP (Autumn Version)/
1993

玩曲風，還未玩到出神入化前的王菲，其中版歌曲最能牢牢抓住樂迷的心。當時以為是張宇的歌曲，卻未想到原來是他寫給萬芳的作品。雖說王菲與萬芳兩人是風格截然不同的歌手，但我得說王菲在唱功上勝了一着。《十萬個為什麼？》專輯的成功，唱片公司緊接是以EP再推一把，於是出現了Autumn Version的〈如風〉。新版與原版分別，算是一剛一柔吧！

87

請勿客氣
軟硬天師／王菲合唱

［曲／詞：Ferrell Sanders/ Rob Gallagher/ Crispin Robinson 中文詞：軟硬 編：C.Y. Kong（江志仁）
監製：CY. Kong/ Softhard/ Stanley Leung］
OT: Prince Of Peace
(Galliano/1992/ Talkin' Loud)
收錄於：軟硬天師／廣播道軟硬殺人事件／1993

我特別喜歡用這歌的歌詞來形容我身邊過於內歛的人。怎樣啦？又不是你肚裏的蟲，怎猜你得心意啊？朋友還算了，合作夥伴的話，有時浪費時間玩猜心，真是想咬人！！「講聲畀佢知，你對佢幾鍾意，唔駛等佢估吓估吓，佢都唔係先知。快啲冧啲！喂！爽啲！有嘢唔講，你個口會生痱滋，你又唔係間諜，駛乜保密？唔係拉鏈，又駛乜拉密？再吞吞吐吐，會似粵語片嗰疋，紮腳布咁憂鬱，寧願着鞋唔着襪。所以話一於就由今天開始，開始，對你喜歡嘅人講聲你對佢哋 Likey，可包括你阿媽好朋友或同事，可加埋阿爸或情人同埋妻兒，唔駛怕話唔係幾好意思，只有木頭公仔先至唔識點樣表達心意，快啲張開口，你咪話嫌費事，你對住愛嘅人，唔係對住牙醫！」軟硬的歌詞真的很「絕核」！

88

我和春天有個約會
劉雅麗主唱

［曲／詞：鍾志榮 編：溫浩傑
監製：夢云音樂劇場］
收錄於：劉雅麗、譚偉權、胡寶秀／我和春天有個約會 EP/
1993

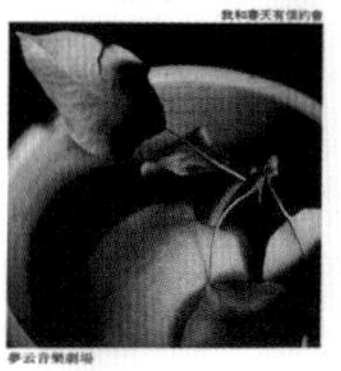

當朋友向我介紹這舞台劇如何精采時，可惜接下來的場次門票已賣完，卻無意間給我買了這張 CD，卻怎料到將來此劇及當中的歌曲都爆紅呢？我更沒想過會認識到四位女角之一的羅冠蘭及年前訪問到劉雅麗。所以，這批歌曲往後還有電影 OST、電視劇 OST、劉雅麗個人專輯，甚至一連串延續的《麗花皇宮》，但我最愛的，還是這張最早期的版本。

89

情歸何處
梅艷芳

［曲／編／監製：倫永亮 詞：張美賢］
收錄於：梅艷芳／是這樣的／1994

一九九四年，梅艷芳的歌，已不像初出道時般火紅，但洗盡沿華，我覺得她的歌如醇酒般美，更能展現她的唱功，發揮她的感情。當年唱片公司為她拍攝首個原人原聲MV，對這位百變天后來說，真有遲暮的感覺！

90

奔向你
彭羚

［曲／詞：Jud Friedman/ Allan Rich
中文詞：李敏 編：麥皓輪
監製：Keith Yip(葉建華)/ 麥皓輪］
OT: Run To You
(Whitney Houston/1991/Arista)
收錄於：彭羚／未完的小說／1994

從未特別喜愛Whitney Houston，縱使她唱功了得；所以當彭羚唱了改編版〈奔向你〉，我也沒特別注意。多年後，才留意到彭羚跟這位天后比較，絕不失禮，更多了一份柔情似水，也得佩服她敢於挑戰。一首難度很高的歌，比願意奔向心愛的人難得多了！

91

偏心
吳倩蓮

［曲／詞：加藤和彥／北山修
中文詞：林振強 編：甘志偉 監製：馮鏡輝］
OT: 白い色は恋人の色
（ベッツィ & クリス /1969/Denon)
收錄於：吳倩蓮／天下浪子不獨你一人／
1994

接觸吳倩蓮首張專輯時，卻同時也買來一張日本雜錦老歌CD，而剛巧她唱的〈偏心〉，便是改編這套CD中的〈白い色は恋人の色〉。我相信只是事有湊巧，因為改編的是一九六九年的歌，也不見得這歌曾在香港流行過，更不是同期再度流行，但這曲調實在很清新。至於吳倩蓮演唱〈偏心〉，比較從容，也不如主打歌〈天下浪子不獨你一人〉或〈失戀的女人〉般拘謹。

92

那有一天不想你
黎明

［曲／編：林慕德 詞：向雪懷 監製：陳永明］
收錄於：黎明／天地情緣／1994

火紅的天王、配上鋪天蓋地的宣傳攻勢，一首本來已水準上乘的作品，就更如萬馬千軍橫掃香港每一角落，更掃下十二個年度音樂頒獎禮獎項！人紅歌紅唱片大賣的年代，彷彿是很遙遠的事……

93
（你沒有）好結果
李蕙敏

［曲：Keith Yip(葉建華)/ 麥皓輪
詞：黃偉文 編 / 監製：麥皓輪］
收錄於：李蕙敏 / 秘密 / 1995

二十五年前這樣怨毒的話，實在令人嘩然；但比起今天網絡上更毒的留言，已是小巫見大巫了。曾有友人被男友甩了，情緒徘徊在怨毒與難捨難離之間。我想兩人分手，恨是有的，只是沒有那麼直接把心底話表達出來而已，於是這歌為無數失戀者抒發情緒！

94
春光乍洩
黃耀明

［曲 / 監製：黃耀明 / 蔡德才
詞：林夕 編：蔡德才］
收錄於：黃耀明 / 愈夜愈美麗 / 1995

縱使這歐陸曲式，很像英國 Blur 樂隊的 *To The End*，但樂迷仍照單全收，因為粵語歌有這種獨特風格，就只有黃耀明或達明一派。還記得此曲流行時，Channel V的同事預告，〈春光乍洩〉搞了五個版本出來，好誇張！對了，Muzikland 喜愛的音樂，夾雜了許多鎖碎的生活回憶！

95

流淚的銀河（中島花代主唱）

［曲／編：劉以達 詞：中島花代
監製：劉以達／駱亦莊］
收錄於：劉以達／麻木／1996

這張專輯推出了那麼多年，大概最廣傳的，就是關淑怡與王菲兩位天后的歌，因為在她們的精選，都會經常收錄。或許有人只記得王菲的〈流星〉先後有兩個版本，卻很少人對這日語版尚存記憶。〈流淚的銀河〉好有動畫感覺，就像宮崎駿的電影世界，似是末世，又像是未來宇宙的憧憬。

96

偷情 張國榮

［曲／編：C. Y. Kong（江志仁）詞：林夕
監製：段鍾潭／鍾少康］
收錄於：張國榮／紅／1996

〈偷情〉似是不能説的秘密，其實許多電影都用上這種題材，如一九八四年 Robert De Niro 與 Meryl Streep 合演的《信是有緣》（*Falling In Love*）、一九九五年 Clint Eastwood 與 Meryl Streep 合演的《麥迪遜之橋》（*The Bridges of Madison County*）、一九九七年日本電影《失樂園》，甚至一九六八年的《玉樓春曉》（*Interlude*）、一九六七年《畢業生》（*The Graduate*）等都很叫座。但是，這種誘人關係，會令人不能自拔，最終悲劇收場！

97

一個人飛
李克勤

［曲／編：楊雲驃 詞：林振強
監製：江港生］
收錄於：李克勤／當找到你／1996

某年，Muzikland學人參加演藝興趣班，導師解釋何謂演技時，也談到李克勤，評論到他能把歌唱好，但欠缺感情。我也聽常克勤，對這翻話突然如夢初醒，後來我聽《當找到你》專輯時，第一次感覺到他用上許多感情來演繹，因為〈一個人飛〉這歌對我來說，有感動位！

98

我們的主題曲
鄭秀文

（電影《愛你愛到殺死你》主題曲）
［曲：吳國敬 詞：黃偉文
編：鄧建明／陳匡榮 監製：史丹利］
收錄於：鄭秀文／我們的主題曲／1997

對於唱片公司而言，甚麼電視劇或電影主題曲，絕對是一個賣點，為唱片多一個管道宣傳。在Muzikland而言，電影原聲帶唱片和電影是分開的，我愛得要死，熟悉得要命的電影歌，卻從未看過該部電影。奇怪麼？有時多年後，看到當年的畫面，甚至會覺得破壞了歌曲的美感。我是寫這書時才去看電影《愛你愛到殺死你》，為的是要查證資料和去感受，才建立自己的想法。不過也好，至少看罷有個結論：不看也不是損失！聽歌就夠！

100
垃圾
盧巧音

［曲／監製：Keith Chan（陳輝陽）
詞：Wyman Wong（黃偉文）
編：Ted Lo/ Keith Chan］
收錄於：盧巧音／不需要…完美得可怕／1998

作為一位獨立發展的新人，第一首歌曲即攻陷我心。很喜歡盧巧音獨特的嗓音，我覺得這是歌手必需的條件。一位台灣友人當時在談一段不平衡的戀愛，對方不時侮辱他令他失去自尊。正當他來香港旅遊時，我帶他去吃牛腩麵，他不小心嗆到，口裏的食物噴了出來，雖沒濺到我，卻一直連聲説對不起，就好像做錯了事，很害怕被罵一樣。其實，我又怎會罵他呢？後來他分享到他的感情事，我就想到：這種完全失衡的關係是沒有好結果。幸好，他最終分手了！縱使你屈就去當愛人的〈垃圾〉，那是一點用處都沒有的！

99
分享愛 Remix (Santana Bom Bom Mix)
郭富城

［曲／編：譚國政 詞：何啟弘
監製：Davy Tam/ 小美／郭富城］
收錄於：郭富城／愛的呼喚／1997

縱使是舞曲，我也是音樂為先，所以四大天王之中，舞功最出色的郭富城，我最少注意。我喜歡郭富城已是較後期，因為欣賞他的努力不懈。那一年，在 CD 的 Bonus Track 聽到 Remix 版的〈分享愛〉，感覺實在太讚了。這個 Santana Bom Bom Mix 顧名思意就是仿照 Santana 音樂模式，以他鮮明的結他彈奏風格來處理此曲。我認識的 Santana 音樂都是較早期，卻竟然有人製作歌曲仿照他們的 *Black Magic Woman* 及 *Oye Como Va*，又十分神似，甚至精采得令人拍案叫絕。別忘了這比 Santana 憑 *Smooth* 鹹魚重生還要早兩年，這不是跟風之作。

101
貝多芬與我
陳奕迅

［曲：Eric Kwok 詞：黃偉文 編：陳嘉樂
監製：蔡一智］
收錄於：陳奕迅／天佑愛人／1999

喜歡古典音樂的人，大多喜歡 Mozart、Bach 或 Beethoven，但我有我的杯中茶，我喜歡 Brahms！雖然擁有古典唱片數千，卻從未敢說我懂古典音樂；雖然貝多芬不是我的至愛，但流行曲連上了古典音樂家的題材，還是會讓我特別注意的啦！

附錄三

101...
and
MORE！

香港流行音樂專輯 101 全列表

Album		Year
01.	仙杜拉・啼笑因緣	1974
02.	許冠傑・鬼馬雙星	1974
03.	群星・書劍恩仇錄	1976
04.	許冠傑・財神到	1978
05.	甄妮・奮鬥	1978
06.	區瑞強・Albert Au... 區瑞強	1979
07.	徐小鳳・夜風中	1979
08.	威鎮・城市之歌	1979
09.	商業二台 DJ・6 Pair 半	1980
10.	關正傑・大地恩情	1980
11.	鄭少秋・輪流傳	1980
12.	葉麗儀・上海灘	1980
13.	羅文・仲夏夜	1981
14.	林子祥・活色生香	1981
15.	林嘉寶・出線	1981
16.	雷安娜・舊夢不須記	1981
17.	群星・香港城市民歌	1981
18.	鄭少秋・流氓皇帝	1981
19.	甄妮・甄妮（數碼大碟）	1981
20.	羅文、汪明荃・白蛇傳	1982
21.	關正傑・關正傑演唱會	1982
22.	陳潔靈・星夜星塵	1982
23.	曾路得・白牆＋精選	1982
24.	湯正川、黃綺加・尋知己 Don't Close The Door On Love	1982
25.	羅文、甄妮・射鵰英雄傳	1983
26.	梅艷芳・赤色梅艷芳	1983
27.	林子祥・愛情故事	1983
28.	鄧麗君・漫步人生路	1983
29.	葉振棠・情歌篇	1983
30.	譚詠麟・霧之戀	1984
31.	陳百強・百强'84	1984
32.	甄妮・甄妮（迷人的五月）	1984
33.	葉德嫻・你留我在此	1984
34.	泰迪羅賓・天外人	1984
35.	張國榮・為妳鍾情	1985
36.	呂方・呂方（聽不到的說話）	1985
37.	盧冠廷・盧冠廷第一階段作曲、演譯、精品集	1985
38.	夏韶聲・I Remember......	1985
39.	吳夏萍・心的色彩	1985
40.	陳美玲・Pat Chan（如果）	1985
41.	張國榮・Stand up	1986
42.	蔡楓華・絕對空虛	1986
43.	林志美・雨夜鋼琴粉藍色的精選	1986
44.	張學友・相愛	1986
45.	Beyond・再見理想	1986
46.	Raidas・吸煙的女人 EP	1986
47.	赤道・有情天地	1986
48.	劉美君・劉美君（最後一夜）	1986
49.	李中浩・李中浩（夜舞者）EP	1986
50.	麥潔文・麥潔文（勁舞 Dancing Queen）	1987
51.	Maria Cordero・監獄風雲・龍虎風雲	1987

Album		Year
52.	陳百強・夢裡人	1987
53.	葉蒨文・甜言蜜語	1987
54.	達明一派・我等着你回來	1987
55.	凡風・紫色夏日	1987
56.	鍾鎮濤・寂寞	1987
57.	夏韶聲・說不出的未來	1988
58.	盧冠廷・但願人長久	1988
59.	陳慧嫻・秋色	1988
60.	杜德偉・忘情號	1988
61.	Blue Jeans・藍戰士	1988
62.	達明一派・你還愛我嗎？	1988
63.	林憶蓮・Ready	1988
64.	林憶蓮・都市觸覺 Part 1	1988
65.	關淑怡・難得有情人	1989
66.	甄妮・Jenny	1989
67.	王傑・故事的角色	1989
68.	譚詠麟・忘情都市	1989
69.	Beyond・真的見証	1989
70.	Cocos・我們都是人	1989
71.	太極・沉默風暴	1989
72.	夢劇院・天生一對	1989
73.	陳慧嫻・永遠是你的朋友	1989
74.	劉美君・赤裸感覺	1990
75.	草蜢・草蜢 Grasshopper	1990
76.	群星・天若有情電影歌曲	1990
77.	張立基・When The Wine Is Over	1990
78.	林憶蓮・野花	1991
79.	張學友・情不禁	1991
80.	劉德華・愛不完	1991
81.	羅大佑＋群星・皇后大道東	1991
82.	Echo・Ja Ja Jammin' On A Groovy Wave	1991
83.	譚詠麟・情人	1992
84.	華納群星・華納群星難忘您許冠傑	1992
85.	張學友・我與你	1993
86.	王靖雯・十萬個為什麼？	1993
87.	軟硬天師・廣播道軟硬殺人事件	1993
88.	劉雅麗、譚偉權、胡寶秀・我和春天有個約會 EP	1993
89.	梅艷芳・是這樣的	1994
90.	彭羚・未完的小說	1994
91.	吳倩蓮・天下浪子不獨你一人	1994
92.	黎明・天地情緣	1994
93.	李蕙敏・秘密	1995
94.	黃耀明・愈夜愈美麗	1995
95.	劉以達・麻木	1996
96.	張國榮・紅	1996
97.	李克勤・當找到你	1996
98.	鄭秀文・我們的主題曲	1997
99.	郭富城・愛的呼喚	1997
100.	盧巧音・不需要…完美得可怕	1998
101.	陳奕迅・天佑愛人	1999

香港流行音樂專輯 101

第三部・1990—1999

MUZIKLAND 著

責任編輯　柯穎霖
裝幀設計　霍明志、劉婉婷
排　　版　劉婉婷
印　　務　劉漢舉

出版　非凡出版
香港北角英皇道 499 號北角工業大廈 1 樓 B
電話：（852）2137 2338　傳真：（852）2713 8202
電子郵件：info@chunghwabook.com.hk
網址：http://www.chunghwabook.com.hk

發行　香港聯合書刊物流有限公司
香港新界荃灣德士古道 220-248 號
荃灣工業中心 16 樓
電話：（852）2150 2100　傳真：（852）2407 3062
電子郵件：info@suplogistics.com.hk

印刷　美雅印刷製本有限公司
香港觀塘榮業街六號海濱工業大廈四樓 A 室

版次　2020 年 12 月初版

規格　16 開（240mm x 170mm）
ISBN　978-988-8675-51-7

鳴謝　環球唱片有限公司